PAOLO NOËL

ENTRE L'AMOUR ET L'AMOUR

Couverture :

conception et réalisation : Robert Théroux
                                 (pour E.M.M. inc.)
coordination : Maurice Mailhot

photographies : Daniel Poulin

PAOLO NOËL

ENTRE L'AMOUR ET L'AMOUR

Ainsi tourne le vent, tourne la vie.

 Éditions de Mortagne

édition: les Éditions de Mortagne

distribution: Les Presses Métropolitaines Inc.
175, boul. de Mortagne
Boucherville, Qué.
J4B 6G4
Tél.: (514) 641-0880

tous droits réservés: Les Éditions de Mortagne
© Copyright Ottawa 1982

dépôt légal: Bibliothèque nationale du Canada
Bibliothèque nationale du Québec
4ᵉ trimestre 1982
ISBN 2-89074-050-1

IMPRIMÉ AU CANADA

MAMAN,

Maintenant que tu es partie dans ce pays lointain que je ne connais pas et dont je n'ai pas la certitude, je voudrais te dire que tout au long de mon travail d'écriture, je t'ai sentie tout près de moi. Souvent, je me suis arrêté d'écrire pour rire ou pleurer en pensant à toi, parce que tu étais à la fois la joie et la tristesse. Par ta sagesse inavouée, tu m'as appris à affronter les deux avec le même courage.

Je remercie celui qui a fait que tu sois ma mère. Je n'en ai pas connu de plus grande et de plus belle. Où que tu sois, sache que je t'aime et que j'ai écrit ces livres pour que tant et aussi longtemps qu'il en restera un quelque part, tu continues de vivre et que l'on sache pendant longtemps qui était Lucienne, ma mère.

Je t'embrasse.

Ton fils,

Paolo

Table des matières

Préface

Comment ouvrir son cœur comme un livre et lui demander de se coucher sur le papier, se montrant à nu à des lecteurs que l'on ne connaît pas ?

Peut-être faut-il se les imaginer comme des «amis» à qui il est doux de se confier ? Ou tout simplement se les représenter tels des confesseurs, dont il faut attendre une sorte d'absolution faite de compréhension.

Cela devient possible, je suppose, si l'on sait s'expliquer. Si l'on réussit à recréer, avec des mots, les sentiments qui nous ont amenés à des émotions, à des valeurs qui nous sont propres.

L'amitié que nous partageons, Paolo et moi, ce sentiment confortable, qui nous unit c'est un peu notre jeunesse rêveuse qui se refuse à faire partie de notre passé, qui se nourrit plus de l'avenir puisque les rêves qui se réalisent vivent toujours aux dépens de notre jeunesse. Il vaut mieux s'inventer d'autres rêves, moins grands, plus pratiques et plus faciles à réaliser en conservant ceux de nos débuts... pour le rêve... pour plus tard... pour après.

Si notre amitié se perpétue, c'est peut-être que nous sommes semblables tout en étant différents, que nous aimons les mêmes choses, mais chacun à notre façon. C'est sans doute aussi que nous savons nous respecter, sans essayer jamais de changer l'un pour plaire à l'autre. Nous sommes bien comme on nous a faits et c'est d'avoir tous les deux été élevés par des mamans qui nous ont aimés presque comme des « amants » qui nous ont entraînés dans leurs rêves à elles avec amour bien sûr, mais aussi avec fierté.

Dans ce livre qu'il écrit, Paolo, avec sa vérité bien personnelle, vous raconte sa vie, ses aventures, ses sentiments, ses amours boiteuses, ses déboires, ses réussites. Tout ce que je souhaite, c'est que les mots que vous lirez vous amènent à l'aimer vous aussi, car il aura toujours besoin d'amour, d'amitié et de compréhension.

C'est à travers ses rêves de jeunesse que sont passés les mots ; mais ses rêves, les vrais, il ne peut pas vous les raconter. Il vous faudra les imaginer pour bien comprendre.

Jean YALE

Avant-propos

Salut ! Depuis quelque temps, j'essayais de retrouver l'inspiration qu'il me fallait pour continuer ce que j'avais commencé dans mon premier livre, mais rien à faire, je n'y arrivais pas.

Ça fait déjà un mois que je vis avec ma famille sur mon bateau, un mois où il a plu presque sans arrêt. Est-ce l'effet de la mauvaise température ou la nostalgie causée par la pluie qui tombe sur le pont ? J'ai soudain un besoin irrésistible d'écrire. Mais je ne sais toujours pas par où commencer, puisqu'il s'agit de ma vie et que la vie est un éternel recommencement...

On dit souvent dans les chansons : « On n'aime qu'une seule fois ! »

Je ne sais pas pour les autres mais pour moi, c'est une chanson qui sonne faux. Au cours de ma vie, j'ai aimé d'amour plusieurs femmes et chacune d'entre elles m'a apporté quelque chose. Lorsque j'ai été perdant, j'ai eu envie de mourir et chaque fois j'ai cru que personne ne pourrait guérir ma blessure. Pourtant, un beau matin, je renaissais à la vie par la magie d'un autre amour que je n'attendais plus.

Malgré ce grand besoin d'amour, je n'ai jamais été un ange de soumission car je gardais, toujours cachée au fond de moi, une rancune tenace envers la vie, pour toutes les années de bonheur qu'elle m'avait volées dans mon enfance. Cette agressivité que j'essayais bien de dissimuler m'empêchait d'être complètement heureux et me tourmentait dans ma solitude intérieure.

Tout ça ne m'a pas empêché d'être un homme, avec tout ce que ça comporte. J'ai eu à travers mes amours des aventures avec des femmes de toutes les classes et de tous les âges. Quand je pense que j'ai été vexé parce qu'un journaliste avait écrit que j'étais un «don juan»! Avec le temps, je lui donne raison, mais je sais aussi que toutes ces aventures ne m'ont souvent laissé que des regrets...

Un soir, on réalise qu'on a trente-six ans et malgré nos victoires sur la vie, on a l'impression d'être vieux, d'avoir tout manqué et on s'aperçoit finalement qu'on est tout seul.

1

La solitude

Je suis dans ma cabane au bord de l'eau, à Repentigny, en train de me saouler pour essayer d'oublier... Oublier que j'existe, oublier mon frère, ma mère même qui invente des mots de tendresse pour me consoler et que je ne veux même plus entendre...

Tout ça pour une femme qui m'a quitté! Je continue à boire jusqu'au fond la bouteille de cognac, assis dans ma chaise berçante, pendant que les images s'entremêlent dans mon esprit.

Mon chien me regarde avec ses grands yeux tristes, lui qui ne sait rien de mes tourments et qui pourtant a l'air de tout comprendre.

J'avais, à cette époque, l'habitude d'écrire sur les murs, sur les meubles, sur les calendriers, tout ce qui me passait par la tête. Et c'est ce que j'ai fait ce soir-là.

Depuis, ma cabane a été démolie, mais mon frère a conservé toutes les parties de murs où

19

j'avais écrit. C'est pourquoi, aujourd'hui, je peux rendre textuellement ce que j'avais inscrit :

Comme la solitude me semble grande
dans ce monde sans amour.
Je suis las des mensonges de la terre.
Toi, la mer, garde-moi un coin de ton lit
pour que je puisse enfin dormir
dans les bras de la vérité.

Ce matin donc, c'est dimanche, un dimanche de la fin d'un été qui ne semble pas vouloir se terminer. Le soleil darde ses rayons jusque sur les murs de ma chambre, faisant danser les ombres du peuplier devant ma fenêtre. Toutes ces choses auraient dû me rendre heureux. Pourtant, en ouvrant les yeux, je regrette que mon chien m'ait sorti du sommeil pour que je l'emmène faire un tour. J'aurais bien voulu dormir pour ne plus jamais me réveiller.

Je me lève quand même pour m'apercevoir aussitôt que le cognac de la veille n'a rien arrangé. En plus d'avoir mal au cœur, j'ai l'impression que ma tête va s'ouvrir en deux. Je n'ai pas besoin de me vêtir puisque j'ai dormi tout habillé. Je vais à l'extérieur respirer l'air frais du fleuve pendant que mon chien court à travers les joncs. Je réfléchis, tout en regardant mon bateau qui est à l'ancre, lorsque ma mère sort sur le balcon de sa maison — qui est à proximité de ma cabane — pour me dire avec sa voix un peu haute quand elle crie :

— Viens prendre du café, ça va te faire du bien, mon noir !

Et je regarde de loin cette femme qui m'aime et qui m'a toujours entouré d'affection, comme pas une n'avait su le faire jusqu'à ce moment de ma vie, et j'ose lui dire :

20

— J'ai pas besoin de café, j'ai besoin de personne, pis de rien, pis sacrez-moi patience !...

Je la revois encore avec son tablier enveloppant ses rondeurs, une main sur la porte entrouverte et l'autre sur la rambarde du balcon. Elle me regarde en silence avec ses yeux de femme qui a vécu ses peines, en espérant que je vais changer d'idée. Mais il n'y a rien à faire avec ma maudite tête de cochon... et je rentre dans ma cabane en claquant la porte.

Aujourd'hui, en écrivant ces lignes, je regrette amèrement mon geste ! Plus jamais je ne reverrai ma mère, debout sur le balcon de sa maison, me disant des paroles qu'aujourd'hui je voudrais bien réentendre. Car avec cette trop longue maladie qui lui a arraché morceau par morceau ce qui lui restait de courage et de vie, elle ne le peut plus. Comme c'est malheureux ! On regrette toujours trop tard...

Je me retrouve seul, comme un imbécile, dans cette petite piaule qui était jadis le lieu de joyeux rendez-vous d'amis et d'aventures qui semblent aujourd'hui n'avoir jamais existé tellement la solitude me pèse. Pourtant, j'ai besoin de parler avec quelqu'un, quelqu'un qui pourrait me dire les mots que je dois entendre pour retrouver mon aplomb. Je pense à mon ami de longue date, Jean Yale, qui n'a jamais eu peur de me dire mes quatre vérités, même si quelquefois elles m'ont blessé.

Je compose son numéro au téléphone et j'écoute la sonnerie, me rappelant une parole qu'il m'avait dite quelque temps auparavant.

« T'as vraiment un talent fou pour choisir les femmes qui te font cocu et pour après venir me raconter tes peines. J'ai pas pitié de toi. Si tu veux manger de la marde, manges-en. Quand tu seras tanné, ramasse-toi une putain. Comme ça tu sauras tout de suite que t'es cocu en partant. Un coup bien entraîné, t'auras plus besoin de brailler parce qu'on t'a trompé!»

Au bout du fil, c'est toujours la sonnerie, sans réponse. Un peu déçu, je raccroche et décide de partir pour le centre-ville où je trouverai sûrement quelqu'un avec qui me saouler. Je passe la journée à me balader dans tous les bars où je connais quelqu'un : le Casa-Loma, le Café St-Jacques où Maurice, le «doorman», essaye en vain de me trouver une femme pour me consoler. J'aboutis à l'Auberge St-Tropez, alors que la soirée est déjà commencée. Serge, le patron de ce petit restaurant français, semble s'apercevoir que ça ne va pas bien. Il vient s'asseoir avec moi et me dit que les consommations seront prises en charge par la maison. Mais comme j'ai déjà quelques difficultés à bien regarder devant moi, je bois au ralenti, en bavardant avec lui de choses et d'autres. Mes yeux se posent sur deux jeunes femmes qui parlent très fort, en buvant du champagne en compagnie de deux gros bonshommes chauves au cigare puant. Ils pourraient sûrement être leur grand-père mais ils ne le sont définitivement pas, d'après la position de leur main sur le rebord des jupes...

Toutes ces choses ne me regardaient pas mais aujourd'hui, elles me dégoûtent. Je me lève sans dire un mot et m'en vais, pendant que tournent dans mon esprit des paroles qui semblent venir d'un disque rayé répétant sans arrêt : «toutes des salopes... toutes des salopes... toutes des salopes...»

Je mets le moteur de ma voiture en marche, puis j'écrase l'accélérateur à fond pour que le puissant moteur que j'avais fait monter, quelque temps auparavant, fasse assez de bruit pour vider mon esprit de ses sombres pensées. Je démarre en faisant crisser les pneus sur l'asphalte, au grand déplaisir des promeneurs du dimanche dont je me fous éperdument. Mais mon défoulement est de courte durée. Je me retrouve très vite dans la trop lente circulation des fins de semaine qui m'oblige à retrouver mon calme et, avec lui, mes idées aussi.

J'ouvre la radio pour essayer de me détendre un peu. C'est une chanson d'Alain Barrière. J'écoute avec attention les paroles :

«Ma vie, j'en ai vu des amours
Ma vie, j'en ai vu des toujours
Ma vie, l'amour, ça fout le camp...»

Ces paroles me collent à la peau comme un tatouage de vieux marin, car je sens bien que ma vie s'en va et que je n'ai plus le courage de me battre avec elle. Cette putain de vie que j'ai toujours essayé de trouver belle malgré ses grimaces ! Je suis pris d'une immense lassitude, comme si mon être se vidait de son âme.

Je conduis ma voiture, tourne et retourne sans trop savoir où je vais, pour enfin m'arrêter près du chantier de construction d'une station de métro au centre-ville. Je stoppe le moteur et ne bouge plus. Il tombe une petite pluie fine qui fait d'étranges figures sur le pare-brise. Je la regarde, tout en caressant dans ma poche le tube de somnifères que j'ai pris dans la pharmacie de ma mère. Silencieux, je réfléchis en me disant :

«Si je les avale, j'en aurai fini d'être malheureux, puis de me faire chier pour c'te maudit métier décevant. Thérèse va pouvoir se trouver un mari puis un père pour mes enfants, sans passer à travers toutes les cochonneries du divorce. Pis l'autre, la Simone, quand j'y pense, me faire cocu avec mon neveu ! Ça prend-tu une belle salope ! Elle a trouvé le moyen de me séparer de mon frère en partant avec son fils. C'est comme rien, je dois pas valoir grand-chose, parce que Claude me laisse tout seul avec mes problèmes. Ça m'aurait fait du bien qu'il vienne me parler au lieu de me laisser tomber...»

J'ouvre le tube et je sens les capsules dans ma main. Le cœur me fait mal, je me sens tout petit devant la vie. Je ne me rappelle pas avoir trouvé mon existence aussi noire, aussi laide et aussi vide qu'à ce moment-là. Je tiens toujours les pilules dans ma main et je sens leur fraîcheur plastifiée sur ma peau. Pendant que le cauchemar continue dans mon esprit malade, je cherche une raison de ne pas avoir raison d'en finir — aussi invraisemblable que cela puisse paraître — tout comme lorsque j'étais enfant, quand les grandes portes de l'orphelinat se refermaient sur mon désespoir.

Je pense à ma mère. Son visage se dessine très clairement dans mon esprit et les larmes me viennent aux yeux. Je pense à tout le mal qu'elle s'est donné pour essayer de m'aider. Je vois la tristesse de ses yeux recevant la nouvelle de ma mort et sa grande déception devant mon suicide. Elle qui a connu la misère sous toutes ses formes et qui a, malgré tout, gardé une force et une joie de vivre incroyables. Je pense à mes enfants que je ne vois pas souvent mais que j'aime. Quel souvenir vont-ils garder de moi? Sur ce point, je me fie à Fredda, ma belle-mère, pour détruire ce qu'il reste d'amour et d'affection entre nous. Je l'entends déjà leur répéter pour qu'ils ne l'oublient jamais:

— Votre père était un raté et un débauché!

— Il a eu la mort qu'il méritait.

— Dieu a été juste.

— Bon débarras!

Soudain, comme si un courant électrique venait de traverser mon corps, d'un mouvement rapide j'ouvre la portière et sors de la voiture. Je dégage mon nez congestionné par les larmes en appuyant mon pouce sur une narine, tout en rejetant l'air de mes poumons et la rage de mon corps par l'autre, et vice versa. C'est comme si je venais de sortir d'un immense trou de soumission dans lequel je m'étais enfermé depuis trop longtemps en me disant :

— Ne serait-ce que pour vous emmerder un peu plus longtemps, toi Simone et toi Fredda, je vais vivre pour vous prouver que je ne suis pas un raté et je vais me rendre assez haut que vous allez être obligées de lever la tête pour me regarder !

Je frappe le toit de ma voiture avec mon poing, pour bien raffermir cette rage de vivre qui vient de se réveiller en moi. Soudain une voiture s'arrête à côté de moi : c'est la police ! Un des agents me dit :

— Y'a-tu queq'chose qui marche pas ?

— Non, tout est correct.

— Tout est peut-être correct mais tu t'es pas aperçu que t'étais parqué à l'envers !

Je fais mine de ne pas savoir et je regarde en ayant l'air d'être surpris.

— Si tu veux pas avoir un beau ticket, tu s'rais peut-être mieux de déménager ! Pis tout de suite !

Je m'installe au volant et je me dépêche de faire partir le moteur car je vois bien, dans le rétroviseur, qu'ils me guettent. Je n'ai aucune envie de les voir fouiller ma voiture, avec les pilules que j'ai laissé tomber par terre. Il suffit d'un zélé pour que j'aie des problèmes de drogue avec un simple médicament. Je démarre immédiatement mais ils me suivent toujours. J'admets que ce mouvement me change les idées mais je n'aime pas beaucoup avoir «la police au cul». À l'intersection suivante, je tourne à droite vers la rue Ste-Catherine et Dieu merci, je ne les vois plus. J'ouvre la radio et j'entends la voix de Pierre Chouinard.

Enfin quelqu'un que je connais et qui m'apporte, sans le savoir, un peu de chaleur au cœur. J'avais rencontré Pierre, quelque temps auparavant, et nous avions parlé, entre autres, de mes problèmes sentimentaux. Il s'étonnait qu'un chanteur populaire et admiré par autant de femmes puisse s'en faire pour la perte d'une seule d'entre elles et il m'avait dit sur un ton moqueur :

— Paolo, lorsqu'une femme nous quitte, c'est souvent le plus beau cadeau qu'elle puisse nous faire.

J'avais souri pour faire semblant d'être un homme évolué qui en a déjà vu d'autres.

D'accord, j'en avais vu d'autres, mais je ne m'habituais toujours pas à la défaite.

Il m'avait tout gentiment invité à sa maison de campagne pour un dîner au cours duquel, tout probablement, il me présenterait une amie à lui et à sa femme qui était, paraît-il, très jolie et charmante. Il m'avait dit :

— On ne sait jamais, si ça marchait, ça te ferait peut-être du bien de sortir de ton milieu artistique où tout n'est pas toujours des plus sincère...

Je n'y suis jamais allé. C'était pourtant gentil à lui, qui ne me devait rien, de vouloir m'aider à surmonter mes peines.

Je l'écoute parler entre les chansons sans trop entendre vraiment ce qu'il dit, lorsque soudain un mot attire mon attention : coiffure.

Ma maîtresse était coiffeuse et propriétaire d'un salon de coiffure. Je remonte le son pour bien entendre et j'écoute attentivement. En fait, Pierre anime, sur les ondes de CKLM, une soirée spectaculaire marquant l'ouverture d'un nouvel édifice abritant l'un des plus gros fournisseurs de produits pour les salons de coiffure, la maison Vincent. D'ailleurs, j'entends derrière lui le murmure de voix qui fait penser au bruit que fait une foule.

Si je peux trouver une boîte téléphonique, je vais essayer de l'appeler car j'ai beau me conter des histoires, je ne suis pas complètement bien dans ma peau.

Enfin en voici justement une, sur le coin de la rue. J'appelle à l'information et après plusieurs essais, je rejoins CKLM. Une voix féminine me répond sur un ton aussi égal et poli que le ferait un robot.

— Pierre Chouinard, s'il vous plaît.

— Il n'est pas ici présentement.

— Il n'est peut-être pas là mais je l'entends quand même à la radio.

— Je ne peux pas vous le passer de l'extérieur. D'accord?

— Non, j'suis pas d'accord, mon nom est Paolo Noël et j'ai un besoin urgent de parler à Pierre Chouinard. Trouvez un moyen de le rejoindre, sinon je vais le trouver moi-même.

— Un instant s'il vous plaît.

J'attends un bon moment lorsque j'entends au bout du fil:

— Monsieur Noël, je vous passe monsieur Chouinard.

Je reconnais tout de suite sa voix, qui est celle de l'intimité, beaucoup plus chaleureuse que la commerciale.

— Allo Paolo, ça va?

— Non Pierre, pas tellement.

— T'as encore des problèmes avec tes femmes?

— Oui et non, c'est pas seulement le cœur, c'est dans ma tête que ça va mal! Mais je pense que le pire est passé.

— Paolo, j'te laisse pas tomber! Reste en ligne, j'fais un commercial puis je reviens tout de suite. Fais pas de conneries pendant ce temps-là.

— O.K.

J'écoute sa voix en arrière-plan, tout en regardant passer les gens qui vous dévisagent toujours lorsque vous êtes dans une boîte téléphonique. Ça me donne l'impression d'être un poisson dans un aquarium. Revoilà Pierre :

— Allo Paolo, tu vas mettre tes peines dans tes poches et venir me rejoindre chez Vincent. Ici il y a à peu près deux à trois mille femmes. Y'en a sûrement une qui va pouvoir te consoler.

Je lui explique où je suis et il me donne les indications pour me rendre à la «fête».

C'est dans le nord de la ville, sur la rue Henri-Julien, près du boulevard l'Acadie.

Chemin faisant, Pierre m'envoie des petits messages discrets sur les ondes. Ça me fait sourire mais j'apprécie sa façon de ne pas me laisser seul avec moi-même. Après m'être égaré comme toujours, j'arrive enfin à trouver la maison Vincent. Il faut dire qu'à l'époque, c'était presque un coin perdu, avec seulement quelques bâtiments commerciaux ici et là.

Mais ce que je vois tout d'abord, c'est des voitures et des voitures. Il y en a partout. Et pas le moindre trou pour y garer la mienne. Je fais comme d'habitude, je stationne dans ce qui doit être aujourd'hui un parterre mais à ce moment, il n'y a pas de gazon. C'est plutôt de la terre détrempée par la pluie. Qu'importe, je suis rendu.

2

Et tourne le vent...

Diane (Didi)

Elle avait 16 ans. Elle attendait un prince charmant. Un jour il est venu... et pourtant.

Il avait 32 ans, regardait l'horizon pour y trouver l'amour qu'il attendait depuis toujours. Il était venu... et pourtant.

Dites-moi messieurs, quel marin n'aurait pas envie de se perdre sur une île aussi belle où les fruits ont l'air si bons.

35

Un jour je serai
grande.

La dame à côté
c'est moi.

Un jour j'aurai
un vrai bébé pour
jouer.

Diane Bolduc Noël

GRANDEUR	:	**5'6½**
POINT	:	**10**
BUSTE	:	**35**
TAILLE	:	**24½**
HANCHES	:	**36**
CHEVEUX	:	**ROUX**
YEUX	:	**PERS**
SOULIERS	:	**9 B**
GANTS	:	**7½**
CHAPEAU	:	**21**

C'est mon curriculum vitae. Ce qu'il y a dans mon cœur est écrit dans ce livre.

Devine ce qu'il y a dans mon cadeau.

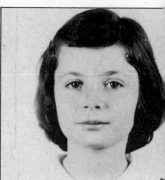

Quand je serai grande M. Jean-Paul Ladouceur fera des photos de moi.

Yack! j'vous ai dit que ce n'était pas bon pour ma ligne.

Diane, quelque temps avant notre rencontre. Elle ne souriait pas encore. Elle avait 19 ans.

"Gags à gogo." Gilles Latulipe, Diane, Paul Berval, Marthe Choquette, Paul Desmarteaux. Qui pourrait dire que Diane attend un bébé?

La belle Mimi et le joyeux
beau-frère Jean-Louis Bolduc
Jr.

Jean-Louis Bolduc officier, avec
Mimi, une jeune future maman
qui cache son ventre.

Grand-papa Jean-Louis et son
petit-fils l'ouragan « Tino ».

J'vous l'ai dit qu'il était beau
mon papa !

Je suis devant un immeuble tout illuminé, avec de grandes vitres panoramiques derrière lesquelles semblent se dissimuler beaucoup de mouvements. J'en ressens déjà les vibrations en descendant de ma voiture. J'entre sans trop faire attention et je m'aperçois que j'arrive au beau milieu du spectacle, au moment où une quinzaine de mannequins, vêtus de blanc et installés sur les marches de deux grands escaliers en forme de pyramide, présentent des nouvelles coiffures à une foule composée en majorité de femmes. J'avance de quelques pas et je m'arrête, car j'ai vraiment l'impression d'être importun, planté seul au milieu de la place, le public étant de chaque côté. Pour un instant, je voudrais me voir ailleurs... Puis j'entends la voix de Pierre Chouinard venant de nulle part :

— Mesdames, vous avez reconnu mon ami Paolo Noël qui vient de faire discrètement son entrée.

Et tout le monde se met à rire. Je salue aux applaudissements et en tournant la tête, mes yeux accrochent le regard de cette jolie fille qui est là, parmi les mannequins, dans l'escalier de gauche. Cette fille que j'avais déjà rencontrée au cours d'une émission de télé, quelque temps auparavant. Et je ne vois plus que cette étrange apparition qui me sourit, de ce beau et immense sourire qu'on ne peut pas ne pas remarquer. Au fait, est-ce bien pour moi ce sourire ? Je tourne la tête pour voir s'il n'y a pas quelqu'un derrière moi. Mais non, je suis bien seul. Alors je lui souris moi aussi en me disant :

— Prends ce que tu peux Paolo, c'est sûrement tout ce que tu auras de cette fille qui a probablement des tas d'amants.

DIANE :   *J'ai toujours eu des intuitions et elles m'ont rarement trompée. Quand j'ai vu Paolo entrer au milieu du spectacle et qu'il m'a regardée je savais qu'il venait me chercher. Pour moi, c'est comme si on s'était toujours connus. Pourtant, la première fois que j'ai entendu son nom, c'était un mois avant, au cours d'une émission de télévision où j'étais l'hôtesse et lui l'invité d'Émile Genest.*

Paolo était arrivé légèrement en retard, mais je ne crois pas qu'il ait dérangé l'horaire de la répétition. Il eut alors une engueulade avec le réalisateur Jacques-Charles Giliot. J'avais remarqué le langage coloré et le caractère explosif de cet homme qui, malgré sa colère, dissimulait beaucoup de douceur et de tendresse dans son regard. J'avais été témoin de ce qui s'était passé et je fus

*heureuse quand Émile Genest vint tout
arranger et le convainquit de rester.*

*Pourquoi est-ce que je me sens attirée
par cet homme, alors que ni l'un ni
l'autre n'avons rien fait pour ça? Je
l'ignore. Ce que je sais c'est que ce soir,
je le revois avec ce même regard d'enfant
perdu et que je lui souris afin qu'il sache
que je me sens bien quand il est là.*

Je me perds à travers cette foule de femmes que
le champagne a déjà rendues plus que joyeuses et
dont je ne déteste pas la multiplication des mains et
des baisers... Ce qui me redonne goût à la vie et à
ses plaisirs.

Je finis par me retrouver coincé dans les bras
d'une petite blonde que je connaissais et qui me
demande si je veux une coupe de champagne? Tu
parles si je veux du champagne! Elle part au
moment où le spectacle se termine, pour aller vers
cette fontaine de champagne qui est je ne sais où,
mais je ne manque toujours pas de compagnie. J'ai
l'impression d'être dans un jardin dont les fleurs
parfumées seraient des femmes. Je respire profondément la vie en me disant que j'aurais été bien bête
de me détruire alors que maintenant je me sens si
bien.

Merci à toi, qui me protège malgré moi! Et je
suis là qui regarde et qui écoute sans trop voir ni
entendre vraiment ces voix qui s'entrecroisent.
Tout se passe dans ma tête, quand soudain je suis
tiré de mon euphorie par un mirage. Enfin c'est ce
que je crois. Là, devant moi, perdu au milieu de
toutes ces têtes aux cheveux multicolores et trop
bien coiffés, un visage qui est à la fois celui d'une
femme et celui d'un enfant, avec de grands yeux qui

ont l'air d'avoir pleuré et qui ne sourient pas, comme cette bouche qui vient de me dire, d'une voix presque blanche, arrosée d'un léger accent anglais:

— Allo, ça va?

Mais cette fille a le don de me faire perdre la parole. Chaque fois qu'elle m'a parlé, que ce soit dans la rue ou dans le hall d'entrée de CFTM, je n'ai jamais pu lui dire grand-chose.

Je ne sais pas ce qui m'arrive, c'est chaque fois la même chose. Mais ce soir, je voudrais bien lui dire comme je la trouve belle, avec ses mâchoires carrées, ses yeux gris-vert qui me donnent, chaque fois que je la vois, des envies d'océan. Je me fraie un chemin à travers les gens, sans me défaire de son regard, et je prends sa main en lui disant:

— T'es seule?

— Hé, oui!

J'hésite un instant et je me dis:

« Noël, si tu l'fais pas maintenant, tu l'feras jamais. »

Je lui serre la main très fort, comme doit le faire un marin pour ne pas passer par-dessus bord quand il y a tempête, et je lui dis:

— À partir de maintenant, tu ne seras plus jamais seule. J'te garde avec moi.

Elle sourit et dit bien calmement:

— O.K., moi j'veux bien.

Et on rit tous les deux comme si tout ce que nous venions de nous dire n'était pas vraiment sérieux. Ma petite blonde de tout à l'heure arrive avec ses deux coupes de champagne. Toute fringante et joyeuse, elle m'en présente une, mais je

44

prends les deux pour en offrir une à ma nouvelle compagne en lui disant :

— Buvons à l'amour !

Après quelques instants de surprise, la petite blonde reprend son aplomb pour me dire en me regardant avec ses yeux en forme de pistolets :

— En tout cas, Paolo Noël, t'es t'un maudit pas bon !

Elle s'en va. Ce n'était pas très galant de ma part mais je la connaissais bien, cette petite demoiselle, et je lui devais quelques vacheries.

Quoi qu'il en soit, les trois musiciens qui jouaient depuis quelque temps viennent de s'arrêter et on me demande si j'accepterais de chanter quelques chansons. Je dois avouer que ce n'était pas le moment, mais lorsqu'on est chanteur, les gens ne veulent pas savoir si vous êtes en voix ou si vous avez bu. Ils veulent que vous chantiez, un point c'est tout.

Je tiens toujours la main de ma compagne et l'entraîne avec moi jusqu'en haut de l'escalier où se trouvent les musiciens qui, heureusement pour moi, sont des Italiens que je connais...

Un, deux,... un, deux, trois, quatre et ça marche tout seul ! « Le bateau de Tahiti — J'avais vingt ans... » et tout le monde semble heureux. Moi aussi d'ailleurs parce que j'aime chanter. Je sais que beaucoup de mes camarades ne sont pas d'accord avec moi à propos de ces petits tours de chant improvisés, mais je considère que faire ça sur demande, c'est offrir une preuve d'amour à mon public. Car le jour où il s'arrêtera de me demander de chanter et de m'écouter, j'aurai sûrement beaucoup de chagrin et ce soir plus que jamais, j'ai besoin de cet amour, de cette forme d'amour reflété par les regards ou les applaudissements qui me prouvent que j'existe encore. Tout ça me fait un bien immense.

Je chante et je souris pour tout ce monde, mais j'ai l'œil sur cette fille qui m'attend et qui est de moins en moins seule à mesure que la soirée avance. Après quelques chansons, je réalise qu'il serait peut-être temps d'aller m'en occuper d'un peu plus près. À moins qu'au fond d'elle-même, elle se moque vraiment de tout ce que je lui ai dit. Peut-être que je suis tout simplement une personne de plus, rencontrée au hasard d'un cocktail, et qu'on oublie aussi facilement qu'on l'a connue.

L'homme aux cheveux gris qui lui parle depuis tout à l'heure, je le trouve un peu trop galant à mon goût. Je m'arrête donc de chanter et me dirige vers eux pour leur dire bonsoir et disparaître comme je suis venu, mais en arrivant près d'eux, je n'ai pas le temps de parler, Diane me présente à ce monsieur qui est le patron d'une école de coiffure. C'est lui qui l'a engagée comme mannequin pour la soirée. D'un air très jovial, il nous invite à prendre un verre dans un hôtel de la ville. Il ne saura jamais combien je me suis senti soulagé et heureux de ne pas me retrouver tout seul. Mais avant de partir, je vais dire bonsoir à mon ami Pierre Chouinard qui en me voyant s'exclame :

— J'savais bien que t'en trouverais une mais j'aurais jamais pensé qu'elle serait aussi jolie. Sacré Paolo, va !

Nous parlons un peu mais il ne lui reste pas beaucoup de temps pour dormir, car il doit commencer sa journée très tôt le lendemain. Sur ce, nous nous quittons. Dans ce métier, on sait d'avance qu'un jour ou l'autre, on va se retrouver.

— Salut Pierre, je gage que tu ne sais même pas que tu m'as peut-être sauvé la vie... Merci !

3

Je ne l'attendais plus et pourtant elle était là

La nuit, toutes les boîtes, tous les hôtels se ressemblent et pendant que l'orchestre joue, je regarde les gens qui entourent la table où je suis assis. À ma gauche, entre deux jolis mannequins, Bernard maître-coiffeur, avec son allure de lord anglais, qui discute avec Michèle Richard, de biais à ma droite. Je l'écoute en regardant celle qui ne dit pas un mot, juste en face de moi. Dans la pénombre, elle est encore plus belle. Mais je ne veux pas me contenter de la regarder, il faut que j'ose :

— Est-ce que tu voudrais danser avec moi ?

Elle sourit et se lève, et nous voilà perdus au milieu de tous ces couples qui dansent et s'enlacent. Je me contente de la tenir dans mes bras bien timidement. Pour rien au monde, je ne voudrais briser le charme qui m'enivre et je respire le parfum de sa peau pendant que ses cheveux caressent ma joue. Mon cœur bat très fort et j'ai l'impression d'être encore un enfant. Sans que je l'aie cherché, ses lèvres frôlent les miennes et je lui dis :

— Merci !

— Merci pour quoi ?

— Merci pour la joie que tu me donnes, alors qu'il n'y a pas si longtemps, j'étais très malheureux.

Elle m'embrasse tendrement sans passion et me murmure à l'oreille :

— J'avais deviné à ton regard que tu étais malheureux. C'est peut-être ce qui m'a attirée vers toi.

La musique s'arrête. C'est déjà l'heure de la fermeture. C'est dommage, j'aurais bien voulu danser sans m'arrêter, jusqu'au matin. J'avais l'impression de rêver, d'être dans un autre monde, un monde beaucoup plus beau que celui où je vivais depuis quelque temps.

Je pense que cette nuit-là, une fée veillait sur moi car mon rêve continue. Je suis dans le sous-sol d'une immense maison où nous sommes les invités, avec bien d'autres personnes, des propriétaires de l'école de coiffure Rollande St-Germain. Nous sablons le champagne dans un décor de mer des Caraïbes avec palmiers, piscine bleu pastel et cascade coulant à travers des pierres-éponges.

Je me touche la tête pour vérifier si je suis bien en vie, quand je vois venir vers moi une sirène en maillot, une sirène dont je n'avais pas encore découvert tous les charmes.

Elle ne marche pas, elle vole. J'avale d'un trait ma coupe de champagne. Je ne peux pas croire qu'elle ne me laissera pas tomber, avec tous ces hommes qui lui font la cour. Non, elle vient s'asseoir près de moi, au bord de la piscine, en laissant pendre ses jambes dans l'eau. Cette nuit, il n'y a vraiment rien de trop beau pour Paolo. Si je dois en crever, aussi bien maintenant parce qu'au moins, je mourrai heureux...

Diane me dit :

— Ne me laisse plus seule, je suis fatiguée de me faire faire des «passes» chaque fois que tu n'es pas là.

— O.K., reste à côté de moi, sois pas inquiète, y en a pas un qui va te toucher. Tiens, si on restait dans l'eau, on serait tranquilles !

— D'accord. Moi, je ne demande pas mieux.

Et nous plongeons tous les deux au plus profond de l'eau, comme si nous étions les deux amants d'un film sous-marin et nous faisons comme eux. Nous nous enlaçons, nous nous embrassons, à l'insu des autres invités qui ne nous voient pas.

Dans ma tête, c'est l'euphorie totale : l'eau, cette fille, le champagne. J'ai vraiment l'impression de redécouvrir la vie. Nous ne remontons à la surface que pour prendre de l'oxygène et du champagne.

Je ne sais pas combien de temps tout ça a duré, mais il a bien fallu que nous sortions de cette piscine car il se faisait tôt le matin.

Ce ne fut pas facile. J'avais l'impression d'avoir un bulldozer sur les épaules quand j'ai retrouvé ma véritable pesanteur et franchi sur mes deux jambes la courte et longue distance qui me séparait de la chambre de bain où était mon linge. Tout le monde riait de me voir rire de ma propre situation. C'est si bon d'être un peu fou de temps en temps...

La fête est terminée. À l'extérieur, la douce fraîcheur du petit matin. Je regarde les invités partir un à un, chacun dans sa voiture. Les «bonjour», les «merci» et les «au revoir» se mêlent au chant des oiseaux. Nos hôtes se retirent à l'intérieur et nous voilà tous les deux seuls à nous regarder, elle appuyée sur sa petite voiture anglaise, tenant ses clés dans sa main, et moi appuyé sur la mienne, en train de me demander pourquoi tout ce qui est beau est toujours trop court. Si au moins elle n'avait pas eu de voiture! Quelle idée d'avoir une voiture quand on est femme et qu'on est jolie! J'aurais eu au moins le plaisir d'aller la reconduire. Tant pis, je me jette à l'eau. Je m'approche et lui dis:

— Tu t'en vas?

— Il faut bien. Il est tard et je n'ai aucune envie de dormir dans le stationnement.

— Sûrement que non, mais j'aurais bien voulu t'emmener dans ma cabane. Tu verrais comme on y est bien. J'ai un gros chien qui est très gentil, j'ai même deux colombes apprivoisées. J'aimerais tellement que tu viennes...

— Oui, je sais que t'as un chien et des oiseaux, mais t'as oublié ta mère et ton bateau...

— Ah, oui! Ma mère serait contente de te connaître. Tu vas voir comme elle est fine, ma mère. Tu viens?

Chemin faisant, nous écoutons la radio sans dire un mot. Je suis heureux mais inquiet. Je pense à l'état dans lequel j'ai laissé ma cabane ce matin: la bouteille de cognac vide sur la table et le chien qui n'a pas mangé depuis hier. J'espère qu'il n'a pas fait trop de dégâts... Si j'avais su que j'emmènerais de l'aussi belle visite, j'aurais au moins fait le ménage. En tout cas, on verra...

Après avoir passé Longue-Pointe et ses réservoirs — dont la senteur n'a rien de commun avec le parfum de la rose — puis Pointe-aux-Trembles, c'est le grand pont qui mène à Repentigny. La maison de ma mère semble dormir elle aussi. Nous y voilà. À côté, c'est ma cabane.

Je ne dis rien et j'ouvre la porte en me croisant les doigts... tout va bien: mon chien vient vers nous, tout excité. J'allume la lumière et voilà mes deux colombes qui arrivent. Diane se met à rire : l'une d'elles s'est posée sur sa tête et l'autre sur son épaule. Elle n'a pas peur, bien au contraire. Elle a l'air d'une petite fille qui s'amuse. Je suis étonné, car la plupart des filles que j'emmenais se sauvaient sans laisser leur adresse, en voyant mes oiseaux en liberté.

— Veux-tu que je te fasse un café ?

— Non, je pense que c'est assez de liquide pour ce soir. J'ai surtout sommeil.

— D'accord. Je te fais un lit sur le divan et je me couche dans ma chambre.

— Pourquoi ?

— Parce que je ne veux pas te blesser. J'ai pourtant envie de toi, mais tu m'as déjà rendu tellement heureux ce soir que je n'en demande pas plus.

— Paolo, mon père m'a toujours dit : lorsqu'on est dans la maison d'un homme et qu'on a accepté de l'accompagner, il est trop tard pour reculer. Si je n'avais pas su ce que je faisais, je ne serais pas montée dans ta voiture. Je suis une femme, tu es un homme et tu me plais. C'est peut-être parce que, contrairement à tous les autres hommes, tu ne m'as rien demandé que j'ai envie de tout te donner...

Mon lit est tout aussi étroit que ma chambre et nous ne pouvons dormir autrement que dans les bras l'un de l'autre.

Comme c'est beau! Comme c'est bon, l'amour, quand on a cru qu'il ne reviendrait jamais! Surtout quand c'est un ange qui vous l'apporte au creux de ses bras et que vos mains n'en finissent plus de voler au paradis ce que Dieu a fait de plus beau, une femme. Comme il est doux de s'endormir, épuisé et essoufflé d'avoir aimé.

Tard dans la matinée, c'est ma colombe qui vient nous réveiller, du bout de son bec. J'ouvre les yeux et je sens dans ma main une main de fée. Je la regarde et l'embrasse sur la joue; elle ouvre ses grands yeux et sourit. Je lui dis:

— Comment ça va ce matin?

— Oh! J'ai un peu mal à la tête mais ça va bien.

— Si on allait prendre un café chez ma mère. Je vais te la présenter. Tu vas voir, ma mère est au boutte!

— D'accord, on s'habille et on va aller la voir, cette maman dont tu me parles tout le temps.

En moins de deux, je suis habillé et je sors mon chien; mais elle ne sort toujours pas.

— Qu'est-ce qu'elle peut bien faire?

Je rentre dans la cabane et... j'ai mon voyage, elle est en train de faire mon lit! Cette fille-là est pas normale. Tu parles d'une idée, faire son lit en se levant!

Nous montons le petit escalier toujours frais peint en rouge et j'ouvre la porte moustiquaire donnant sur la cuisine, la pièce principale de la maison. Je vois venir vers nous ma belle grosse Lucienne, qui s'essuie les mains sur son tablier blanc tout en observant ma compagne, avec son sourire un peu moqueur:

— Ouaille, t'es t'un beau score, mais t'es pas la première, pis t'es pas la dernière !

Diane la regarde sans répondre avec des yeux plus grands que d'habitude, ce qui veut dire très grands, et moi je réponds :

— Moman ! Quand-même !

Je voudrais passer à travers le plancher et être dans la cave tellement je suis gêné mais comme d'habitude, elle enchaîne en prenant Diane dans ses bras pour l'embrasser très fort, ce qui réparait chaque fois la gaffe qu'elle venait de faire. (Cré maman !)

Le soleil, qui pénètre dans la cuisine par la véranda, jette sa lumière autour de la grande table installée devant le gros poêle Bélanger, témoin de tant de discussions amicales et où se sont réglés tant de problèmes. C'est dans ce décor qui m'est si familier que nous prenons ensemble notre premier café. Ma mère parle beaucoup mais observe Diane et s'aperçoit vite, à ses manières, que nous ne sommes pas issus du même milieu. Tout semble nous séparer. Quant à moi, je me méfie, car j'ai encore sur le cœur le souvenir amer que m'a laissé ma précédente maîtresse.

De toute façon, je n'ai pas grand temps pour flâner. C'est lundi et je dois être à Québec à une heure de l'après-midi, pour la répétition de mon spectacle qui commence ce soir dans un cabaret de la ville.

Le temps de me préparer, de prendre ma guitare, ma valise et me voilà en route pour Québec.

Je suis seul et tout ce qui me reste de mon aventure est un numéro de téléphone et des souvenirs trop beaux qui m'inquiètent. Je conduis en me posant des questions sur Diane. Je trouve anormal qu'une personne puisse sourire continuellement comme elle le fait. Et aussi cette façon qu'elle a eue de venir à mon lit sans problèmes alors que d'habitude, avec les autres filles, ce chemin est aussi long que Montréal-New York... Sa beauté et son comportement cachent sûrement quelques dangereux défauts. Il serait probablement plus sage que je l'oublie avant qu'il ne soit trop tard et que je me fasse encore avoir comme un imbécile.

4

Et le rêve continue
à travers ma jungle

À Québec, tout se passa bien. J'ai toujours aimé y chanter. Le public est chaleureux, les musiciens aussi et l'ambiance est bonne. Nous sommes à l'époque où le romantisme marche encore très fort, malgré la venue d'un novueau groupe rock, les Beatles, qui font des ravages parmi les jeunes. Mais ça ne me concerne pas encore et j'ai l'habitude, pendant mon spectacle, d'aller à la table d'une dame ou d'une demoiselle et de chanter, en lui tenant la main, une chanson qui dit à peu près ceci :

> «C'est bon d'aimer
> Ta joue frôlant la mienne
> lorsque mes bras t'enchaînent
> tout contre moi serrée...»

Ça plaisait aux dames parce que je le faisais sans prétention et avec délicatesse. Un soir cependant, je me suis fait prendre à mon propre jeu. Une admiratrice qui était là tous les soirs, à chaque spectacle, décida dans son ivresse que j'étais l'homme de sa vie. Je ne voulais déplaire à personne mais ça m'embêtait beaucoup. Elle me poursuivait sans arrêt entre les spectacles et je ne savais plus où me cacher. Je fus obligé de me priver d'aller au restaurant après la soirée car elle y était toujours. Mais le tout se compliqua un soir. Au milieu du spectacle, alors que je me concentrais sur la chanson que j'étais en train de chanter, je suis dérangé par une ombre, là devant moi, dans le champ de lumière du réflecteur. Je me demande qui ça peut être car avec la densité de l'éclairage, je ne peux pas distinguer les traits de son visage, mais je l'apprends très vite. C'est mon admiratrice qui s'amène sur la scène pour me déclarer son amour, devant tous les spectateurs, un verre à la main. Je m'arrête de chanter pour lui expliquer gentiment que je dois d'abord terminer mon tour de chant et qu'ensuite j'irai la voir à sa table. Rien à faire, elle s'accroche à mon veston, au grand plaisir de tout le monde et surtout des musiciens que la situation amuse prodigieusement. Je commence à trouver la chose moins drôle et le «doorman» vient à mon secours en insistant quelque peu auprès de la dame pour qu'elle sorte de scène afin que je puisse finir mon travail. Au moment où il lui touche le bras, de toute «douce et enjôleuse» qu'elle était, elle devient tout à coup une véritable tigresse en furie. Il faudra l'aide d'un garçon de table pour arriver à la faire sortir et, à travers toutes ses gesticulations et ses coups de griffes, c'est moi qui reçois le verre de crème de menthe verte sur mon costume blanc. De plus, j'ai complètement perdu le feeling de mon spectacle et j'ai de la difficulté à le terminer.

Rendu dans ma chambre d'hôtel, je pense à ce qui vient d'arriver en me rappelant le temps de ma jeunesse où je rêvais de devenir chanteur.

J'allais voir au cinéma des comédies musicales où des femmes hystériques déshabillaient le chanteur. Je n'en parlais à personne mais j'avais hâte que ça arrive. Maintenant je me dis :

— C'est fait, mon Paolo, mais c'est moins drôle que tu le croyais et ça va te coûter un autre complet car la crème de menthe, ça ne pardonne pas.

J'étais là, étendu sur mon lit avec mes pensées, lorsqu'on frappe à ma porte. Machinalement je me lève et j'ouvre. Je n'en crois pas mes yeux. Elle est là, la tenace, toute nue avec une bouteille de champagne dans les mains. Je n'ai rien contre les jolies femmes mais quand elles sont saoules, c'est tout autre chose !

Elle me dit, ou plutôt me marmonne, qu'elle vient pour s'excuser et qu'elle est dans une chambre voisine de la mienne. Je dois penser vite et répondre prudemment si je ne veux pas recevoir la bouteille sur la tête. Je joue son jeu et je lui dis bien doucement que je vais prendre une douche et aller la rejoindre aussitôt. Elle s'en va toute heureuse. Je referme la porte et je ne me rappelle pas, de toute ma vie, avoir fait mes valises aussi rapidement. Je me sauve ensuite, sans bruit, pour me réfugier chez un de mes amis où j'espère avoir enfin la paix. J'en ai besoin car à travers tous ces mouvements de ma vie, je cherche à savoir ce qui m'arrive. Tout se confond dans mon esprit et je suis toujours (peut-être par habitude) amoureux de mon ancienne maîtresse.

Mais de plus en plus, de jour en jour, je suis obsédé par le souvenir d'un visage, d'une voix, d'un parfum de peau qui est resté collé à moi. Plus j'essaie de l'oublier, plus j'y pense. Quelquefois, en rentrant tard dans la nuit, je prends le petit bout de papier sur lequel est inscrit son numéro de téléphone et je le regarde en me demandant ce qu'elle est en train de faire en ce moment. Je prends le récepteur dans ma main et j'ai tellement peur d'être déçu que je raccroche sans signaler le numéro, pour aller ensuite me coucher sur le divan du salon et m'endormir avec mes pensées.

Un soir, avant d'aller travailler, je regarde la télévision avec mon ami Grégoire et sa femme Blanche qui étaient au courant de mon histoire, lorsque soudain, tout énervé, je me mets à crier :

— C'est elle, celle dont je vous parle depuis mon arrivée, la rougette à droite de l'écran, celle qui sourit.

Et mes amis, tout aussi excités que moi, se mettent à observer de plus près les mouvements de Diane qui est hôtesse à l'émission que nous regardons : «le Grand Show B.A.», diffusé en anglais et en français d'un bout à l'autre du Canada. Grégoire s'écrie avec un accent bien québécois :

— Ça c'est tout un beau bébé !

Et Blanche enchaîne :

— Il faut que tu nous la présentes. Si elle veut venir te rejoindre, on va te prêter notre chambre pour que vous puissiez dormir tranquilles.

Moi de mon côté je pense : ils n'ont que deux chambres à coucher dans leur petit logis du troisième : une pour eux et l'autre pour les trois grands enfants, et ils sont prêts à se priver de leur propre lit pour me rendre heureux. Leur geste me touche profondément.

Ce soir-là, aussitôt mon spectacle terminé, quand je rentre, le cadran du poêle de la cuisine marque trois heures du matin. Tout le monde dort dans la maison. Pour ne pas déranger, je signale le numéro de Diane et je m'enferme dans la salle de bain avec le récepteur, je m'assois sur le bord du bain et j'écoute la sonnerie. Je commence à m'énerver car ça ne répond pas. Pourvu qu'elle ne se soit pas foutu de moi et qu'elle m'ait donné un mauvais numéro. Et cloc! Ça décroche. Pendant quelques secondes, je n'entends rien mais je ne perds rien pour attendre. C'est une voix d'homme... et quelle voix!

— Allo!

Elle ne ressemble à rien de ce que j'attendais. Je suis sûr que j'ai mal signalé mais je dis quand même timidement:

— Est-ce que je pourrais parler à Diane?

Je me fais répondre avec aplomb:

— C'est pas une heure pour téléphoner au monde. C'est une heure pour dormir et pour laisser dormir les autres, O.K.!

Je suis insulté, enragé. Elle m'avait pourtant bien dit qu'elle n'avait pas d'amant. C't'une autre maudite menteuse comme l'autre!

J'ai envie de raccrocher mais il faut que je lui dise ce que j'ai à lui dire, à cette belle demoiselle. Je réponds donc à mon interlocuteur:

— J'sais pas qui tu es mais j'voudrais parler à Diane même si ça te dérange.

J'entends alors crier avec autant de délicatesse que tout à l'heure:

— Diane, c'est pour toi.

Je rumine ma colère:

— La salope, attends que je la pogne au bout du fil!

J'entends une voix à moitié endormie qui me dit :

— Allo, c'est toi Paolo ?

— Laisse faire les « Paolo », t'es une maudite belle menteuse, toé.

— Comment ça ?

— Entendre parler que t'étais seule, je suppose que c'est ton père qui vient de répondre ?

— Bien non, voyons, c'est mon frère Jean-Louis.

— Aye, conte-moi-z-en une autre ! Ça fait longtemps qu'ils me l'ont passée celle-là ! Pis prends-moi par pour un imbécile !

— Paolo, t'es pas gentil. Je demeure avec mon frère. Nous partageons les frais de l'appartement et en plus, mon frère doit se lever à cinq heures le matin pour son travail. C'est aussi la première fois que quelqu'un me téléphone la nuit... Mais je suis tellement contente d'entendre ta voix, ça me fait de la peine que tu sois fâché contre moi.

La douceur de sa voix et sa façon de me dire les choses me calment. Alors je lui dis que j'aimerais qu'elle vienne me rejoindre à Québec.

— D'accord. Samedi prochain, je vais avoir vingt ans et je veux les fêter avec toi. Ce serait chouette que tu viennes me chercher à l'aéroport parce que je ne connais pas beaucoup Québec.

— O.K. Je t'embrasse. À samedi !

Et je m'endors comme un bébé qui vient d'avoir son biberon, en rêvant à des avions bleus et roses.

Le samedi 23 septembre 1965. À travers les grandes vitres de l'aérogare, je regarde depuis un bon moment la piste éclairée par un soleil de plomb, lorsqu'on annonce l'arrivée de cet avion que j'attends. Je le vois descendre, tourner en bout de piste pour revenir s'arrêter devant l'aérogare. On pose l'escalier mobile, la porte s'ouvre et je vois les passagers descendre un à un. C'est étrange, j'attends une femme et je ne vois que des hommes. Je remarque aussi qu'ils sont presque identiques. Ils ont tous, sans exception, un chapeau à petit rebord, un imperméable et une serviette à la main. (Je me souviens très bien de tous ces détails parce que cela m'avait frappé).

Je commence à m'inquiéter, lorsque je l'aperçois. Elle descend de l'avion avec une telle élégance que j'ai encore cette étrange impression qu'elle flotte sur un nuage, en traversant la distance qui sépare la piste de l'entrée de l'aérogare. Je la vois venir dans son costume noir, style matelot, très ajusté, faisant ressortir ses cheveux roux, la ligne de sa taille et ses hanches se balançant légèrement au rythme de ses pas. Elle avance en souriant à ces messieurs qui ont ralenti pour la regarder passer. Je ne suis pas jaloux, bien au contraire, car je pense que c'est pour moi qu'elle est là. Lorsqu'elle apparaît dans l'encadrement de la porte avec une rose à la main, venant vers moi pour m'embrasser, je sens monter en moi une fierté intense, fierté que je n'avais pas éprouvée depuis longtemps.

De l'aéroport de l'Ancienne-Lorette à la basse ville de Québec, il y a un bon petit bout de chemin. J'essaie de conduire correctement, en ne faisant pas trop de vitesse, car j'ai la mauvaise habitude de conduire en véritable cowboy — ce qui, en aussi belle compagnie, manquerait de classe. Je cherche un sujet de conversation, mais je n'y arrive pas. J'avais pourtant tellement de choses à lui dire. Je crois que son silence me fige et je me contente de lui toucher la main de temps en temps.

Nous arrivons sur le boulevard Charest lorsqu'une moto vient se placer sur ma gauche. Les deux motards m'ont reconnu et je les entends nous narguer. Je ne m'en occupe pas mais après un moment, ils me dépassent pour venir se placer devant moi et ralentissent afin de m'obliger à faire de même. Ils commencent à jouer avec mes nerfs. Rendu au feu rouge suivant, je m'arrête à leur droite pour dire au conducteur :

— Mets-toé pas dans mes jambes avec ton bicycle parce qu'il va t'arriver quelque chose que t'aimeras pas !...

Celui qui est assis derrière me répond d'un air insolent :

— Parce que tu vas te fâcher et pis tu vas être méchante, méchante.

En entendant ces mots, mon sang ne fait qu'un tour et je vois rouge.

— Oh ! mon osti ! Ça m'a coûté trop cher pour être un homme et me faire traiter de tapette.

La lumière passe au vert. C'est un départ entre la moto et ma voiture. J'accélère à fond et j'ai à peine le temps de changer de vitesse que j'arrive à l'autre intersection quelques secondes avant la moto, alors qu'un policier de la circulation, arrêté un peu plus loin, nous fait signe de l'attendre.

Le motard continue à m'insulter :

— C'est normal que t'arrives le premier, les tapettes ont des ailes.

Sans m'occuper du policier, je descends rapidement, passe devant le motard qui me regarde en riant, l'air arrogant, les deux mains sur ses poignées

68

de direction. Je ne fais qu'un mouvement et en y mettant le plus de force possible, je lui envoie mon poing dans la gueule. Le sang coule de son nez pendant que je leur crie à m'en défoncer les poumons :

— Descendez de votre bicycle, mes deux pourris. Pis venez voir de proche si je suis une tapette !

À ce moment, je sens une main qui me pèse sur l'épaule. Je me retourne rapidement, croyant que c'est un adversaire qui arrive par derrière, mais c'est le policier qui me dit :

— O.K., Paolo, j'ai rien vu, tu peux t'en aller.

Puis se retournant vers les motards :

— Vous autres, restez là, j'ai deux mots à vous dire.

Je remonte dans ma voiture sans poser de questions et aussitôt que j'ai refermé la portière, le policier se penche vers moi et me dit avec un sourire en coin :

— T'as fait une belle job, mon Paolo. Ça fait longtemps que je voulais les planter ceux-là.

Je pense qu'il est temps pour moi de partir et je démarre en regardant Diane, ma petite comtesse, qui est blanche comme un drap. Pendant un moment, elle ne dit rien mais à peine ai-je tourné deux coins de rue qu'elle me dit d'une voix retenue et un peu tremblante :

— Est-ce que c'est toujours comme ça avec toi ? Je n'ai pas l'habitude de ces choses-là. Dans le monde d'où je viens, on ne se bat pas avec ses poings, on a des armes plus subtiles, plus efficaces que les coups.

Je ne réponds pas mais encore une fois, je ne suis pas très fier de moi. Je me rends compte que je viens de faire une de mes conneries habituelles et que ma mère a raison de dire que je ne suis pas fait pour vivre avec une femme.

Rendue chez mes amis, Diane a de la difficulté à retrouver son sourire, malgré la gentillesse de Grégoire et de sa femme. Dire que j'étais si fier quand je leur parlais de ce merveilleux sourire qui avait dissipé tous les nuages qui planaient sur ma vie.

Tout au long de cet après-midi, j'essaie de me reprendre en m'efforçant d'être le plus gentil possible avec elle et je croyais y être arrivé, lorsqu'au moment où nous nous retrouvons seuls dans la chambre et que je veux la prendre dans mes bras, elle se met à pleurer. Je suis complètement perdu devant son chagrin. Je ne sais plus quoi faire. Je lui demande pardon pour mes maladresses. Elle ne me répond pas et continue de pleurer. Je l'assois au bord du lit, me mets à genoux devant elle puis lui prends les mains en la regardant. Au bout d'un moment, elle vient à bout de me parler :

— Ce n'est pas à cause de toi que je pleure ; c'est un chagrin que je traîne avec moi depuis longtemps. C'est une autre personne qui m'a fait un mal immense. Un homme que j'aimais et à qui j'ai tout donné, tout ce que la petite fille que j'étais avait gardé pour le prince charmant qui viendrait la chercher un jour. Il a détruit mon rêve d'enfant et je suis déçue, déçue de tout et de tous. Je n'ai plus envie de dire «je t'aime» à personne.

Je m'approche d'elle, la serre contre moi en appuyant sa tête sur mon épaule et en lui disant :

— C'est correct. Dis rien parce que moi aussi je suis terriblement déçu par l'amour, par les femmes que j'ai aimées. Si tu veux, on pourrait peut-être tous les deux faire de nos peines quelque chose qui ressemblerait à du bonheur.

5

Deux femmes
dans ma vie de bohème

Ainsi tourne le vent, tourne la vie, et mon existence reprend un peu de gaieté. Sans rien nous promettre l'un à l'autre, nous voilà en ménage avec, pour compagnons, un gros chien nommé Cognac, deux colombes, une perruche, un moineau et comme abri, une cabane sans eau courante, chauffée au poêle à bois aidé d'un petit calorifère au gaz ; mais en contrepartie, une vue magnifique sur ce fleuve que nous aimons tous les deux.

Nous vivons en bohèmes, dans la plus grande simplicité. Et ma mère qui nous regarde vivre nous aide à sa façon, en nous cuisinant des plats qu'elle vient nous porter ou que nous allons manger dans sa grande cuisine pleine de gaieté qui sent toujours le bon café et la nourriture bien mijotée. De temps en temps, elle en profite pour enseigner à Diane sa façon bien particulière de faire la mangeaille.

* * *

Nous étions heureux et tout allait bien, jusqu'au jour où ma douce compagne s'aperçut que sa taille commençait à ne plus être tout à fait celle d'un mannequin professionnel.

Un matin, elle me dit :

— Il faudrait faire réparer ta vieille cuisinière à gaz car je crois qu'il est temps que je m'occupe de nous faire une nourriture un peu moins engraissante.

— Quoi, la nourriture de ma mère fait engraisser ! Depuis quand ?

— Paolo, depuis l'âge de quatorze ans je surveille mon alimentation, parce que j'ai tendance à prendre du poids facilement. J'aime beaucoup la nourriture de ta mère, elle est même trop bonne...

— Je comprends, je connais personne qui fait du bon manger comme ma mère. Mais je veux bien essayer ta nourriture. Ma mère m'a toujours dit :

— Si une femme te fait à manger, il faut pas la désappointer. Surtout que tu es la première qui s'offre à le faire depuis longtemps.

Après cette discussion, la cuisinière fut réparée et Diane commença à étudier les livres de recettes.

Mais ma mère s'inquiéta du fait que nous n'allions plus aussi souvent prendre nos repas chez elle.

Je crois bien qu'elle était heureuse de voir que j'avais trouvé une femme qui me redonnait le goût de vivre. Mais je ne crois pas qu'elle avait envie de céder complètement la place qu'elle prenait dans mon existence à cette jeune femme qui venait à peine de faire son entrée dans ma vie.

Alors un soir, pendant que Diane s'affairait à ses plats, je vois ma mère entrer dans la cabane en tenant dans ses mains une chaudronnée de « gué-dilles » gratinées dont elle faisait sa spécialité.

En la déposant sur la table, elle aperçoit une assiettée de brocolis fumants sur lesquels fondait un carré de beurre et juste à côté, une salade de cresson avec des endives et des champignons crus. Ma mère regarde avec dédain ces plats qui lui sont complètement inconnus et s'écrie :

— Ben ma p'tite fille, tu sauras que mon gars, c'est pas un joual ! J'l'ai pas élevé à manger de l'harbe, pis si y'est en santé, c'est parce que j'y ai toujours fait du vrai manger de monde !

Moi, en entendant ces mots, je m'écrase dans ma chaise, témoin involontaire d'une scène à laquelle je ne peux vraiment rien. Je suis pris entre ces deux « femelles » de culture différente défendant chacune son point de vue, à savoir ce qui est bon ou pas pour ma santé.

Diane est en train de sortir son rôti de bœuf du four. Au lieu de s'offusquer, elle semble plutôt amusée par les remarques de ma mère et se met à rire en lui disant :

— Voyons, madame Vadeboncœur, ce qui est sur la table est excellent au goût et bon pour la santé. D'ailleurs, vous devriez rester à souper avec nous.

Pendant ce temps, ma mère s'était assise à la table et regardait Diane couper sa viande, qu'elle cuisait toujours « médium-saignant ». Ma pauvre mère, qui, depuis des années, nous faisait des steaks cuits comme de la semelle de botte, s'écria :

— Ah ! ben, tu m'pogneras pas à manger d'la viande crutte, ma p'tite fille. Y'a rien de plus dangereux pour pogner l'ver solitaire.

— Voyons, madame Vadeboncœur, c'est des vieilles histoires d'ancien temps tout ça.

— O.K. ! fais comme tu veux. Mais quand tu l'auras, y s'ra trop tard ! C'est quoi les arbres chinois avec du beurre dessus ?

Diane ne peut s'empêcher de rire. Elle lui répond :

— Ça s'appelle du brocoli puis c'est délicieux. Voulez-vous y goûter ?

— Ouin, envoye-donc. J'vas goûter à ça, le manger de grand'monde, avec mes guédilles.

En se retournant vers moi, l'air interrogateur, elle enchaîne :

— Toi, mon noir, tu manges quoi ?

Ne voulant les blesser ni l'une ni l'autre, je réponds :

— Moi, j'ai une faim du diable. J'mange de tout.

Je mange donc un plat de guédilles à ma mère puis ensuite le rôti de bœuf, le brocoli et je me tape cette salade bizarre, dont je n'appréciais pas encore le goût, et qui devait sûrement se chercher une place dans mon estomac complètement bourré. J'avais réussi. Le sourire était revenu autour de la table et j'avais le ventre gonflé comme un ballon de plage. Pour arriver à digérer ce souper, il me fallut faire une marche prolongée avec le chien avant de me coucher.

Les jours passaient, heureux mais pleins de ces petits incidents qui me font prendre conscience, en écrivant ces lignes, que nous en étions tous les trois au stade d'adaptation ; nos caractères et nos façons de vivre étaient si différents !

Bien qu'à cette époque, il ne se passait pas une semaine sans que mes aventures et mes déceptions ne fassent la première page des journaux artistiques, j'avais des problèmes d'argent. Problèmes causés la plupart du temps par des producteurs ou organisateurs de spectacles peu scrupuleux qui ne se gênaient pas pour disparaître avec mon cachet, une fois le spectacle terminé, ce qui n'était pas pour atténuer mon agressivité. Aussi, quand arrivaient les fins de mois, même en me serrant la ceinture j'avais des difficultés à rencontrer mes obligations. Avant toute chose, je devais payer la pension pour mes enfants, puis il y avait le financement de ma voiture et aussi un autre paiement que je n'appréciais pas beaucoup, mais auquel on m'avait condamné et sur lequel je donnerai plus tard des précisions : la pension de mon père. Diane avait dû, à quelques reprises, non pas me prêter de l'argent, mais faire mes paiements à même ses cachets de mannequin, pour m'éviter des embêtements. Naturellement, elle s'aperçut vite du manque d'ordre dans mes papiers et voulut s'en occuper. Ma mère, voyant d'un bien mauvais œil une étrangère mettre le nez dans mes affaires, lui dit sur un ton maternel et possessif :

— Tu sais, ma belle Diane, t'as ben beau coucher dans le litte de mon gars, y faire des p'tits plats, n'empêche que tu l'connais pas. Pis y a des choses que tu sais pas. Lui, l'argent, c'est fait pour dépenser tant qui y'en a, mais quand y'en n'a pus, y s'met à crier pis tout casser ! Là c'est moins drôle que tu penses.

Il fallut beaucoup de diplomatie à Diane pour arriver à faire comprendre à ma mère que tout ce qu'elle voulait, c'était l'aider et m'apprendre à ne plus dépenser à tort et à travers sous prétexte que demain tout serait fini pour moi. Je croyais fermement, à cette époque-là, qu'il me restait peu de temps à vivre, car chaque fois qu'on m'avait lu dans les lignes de la main, la même prédiction s'était répétée : je n'allais pas dépasser la quarantaine et j'avais trente-six ans.

Vous allez dire que j'étais bien naïf. D'accord, je l'étais et je le suis encore. Mais si seulement on me l'avait dit une seule fois, je l'aurais vite oublié. Mais rendu à la sixième, je commençais à m'inquiéter. Je vivais donc, sans le dire à personne, avec ce fantôme qui hantait mon esprit et quelquefois même m'étouffait.

Aujourd'hui, je sais que toutes ces prédictions étaient fausses ou que l'on peut tout simplement, au cours des années, changer les lignes de son destin, puisque j'ai actuellement cinquante-trois ans et que, malgré les difficultés, je trouve le vie plus belle que jamais. En écrivant ces mots, j'arrive à comprendre cette façon épouvantable que j'avais de prendre des risques inutiles et je pense que si j'étais mort de façon tragique, il est certain que ces diseurs de bonne aventure se seraient vantés d'avoir prédit l'événement. Mais ils ne se seraient sûrement pas rendu compte qu'ils m'auraient indirectement poussé à un suicide inconscient.

Si j'écris toutes ces choses, c'est que je ne veux pas tricher ni prendre de détours pour raconter mon histoire.

6

Une course de chars
à la «Ben hur»

Au début de notre vie commune, Diane, qui me voyait conduire ma voiture comme un conducteur de la mort (hell driver), me répétait souvent :

— Paolo, réfléchis et sois prudent car la vie tient à un petit fil.

Je répondais en riant :

— Sois pas inquiète, je ne sais pas comment il s'appelle, mais y'a un ange qui me protège malgré moi.

La preuve allait m'en être donnée assez rapidement.

* * *

Un soir, je reçois un appel d'un de mes amis qui me demande de lui prêter mon jacket de conducteur automobile Players. Il veut en plus que je le lui porte, parce qu'il n'a pas de voiture. J'hésite un peu car j'ai déjà fréquenté sa sœur quelque temps avant de connaître Diane, mais comme il est encore aux études et qu'il n'a pas beaucoup d'argent, je décide d'y aller. Il demeure dans mon ancien quartier d'Hochelaga, tout près de l'école Langevin où j'ai connu tant de déboires et de batailles d'écoliers et que je n'ai jamais oublié.

En arrivant chez lui, sur la rue Désiré, il fait déjà noir ; j'ai de la difficulté à me trouver un stationnement à travers toutes ces voitures qui encombrent la rue. Je me place derrière une Corvette que le lampadaire éclaire de sa faible lumière jaunâtre. En descendant de voiture, je jette un coup d'œil dans cette rue qui m'a vu trimballer mes livres d'école et j'ai l'impression, pendant quelques minutes, de revenir en arrière.

Après avoir fait tourner la sonnette de la porte, j'entre. Devant moi, un petit corridor mène à la cuisine où j'aperçois sa mère qui me sourit. Comme dans tous les vieux logements il y a, de chaque côté, des portes donnant à gauche sur les chambres et à droite sur le salon. J'avance vers la cuisine et en passant, j'entends une voix féminine venant du salon qui me dit :

— Bonsoir, Paolo.

Je m'arrête et mes yeux se tournent vers le divan où est assise cette demoiselle que j'avais déjà fréquentée. Elle est à côté d'un jeune homme que je ne connais pas mais qui pourrait bien être ce fiancé qui l'avait quittée et dont elle me parlait souvent, fils du riche propriétaire d'une compagnie de produits alimentaires bien connue. En m'approchant, je me rends compte qu'il est exactement comme elle me l'avait décrit. Délicat, très bien vêtu, de belle apparence mais peut-être un peu snob à mon goût. Je m'approche et elle me présente. J'essaie d'être le plus gentleman possible et je tends la main en lui disant :

— Bonsoir, enchanté de te connaître.

Mais il ne répond pas et me regarde de haut en bas avec dédain et arrogance, comme si j'étais une maladie honteuse. J'ai l'air d'un imbécile, avec cette main que je lui tendais amicalement. J'ai envie de m'en servir pour autre chose, mais je pense aux conseils de Diane :

— Réfléchis toujours avant d'agir.

Je vois la petite qui a l'air toute désolée de la situation et je décide de continuer mon chemin vers la cuisine où m'attendent avec beaucoup plus de cordialité sa mère et son frère.

Tout en buvant du thé, nous discutons du rallye automobile auquel il doit participer. Naturellement, je finis par vanter les performances de ma voiture.

Cette conversation semble avoir piqué la curiosité ou la fierté du fiancé. Il s'amène dans la cuisine et s'installe, lui aussi, autour de la table pour nous parler de sa Corvette, justement celle derrière laquelle je me suis stationné. En d'autres temps j'aurais aimé discuter automobile, performances, etc., mais avec lui, pas question, ça change tout. Je fabrique alors les insultes au fur et à mesure que nous parlons et je finis par lui dire :

— Avec ta Corvette, tu peux même pas torcher le derrière de ma voiture.

Il me répond :

— N'importe quand.

— O.K. Tout d'suite.

En être intelligent que je croyais être, j'acceptai son défi. Je devais monter dans son auto et lui devait conduire de façon assez dangereuse pour me faire peur, et moi de même, ensuite.

Nous allons donc à l'extérieur, toute la famille. La soirée est déjà avancée et la rue semble dormir dans cette fraîche nuit d'automne. Avant de monter dans sa Corvette, il ajuste avec beaucoup de précautions ses gants de conducteur. Il me regarde en me disant, sans se défaire de son arrogance :

— On va voir si vous êtes aussi brave que vous voulez bien le faire croire.

— Laisse faire la jasette, pis fais-moi peur si t'es capable !

Et nous démarrons d'une façon que je trouve très convenable. En tournant sur Ontario, il accélère mais prend bien soin de ralentir à l'intersection, sans oublier de faire ses arrêts, comme un bon garçon. Après quelques détours et sans même avoir atteint les 70 milles à l'heure, nous revoilà devant la maison de nos amis. Avant de descendre, il me regarde en souriant d'un air victorieux et je crois vraiment qu'il s'est foutu de ma gueule mais non, puisqu'il déclare :

— Alors, monsieur Noël, qu'en dites-vous ?

Je ne réponds pas, mais je me dis à moi-même :

— Mon p'tit tabarnac de prétentieux, tu vas chier dans tes culottes pis tu vas avoir des ulcères d'estomac quand j'vais avoir fini avec toi !

Nous montons dans ma voiture et nous attachons nos ceintures de sécurité que j'avais dû prendre en option, bien avant que la loi du port de la ceinture obligatoire n'existe. Je fais tourner mon moteur et je me demande ce que je vais inventer pour faire peur à ce petit con. Je ne sais pas encore mais je suis sûr de trouver, un coup parti. Je place donc ma voiture au milieu de la rue et je lui dis :

— Tiens-toi, ça va donner un coup.

— On verra bien.

Je démarre en écrasant l'accélérateur au fond du plancher, pour faire sortir de mon engin tout le pouvoir que le capot cache. J'entends mes pneus tourner comme s'ils voulaient manger l'asphalte et mon bolide est propulsé en avant avec une telle puissance que la pression nous écrase au fond de nos sièges, jusqu'à la voie ferrée à quelques centaines de pieds de là. Au moment où les roues avant touchent la dénivellation des rails, je sens le devant de ma voiture se soulever. Je ne ralentis pas, bien au contraire. Je change de vitesse, puis j'accélère à nouveau en mettant toute la puissance que je peux pour arriver trop rapidement au feu de circulation de la rue Ontario qui vient de passer au jaune. Pendant que mon brave compagnon me dit qu'il veut descendre, je vois une voiture de police qui attend le feu vert pour aller vers l'ouest. Instinctivement, je décompresse pour ralentir, puis je change brusquement d'idée. Dans ma tête, il se passe quelque chose qu'aujourd'hui encore j'ai de la difficulté à définir. Est-ce vraiment pour gagner mon pari et me grandir devant ce fils à papa qui me rappelait ceux qui dévoraient des crèmes glacées et du chocolat sous notre nez, alors qu'on n'avait pas les moyens d'en avoir, ou suis-je, pendant un instant, redevenu carrément le petit voyou qui défiait l'autorité ?

Quoi qu'il en soit, je repasse en première vitesse en poussant le régime du moteur au bout, pour passer au nez de la police en faisant un bruit d'enfer et remonter la rue Désiré qui est complètement libre jusqu'à la rue Rouen. Je tourne vers l'ouest et j'ai déjà assez d'avance sur les policiers qui viennent de partir à ma poursuite pour ralentir un peu aux intersections, mais repartir de plus belle pour redescendre la rue Moreau jusqu'à Ontario, où je tourne vers l'ouest. J'ai cependant le temps d'apercevoir les clignotants de mes poursuivants, qui sont loin derrière, avant de m'enfiler à toute vitesse sous le tunnel.

Mais je me réjouissais un peu trop vite de ma victoire car en sortant de l'autre côté j'aperçois, venant en sens inverse, une autre voiture de police qui entame la poursuite. Je commence à me demander dans quelle aventure je me suis embarqué et comment je vais m'en sortir. Le moment n'est pas aux questions philosophiques mais plutôt au calcul pour ne pas faire d'autres erreurs, la plus belle étant déjà faite. Je n'ai donc pas le choix. Je tourne à la rue suivante, qui se trouve être celle où demeurait mon grand-père. Elle porte un nom bien approprié à la circonstance puisqu'il s'agit de la rue l'Espérance.

Il fallait que j'en aie car juste devant, un autre clignotant rouge vient de tourner le coin et se dirige vers moi. Si je ne trouve pas une solution très vite, je suis pris dans une souricière. Je pense alors à la ruelle, derrière l'ancien logement de mon grand-père, qui me servait pour jouer au western et dont je connais le moindre recoin. Je m'enfile dans un passage à côté de l'ancienne laiterie Idéal et je fonce dans la ruelle. Rien n'a changé, c'est toujours aussi sale et encombré de poubelles. J'en frappe une qui reste prise dans mon pare-choc avant. Mais ce n'est pas le temps d'arrêter pour faire le ménage. Elle se dégage d'elle-même au moment où je tourne sur la rue Wartel, puis je reprends Rouen vers l'est. En passant devant la rue l'Espérance, je vois les trois voitures de police qui arrivent dans ma direction. Je commence à avoir les mains moites mais il faut que je garde mon sang-froid ; comme ma voiture a une puissance d'accélération remarquable, j'ai le temps de me rendre jusqu'à la rue St-Germain que je redescends, lorsque je vois, au bout de la ligne de voitures stationnées, un camion arrêté en double qui semble bloquer complètement le passage. Je ralentis mais en m'approchant, je décide de prendre une chance. Au diable la peinture ! J'écrase au fond et j'entends mon rétroviseur de gauche éclater en morceaux. Je file vers la rue Adam et remonte la rue Désiré pour arriver à mon point de départ et retrouver ma place de stationnement prise par une autre voiture. Je calcule qu'il est temps d'arrêter de pousser sur ma chance et je laisse ma voiture en marche au milieu de la voie ferrée. Je ne sais pas si j'ai des visions, mais je vois partout des lumières rouges qui clignotent. Sans perdre une seconde, j'attrape mon passager par le collet de son veston pour le sortir de mon côté car il est figé de peur. Je cours de toutes mes forces entre les voies ferrées en traînant toujours mon brave compagnon jusqu'à une clôture de bois donnant sur la ruelle qui mène à la maison d'où nous sommes partis. Comme il ne peut pas sauter et qu'il faut se dépêcher si on ne veut pas être vus par les policiers dont j'entends les sirènes, je l'attrape par le fond de culotte pour l'envoyer de l'autre côté avant de sauter moi-même. Je lui dis de ne pas bouger un cheveu pour le moment. Quelques secondes après, je vois que tout est calme dans cette ruelle non éclairée. Je lui dis de courir avec moi pendant que je compte les maisons, car c'est difficile de reconnaître l'arrière de ces logements quand c'est la première fois qu'on rentre dans une ruelle où il fait noir comme chez le diable et qu'il n'y a que des «sheds» et des clôtures qui prennent des allures bizarres dans la noirceur. Je finis par y arriver et je ne me rappelle pas, depuis ma jeunesse, avoir été aussi heureux de refermer une porte derrière moi comme celle de cette cuisine où je viens d'entrer. Mon ami et sa mère me demandent par où nous sommes passés. Alors, pendant que je reprends mon souffle et que le fiancé disparaît, je leur raconte tout ce qui vient d'arriver. Ils ont de la difficulté à le croire. Je les emmène donc sur le perron avant de la maison pour leur faire voir le spectacle qui se déroule dans la rue. J'ai moi-même de la difficulté à le croire. En plus des gens de la rue qui font comme nous, je vois quatre ou cinq voitures de police, avec leurs clignotants, entourant une remorque. Mon copain, qui étudie le droit, m'explique toutes les complications dans lesquelles je viens de m'embarquer.

— Tu ne pourras d'aucune façon t'en sortir sans avoir à affronter la police si tu veux récupérer ta voiture.

— Comment ça?

— Si tu ne téléphones pas au poste de police et portes plainte pour le vol de ta voiture, c'est que c'est toi le coupable.

— Arrête donc!

— Et si tu téléphones, il va falloir que tu ailles au poste répondre à leurs questions. Puis t'as besoin d'avoir un bon alibi et un emploi du temps valable si tu ne veux pas te faire coincer par eux.

Je commence à trouver mon aventure moins drôle pendant que nous retournons à la cuisine. Je pense à Diane qui doit s'inquiéter, car il est déjà très tard, mais je n'ai pas le choix. Il faut que j'aille jusqu'au bout. Je téléphone donc au poste de police où on me dit qu'on va venir me chercher. Je demande à la maman du copain le titre du film qu'elle a regardé à la télévision, mais je n'ai pas grand temps pour parler car un gros policier est déjà devant la porte et me demande si je veux bien le suivre. Ça me fait un drôle de flash-back dans la tête. J'ai vu trop souvent mon père partir de la même façon; mais ce soir, c'est moi et je ne suis pas très fier. Tant pis, c'était à toi d'y penser avant, «Paul-Émile Noël»!

Tout le long du parcours, les deux policiers me parlent de cette poursuite à laquelle ils ont pris un certain plaisir, je pense, si je me fie au ton de leur voix et à leurs farces. Mais je me garde bien de faire trop de commentaires sur la chose afin de ne pas me mélanger moi-même dans mes menteries. Leur gentillesse apparente pourrait bien être de la ruse.

En arrivant au poste et après avoir signé mes déclarations, je me retrouve assis à une grande table, en train de prendre du café avec quelques policiers qui me font chacun leurs commentaires sur cette poursuite. Je connais d'ailleurs un de ceux qui sont là car c'est le frère d'un ami de la famille, du temps où je demeurais sur la rue Cuvillier. Il me dit :

— Je n'sais pas qui c'était le fou qui conduisait ton char, mais moé j'lai lâché, ç'a pas été long. J'm'en vas en vacances la semaine prochaine, j'ai pas envie d'les passer à l'hôpital ou à la morgue pour un criss de maniaque.

Je bois mon café mais je suis gêné et j'espère qu'ils ne sauront jamais que c'était moi, le maniaque en question. Pendant que je leur parle, je suis placé de façon à être vu par tous les clients que la police arrête. Quelques-uns me reconnaissent et me crient toutes sortes d'imbécillités comme :

— Aye, Noël ! Tu t'tiens à la même table que les chiens à c't'heure ? ou bien :

— Mets-le dans ma cellule, y va m'chanter « Petit papa Noël » !

Après un certain temps, j'aurais bien souhaité me voir ailleurs. Enfin, je vois entrer deux inspecteurs habillés en civil. Le plus grand, qui semble être le « boss », me dit de le suivre dans une chambre très éclairée. Il me fait asseoir sur une chaise qui ressemble à celle des barbiers. Elle est au centre de la place et quand je suis bien installé, ils commencent à me poser des questions sur un ton plutôt moqueur, en me regardant droit dans les yeux. Je me sens comme une punaise qu'on va écraser.

— Comme ça, tu t'es fait voler ton char ?
— Oui.

— Qu'est-ce que t'allais faire là ?

— Porter mon jacket à mon ami.

— Quelle sorte de jacket ?

— Ben... un jacket.

— J'veux savoir quelle sorte.

— Un jacket de conducteur automobile.

— Comme ça, t'es t'un bon chauffeur ?

— Bof ! J'sais pas.

— Un gars qui s'intéresse aux courses, ça aime courser. Ça pourrait-tu être toi qui conduisait le char, à soir ? Parce que d'après les gars, le conducteur savait où il s'en allait.

— Ben non, j'vous dis qu'ils m'ont volé ma voiture.

Le ton de sa voix change et les questions sont plus rapides.

— O.K. Toi, qu'est-ce que t'as fait pendant la soirée ?

— J'ai parlé avec mes amis en regardant la télévision.

— T'as regardé quoi ?

— Une vue.

— Quelle vue ?

Je suis obligé de tout lui raconter le film... Heureusement pour moi je connaissais le scénario par cœur pour avoir vu ce film de sous-marin, mettant en vedette Richard Widmark, à plusieurs reprises. Pendant ce temps, l'autre vérifie avec quelqu'un. Il change alors de ton encore une fois pour redevenir plus joyeux. Il me montre ensuite une photo sur laquelle il y a une femme avec trois seins. Mais comme en ce moment, je n'ai pas du tout l'esprit au sexe, je reste indifférent et il me dit :

— Es-tu tapette comme tous les chanteurs ?

Ce à quoi je réponds avec énergie :

— Si vous saviez, monsieur l'inspecteur, ce qui m'attend dans mon lit, vous verriez que chu'pas une tapette et que même si elle a que deux seins, elle est pas mal plus belle que celle qui est sur votre photo.

— Bon, dans ce cas-là, même si j'ai des doutes, j'vas te laisser aller. Mais ne recommence pas ça trop souvent parce que la prochaine fois, ça pourrait être la dernière. Signe-moi un autographe pour ma femme pis va te coucher.

Il était temps que ça se termine car je commençais à avoir chaud.

En sortant du poste, je lève la tête pour regarder le ciel qui commençait à s'éclaircir et je me dis en respirant un bon coup d'oxygène : « À l'avenir, Noël, penses-y bien avant de faire des imbécillités pour un petit con à qui t'as rien prouvé, parce que la belle fille qui t'attend dans ton lit pourrait bien ne plus être là à ton retour ».

En arrivant à la cabane, Diane, qui s'était endormie dans la chaise berçante en m'attendant, me regarde avec ses yeux d'enfant qui ont du chagrin, sans rien dire, sans me faire le moindre reproche. Pourtant, j'aurais voulu et j'aurais mérité qu'elle m'engueule. Au contraire, après m'avoir embrassé, elle me fait du café. Sans qu'elle me pose de questions, je lui raconte tout ce qui vient de se passer. Je suis heureux de retrouver mon lit et de m'endormir en tenant ma petite princesse dans mes bras, sans oublier de dire merci à cet ange inconnu qui, encore une fois, m'a protégé jusqu'au bout.

Un mois plus tard, un juge me rendait un grand service. Alors que je m'étais fait arrêter pour vitesse excessive, il me donnait le choix : soit de vendre mon char, soit de perdre mon permis de conduire pour quelque temps.

Mon bolide termina donc ses jours là où il aurait toujours dû être : sur les pistes de course. Mais la fatalité a voulu que son conducteur se tue au volant, après une mauvaise manœuvre.

* * *

Une dizaine d'années plus tard, je chante dans une boîte de nuit de Miami, lorsqu'après le spectacle, un grand monsieur appuyé au bar m'offre une consommation et me demande si je le reconnais. Même en me creusant la mémoire, je n'arrive pas à replacer ses traits. Il enchaîne en riant :

— Une petite course d'automobiles avec la police, ça ne te dit rien ?

— Non.

— Mais une voiture qu'on t'aurait supposément volée ?

— Ah ! oui. Là, je me souviens.

— Dis-moi la vérité pour le fun, c'était-tu toi le conducteur ?

— Mais voyons, vous savez très bien que je m'étais fait voler ma voiture.

— Paolo, tu peux me dire la vérité maintenant, parce que je suis à ma retraite.

— Dans ce cas-là, j'vais vous le dire, c'était moi.

— J'le savais depuis le début. T'es chanceux d'être aimé, mon p'tit v'limeux, parce qu'on aurait pu le prouver pis t'embarquer ; mais comme y a pas eu d'accident, on t'a laissé aller.

Nous avons ri tous les deux de cette aventure, en prenant un verre, mais je réalisais à quel point j'étais chanceux de m'en être tiré avec si peu de problèmes.

7

« Toast et café »

À la suite de cette aventure, pour me faire pardonner mes maladresses, j'essaie d'améliorer l'intérieur de notre petit chez-nous en posant des rideaux aux fenêtres, en recouvrant les coussins du divan et en mettant, de temps en temps, les oiseaux dans leur cage afin que Diane n'ait pas à nettoyer continuellement leurs petits dégâts bien naturels. Cependant, quelquefois, je me méfie.

— N'essaie pas de me sortir de ma cabane, la fille qui va m'en sortir n'est pas encore née.

Elle ne répond pas, elle se contente de sourire. Sans m'en rendre compte, de jour en jour, je deviens un autre homme. Elle me réapprend l'espoir de vivre, me redonne le goût de mon métier, le goût de travailler pour être prêt le jour où la chance reviendra, bien que la chance, dans le milieu du show-business, je n'y crois pas beaucoup.

Entre mes rares engagements à travers la province et les émissions de télévision auxquelles elle travaille régulièrement, nous vivons des jours pleins de douceur.

Tous les matins, nous prenons notre café, assis autour de la petite table de bois en regardant à la télé une émission qui a pour titre « Toast et café ». Je dis souvent à Diane plutôt avec nostalgie qu'avec envie :

— Comme j'aimerais faire le genre de travail que fait Fernand Gignac, avec Dominique Michel et Frenchy Jarreau. Vois-tu, Didi, le style de sketch qu'on y joue, c'est ça mon vrai métier ! Celui que j'ai appris au théâtre pendant cinq ans avec Olivier Guimond, Manda, pis la Poune ! Mais j'ai pas de chance parce que Gignac est trop populaire. Ça serait le fun si je le faisais seulement une fois. Tu verrais que je n'sais pas seulement chanter, je peux aussi être drôle.

— Pourquoi toujours dire que t'as pas de chance ? Dans la vie, il faut que t'apprennes à être positif.

— J'voudrais ben te croire, mais à la télé, ils m'ont jamais gâté. Je suis chanceux que le vrai monde m'aime, sinon ça ferait longtemps que je n'existerais plus !

* * *

Un jeudi après-midi, alors que la pluie poussée par les grands vents d'automne tombe en roulements de tambour sur le toit de la cabane, nous réchauffons nos cœurs dans le petit lit de notre chambre, en oubliant le reste du monde, lorsque cet « affreux jojo » de téléphone se met à faire des siennes. Je le laisse sonner jusqu'au moment où je dis à Diane :

— Mets un oreiller dessus et laisse le sonner.

Elle me répond, toujours aussi raisonnable :

— Paolo, on ne sait jamais qui nous appelle. Ça pourrait être important.

Elle décroche l'appareil et répond.

— Allô ! Oui ! C'est pour toi Paolo, de la part de Jean Péloquin, réalisateur au canal 10.

— Allô ?

C'est bien lui, ce réalisateur que, de prime abord, je n'aimais pas beaucoup à cause de sa façon un peu trop directe de dire les choses. J'entends alors sa voix :

— Paolo, es-tu capable de remplacer Fernand Gignac à partir de lundi ?

Surpris par cette question, je réponds, un peu incertain :

— Ben, je l'sais pas.

Il enchaîne sur un ton très sec :

— Le sais-tu ou si tu l'sais pas ?

Je suis mal à l'aise parce que Fernand est mon ami et qu'en donnant une réponse affirmative, je passe pour un profiteur ou un opportuniste qui se sert des mauvaises situations pour se faire une place. Je demande à Pélo si je dois donner ma réponse immédiatement ?

— Oui, on n'a pas le temps d'attendre. C'est toi ou un autre.

— D'accord ! C'est pour combien de temps ?

— Tant que tu feras l'affaire ! Passe au bureau de Robert L'Herbier demain pour signer ton contrat à quatre cent cinquante piastres par semaine. Pis oublie pas, la première fois que t'arrives en retard, je te sacre dehors !

— O.K. À lundi matin, sept heures et demie.

Je raccroche mais je n'y crois pas encore. J'ai presque envie de pleurer. Nous traversons chez ma mère pour lui annoncer la grande nouvelle. Ma mère est tout aussi heureuse que nous et s'empresse de nous dire :

— Bon, enfin j'ai été exaucée. Ça fait neuf semaines que j'fais brûler des lampions à Saint-Jude pour que ça aille mieux pour toé, mon Paolo. Chu t'assez contente que j'vas en faire brûler un autre dimanche prochain !

Pauvre maman, je me rappelle que je la voyais partir tous les dimanches après-midi avec Paul pour aller faire sa neuvaine à Saint-Jude ; au fond, c'est peut-être elle qui avait raison.

Le lendemain, c'est vendredi. Je me rends au bureau de Robert L'Herbier, directeur des programmes de CFTM. Enfin, j'ai l'impression d'être un personnage important, au moment où je prends l'ascenseur jusqu'au troisième. Je pénètre dans le bureau de direction et je dis à la secrétaire, en faisant bien attention à ma diction :

— Je viens voir monsieur L'Herbier afin de signer mon contrat pour l'émission « Toast et café ».

Elle me regarde d'une hauteur qui me fait redescendre rapidement au plancher de ma timidité inavouée et habituelle.

— Aviez-vous rendez-vous ?

— Oui... euh non... je ne l'sais pas.

— Asseyez-vous, je vais voir si monsieur L'Herbier peut vous recevoir.

Elle disparaît de l'autre côté du mur. J'entends parler, discuter, sans comprendre ce qui se dit. Mais quelle importance ? Quand je pense qu'enfin je

102

vais être à la télévision tous les jours à l'émission la plus populaire, avec des vedettes comme Dominique Michel et Frenchy Jarreau. Ça va être le fun de montrer au monde que j'sais pas seulement chanter, que je peux faire de la comédie et bien d'autres choses. Puis en plus, si c'est moins payant que le cabaret, c'est plus régulier ; de cette façon, on va pouvoir se faire un budget pour arriver à bien vivre et je vais pouvoir augmenter la pension de Thérèse pour les enfants.

Pendant ce temps-là, la secrétaire est revenue avec un contrat qu'elle me tend et que je m'empresse de lire. Je ne me rappelle pas exactement du texte mais les conditions, oh oui ! « Pour cinq émissions d'une heure en direct, cinq jours par semaine, répétitions comprises, le cachet est de trois cent cinquante dollars ». Je reste surpris mais me re-prends rapidement en disant :

— Je crois qu'il y a erreur en ce qui concerne le cachet. Mon entente avec le réalisateur était de quatre cent cinquante par semaine.

Elle me regarde sans dire un mot puis retourne dans le bureau. La réponse arrive à mes oreilles comme un écho. J'entends la voix de Robert L'Herbier me dicter ses conditions sans même se déranger.

— Y'a pas de discussion à y avoir à propos du cachet. C'est trois cent cinquante, pas une cenne de plus, c'est à prendre ou à laisser !

Pendant ce temps, la secrétaire est revenue derrière le petit comptoir qui sépare son bureau des chaises de la salle d'attente. Je la regarde sans bouger en serrant les mâchoires. Durant un moment, je me demande ce que je vais faire : prendre le contrat dans ma main, l'écraser en boule et aller le rentrer dans la gueule de L'Herbier ou prendre encore une fois ma pilule et ne pas faire une question d'argent de la plus belle chance qui m'est donnée ; tenir la promesse que je m'étais faite le soir où j'ai voulu en finir : travailler et monter assez haut pour obliger ceux qui n'ont pas cru en moi à lever la tête pour me regarder.

Quant à L'Herbier, un jour ou l'autre, il sera bien obligé de me recevoir dans son bureau. Je signe avec le même sourire malicieux que j'ai toujours eu au moment de frapper un adversaire quand je me battais dans les rues et j'ai, au fond de moi, la même rage de vaincre.

Je passe la fin de semaine en compagnie de Diane à choisir des chansons tout en écoutant les conseils de ma mère. Chante ceci, chante cela. Elle me fredonne des airs qui, d'après elle, devraient plaire aux femmes. (Je dois avouer que je ne l'écoutais pas toujours mais aujourd'hui, je réalise qu'elle avait plus souvent raison que tort). La preuve en est que quelques années plus tard, les chansons qu'elle chantait ont été souvent de grands succès : « Un amour comme le nôtre », « Le tango des fauvettes » et combien d'autres encore ?

Je n'avais pas non plus grand temps pour régler une lacune très importante : mon habillement. Ma garde-robe personnelle était composée de quatre pantalons et vestons sport ainsi que d'un tuxedo de scène. Je devais, en une seule journée, trouver des costumes convenables pour cette série d'émissions. Chose facile à faire quand on a de l'argent ou des cartes de crédit, mais je n'avais ni l'un ni l'autre. Il ne me restait que le samedi pour tout régler. Je me présente donc à la mercerie Bertrand, de Repentigny, où j'explique sans détour mon problème au gérant qui me répond en souriant de bon cœur :

— C'est bien la première fois que j'entends un artiste populaire avouer qu'il n'a pas un sou.

N'empêche qu'il m'a fait crédit pour tout le linge dont j'avais besoin. Coïncidence : le propriétaire de cette mercerie est le frère de Janette Bertrand!

Lundi matin, je me lève très tôt. Il fait encore noir et je suis fatigué car je n'ai pas beaucoup dormi. Mon métabolisme est trop habitué au travail de nuit, après toutes ces années à faire du spectacle de cabaret. Je regarde par le carreau de la porte de la maison de ma mère qui est toute éclairée et nous nous dépêchons de traverser car dans la cabane, s'il n'y a pas d'eau, il y a encore moins de douche. Lucienne est debout et bien éveillée quand nous entrons. À la regarder toute pomponnée, on croirait qu'il s'agit de sa propre carrière, pendant que moi je suis tellement nerveux que j'ai de la difficulté à boire mon café. Diane, toujours aussi calme, me dit de ne pas m'en faire :

— Depuis si longtemps que tu en rêves de cette émission, c'est le temps de leur montrer ce que tu sais faire.

Je l'écoute et je voudrais lui donner raison. Mais dans mon for intérieur, je suis pris d'un trac épouvantable qui me donne presque envie de vomir. Ça fait déjà quelque temps que j'ai vu une caméra de télévision, cet instrument si froid qui encore aujourd'hui me fait peur. En plus, je sais de quelle façon peu élégante ils ont foutu Gignac à la porte. Ils ne m'ont pas engagé parce qu'ils croyaient vraiment en moi, mais plutôt parce qu'ils étaient mal pris. D'ailleurs, mon contrat n'est que pour deux semaines, si toutefois j'arrive à remplacer Fernand. Ma mère, qui me connaît et devine ce qui se passe, me dit pour m'encourager :

— J'ai promis de monter les marches de l'Oratoire St-Joseph à genoux pour que tu réussisses.

Pauvre maman, si tu savais comme j'ai le cœur serré en écrivant ces mots, maintenant que tu es partie.

L'émission « Toast et café » qui était, à l'époque, une nouvelle façon de faire de la télé a été par la suite imitée plusieurs fois. Elle fut le rebondissement de ma carrière, une carrière à laquelle je ne croyais plus beaucoup. Les téléspectateurs qui étaient habitués au style de Fernand Gignac m'acceptèrent tel que j'étais, bafouilleur, gaffeur, mais toujours sincère. Dominique Michel, ce petit bout de femme qu'on appelait le « boss » me conseillait dans tout : habillement, choix des chansons et même sur la façon d'être pour plaire aux femmes, car je manquais vraiment de confiance en moi. Quant à mon ami Frenchy Jarreau, c'était le gueulard du groupe, mais pas dangereux pour deux cennes. Pour les chansons, le pianiste Rod Tremblay, que je connaissais depuis mes tout premiers débuts au théâtre Canadien et avec qui j'avais enregistré la plupart de mes disques chez RCA, connaissait les tonalités de ma voix comme les gammes de son clavier et c'était un charme de chanter avec lui derrière moi. Quant à Pélo, ce supposé terrible réalisateur dont je craignais les sautes d'humeur et le caractère, je m'y suis vite habitué. Il fallait seulement que je comprenne qu'avec lui, tout était basé sur du sport. Nous étions son équipe, il fallait à tout prix gagner du terrain et compter des points comme au football. Je n'ai jamais connu de réalisateur aussi enthousiaste de toute ma carrière. Si on commettait une erreur, il nous engueulait comme du poisson pourri ;

mais lorsqu'on faisait quelque chose de bien, il était le premier à venir nous crier sa joie et nous embrasser.

Ce fut l'équipe la plus merveilleuse avec laquelle j'ai eu la chance de travailler.

8

Rencontre avec le passé

En peu de temps et comme par enchantement, toutes les portes du métier, que je me croyais fermées, se sont ouvertes. Les moindres mouvements de ma vie artistique et sentimentale font les premières pages des journaux et après quelques mois à peine de travail à la télévision, je reçois le prix « orange » décerné à l'artiste le plus gentil avec les gens de la presse.

Diane et moi sommes heureux mais un peu étourdis par ce revirement rapide de ma carrière.

Et le succès a ses bons et mauvais côtés. Dès qu'une étoile refait un peu de lumière, on voit réapparaître dans son sillage des satellites qu'on aurait cru disparus à tout jamais. Lorsque l'on vit à l'ombre de la défaite et de l'oubli, beaucoup de gens que l'on croyait être des amis s'éloignent de votre entourage devenu peu intéressant, parce qu'ils ont découvert que vous n'êtes pas ce qu'ils croyaient : un dieu ou un superman. Ils se sont aperçus que vous n'étiez pas un être parfait. Heureusement qu'il reste les amis, les vrais, ceux du cœur, ceux qui vous acceptent avec vos qualités et vos défauts. Ils sont toujours là, sans pour cela se sentir obligés de vous emmerder quand vous n'avez envie de voir personne, parce qu'ils ont compris que la plus grande inspiration, pour celui qui doit inventer des rêves pour tous ceux qui ne savent pas rêver, c'est souvent la souffrance.

Depuis, j'ai appris à reconnaître les vrais et les faux amis. Le destin a de ces façons de ramener à la surface des souvenirs que vous aviez cru oubliés et effacés à tout jamais.

Ce matin, après l'émission, j'ai besoin d'être seul. J'ai quelques difficultés à m'adapter à cette nouvelle vie qui tourne un peu trop vite à mon goût. Je suis assis au Café des Artistes, dans un petit coin tranquille de cet endroit où vont se détendre beaucoup de gens de la radio et de la télé. Seul avec mes pensées, l'heure du lunch approchant, je les vois arriver un par un, ou par petits groupes, et la tranquillité que je cherchais commence à disparaître doucement, au fur et à mesure qu'augmente la clientèle. J'allais avaler la dernière gorgée de mon cinzano-cognac lorsque j'aperçois, à quelques tables de la mienne, cette chanteuse qui fait encore beaucoup de bruit dans le monde du spectacle. Elle est là, cette femme que j'ai aimée très fort alors qu'elle n'était qu'une adolescente. Je la regarde, assise à côté de son mari ; lui, ce voleur qui m'avait pris mon bonheur et que j'ai détesté pendant longtemps. Ça me fait tout drôle de les revoir tous les deux, aujourd'hui, et de ne ressentir aucune rancune. C'est donc vrai ce que ma mère me disait : le temps guérit toutes les blessures.

112

Je suis heureux de les regarder aujourd'hui avec un sourire détendu au moment où elle me fait des saluts de la main pour m'inviter à prendre un verre avec eux. Je ne sais pas si je dois, car je m'apprête à partir. Je finis pas y aller quand même. Pierre n'a pas l'air enchanté de ma présence et se lève pour aller aux toilettes aussitôt que je suis assis. J'ai envie de m'en aller mais Ginette me dit de rester :

— Ça ne lui plaît pas, à lui, mais moi je suis heureuse de te revoir et de savoir que tout va bien pour toi.

— Ah, ben merci !

— Y paraît que t'as fait des envieux dans le milieu ?

— Comment ça ?

— J'ai entendu dire par un certain réalisateur que la fille avec qui tu vis est d'une beauté remarquable.

— Ah oui, c'est vrai ; mais justement a'l'est quasiment trop belle pis trop fine. A'm'fait peur.

— C'est ben toi, t'as pas changé ! T'as peur de quoi ?

— J'ai peur de moi pis de mon cœur qui a tendance à tomber en amour un peu trop vite. De toute façon, j'me méfie des femmes ; y sont trop changeantes.

— Cher Paolo, faut que tu compliques tout. En passant, j't'ai vu à ton émission. T'es bon.

— Oui justement, ça aussi ça me complique la vie. Je me demande si j'vas être capable de supporter longtemps toute la pression qu'y a autour de moi.

— Paolo Noël, fais pas ton niaiseux, c'est le temps où jamais de faire tes preuves.

Et voilà Pierre qui revient sans sourire. Ce n'est qu'après quelques verres qu'il reprend sa jovialité et nous voilà partis pour la gloire. La discussion tourne naturellement autour des aventures et mésaventures de bateaux que nous avons connues jadis. Mais le temps passe rapidement quand on ne voit pas le jour. Comme la soirée est déjà bien entamée, ils m'invitent à leur résidence. J'accepte l'invitation par curiosité car pour moi, à cette époque, avoir une maison à soi était un signe de richesse. J'ai été d'ailleurs très impressionné par la beauté de leur intérieur et le choix de leur mobilier. Je le suis encore plus en pénétrant dans le sous-sol et que j'aperçois cet immense foyer en pierre où brûlaient des bûches qui répandaient une douce odeur de bois brûlé, se mélangeant au cognac que nous buvions, assis autour d'une table de poker. Je ne sais plus quelle quantité de boisson j'ai bu et combien de temps a duré cette soirée, mais je me rappelle très bien qu'à un certain moment, Ginette m'a tendu une guitare qui était accrochée au mur en me disant, avec ce petit ton d'agressivité que je lui connaissais lorsqu'elle avait trop bu :

— Paolo, chante-moi cette chanson que tu as écrite pour moi le jour où nous nous sommes séparés.

Je prends la guitare en essayant de retrouver mes esprits car je me sens mal à l'aise. Pierre se lève pour partir mais elle lui dit d'un ton sec :

— Marcotte, assis-toi, pis écoute !

Je me sens pris au piège. La seule façon d'en sortir est de chanter en baissant les yeux pour ne pas croiser les leurs. Je n'ai jamais chanté une chanson de trois minutes qui ait duré aussi longtemps. Au fond, cette chanson je l'avais écrite quelques années auparavant pour un concours à Radio-Canada et je n'avais fait que lui dire ses vérités. Voici le texte :

> « T'es comme la mer
> j'passe mes jours et mes nuits
> à te regarder rire et chanter.
> T'es comme la mer
> je ne suis pas le premier
> ni le dernier que t'as aimé
> t'as le cœur trop léger
> changeant comme les marées.
> Tu voudrais posséder les amants
> du monde entier.
> T'es comme la mer
> tu glisses entre mes doigts.
> J'peux pas t'garder
> rien que pour moi.
> T'es comme la mer
> j'suis un marin perdu
> j'voudrais mourir
> entre tes bras.
> T'es comme la mer. »

Quand j'ai terminé, elle me dit bravo et, se retournant vers Pierre, elle enchaîne :

— Ce n'est sûrement pas toi, espèce de bourgeois, qui pourrait en faire autant.

— Ginette, commence pas à dire des conneries. J'ai pas le cœur à ça à soir.

Moi, je voudrais bien me voir ailleurs, si seulement j'arrive à lever mon derrière. J'ai l'impression d'avoir un tube de « crazy glue » collé au cul et qui m'empêche de sortir de mon fauteuil.

Pendant ce temps, l'engueulade continue de plus en plus fort. Je n'entends pas les mots parce que je ne veux pas les entendre. Soudain, elle se lève pour passer derrière moi et je sens qu'ils vont en venir aux coups. Je ne veux pas être témoin de ce genre de scène et je fais un effort pour me lever, tout en cherchant cette maudite porte que je ne trouve plus.

J'ai à peine fait quelques pas que j'entends derrière moi un bruit sourd. Je me retourne rapidement pour apercevoir, avec mes yeux brouillés par le surplus de cognac, Ginette qui tombe assise dans la chaise berçante qui se renverse au bout de ses berceaux. J'ai à peine le temps de voir ses yeux perdus dans le vide et je me sauve en courant par la porte, que je viens d'entrevoir, pour ne pas mêler ma vie à celle de ce ménage qui n'est pas le mien et aller me réfugier dans ma voiture devant la maison.

Je me mets à sangloter comme un imbécile car l'alcool que j'ai absorbé depuis ce matin donne des dimensions épouvantables à la scène que je viens de vivre. J'ai l'impression que le cœur va me tomber en morceaux.

Tout le long du parcours, j'ai de la difficulté à conduire tellement je suis bouleversé. Je n'arrive pas à croire qu'on m'ait un jour volé un si bel amour auquel je croyais, pour en faire ce que je viens de voir.

En arrivant à la cabane, Diane m'attend en tricotant, assise sur le divan en compagnie de mon chien qui, comme par hasard, s'appelle Cognac. Elle semble déconcertée devant mon chagrin puis elle vient vers moi et me prend dans ses bras.

— Mon pauvre Paolo, qu'est-ce qui s'est passé pour que tu sois dans un état pareil?

DIANE :   *J'attendais Paolo sans trop m'en faire car depuis qu'il faisait de la télévision, il*

116

était beaucoup plus occupé. Il avait pris l'habitude, depuis quelque temps, de rentrer assez tôt. Avec l'heure qui avançait, je commençais à m'inquiéter et quand je l'ai vu apparaître dans l'encadrement de la porte, je m'aperçus vite qu'il avait pris un verre et que surtout, il pleurait. Je l'ai pris dans mes bras pour le réconforter. Je ne comprenais pas. Jamais encore je n'avais vu un homme pleurer parce que dans mon monde, un homme, ça ne pleure pas. Ce n'est pas mon opinion personnelle car je crois que si un homme peut pleurer, c'est qu'il peut vraiment aimer, tout comme un homme qui respecte sa mère respecte aussi sa femme.

Il s'est assis près de moi sur le divan et il m'a dit d'une voix tremblante entrecoupée de sanglots :

— Diane, si tu dois partir un jour, va-t'en tout de suite parce que j'ai trop de peine et que je ne veux plus avoir de chagrin.

Pour la première fois de ma vie, un homme avait besoin de moi. Pas seulement pour mon corps et mon apparence mais pour moi, ma personnalité, mon cœur et pour ce que je pouvais lui donner. Je crois bien que c'est ça l'amour, le vrai... D'ailleurs, j'étais bien avec lui...

Je lui ai demandé pourquoi et pour qui toute cette peine alors que tout commençait à bien aller. Il m'a répondu :

— Ginette Ravel.

Moi qui avais été élevée dans un milieu anglais, je ne connaissais que très peu les artistes canadiens-français. Je lui ai demandé :

— Qui est cette fille ? Qu'est-ce qu'elle est pour toi ?

Assis dans ma chaise berçante en buvant du café pour retrouver mes idées, je décide de tout raconter à Diane.

9

Paris, Montréal...
Où est-il l'amour?

Ginette Ravel et moi au temps de notre première rencontre.

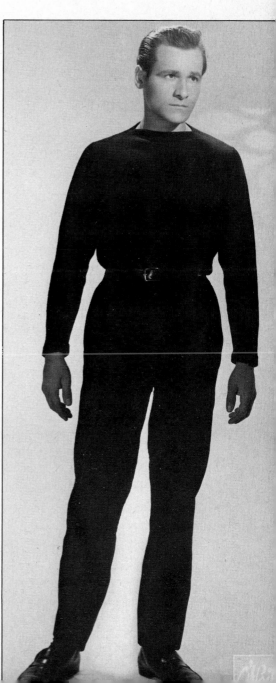

Pourquoi y a-t-il eu ce sourire et cet enchantement au fond de moi quand la première fois je t'ai prise dans mes bras? Pourquoi m'as-tu offert ta vie que j'ai cueillie comme une fleur des champs perdue au milieu du printemps de tes vingt ans? Pourquoi ne puis-je supporter, qu'un autre ait pu aimer ce qui n'était qu'à moi: ton corps, ton nom, ta vie, notre passé, notre avenir, notre bonheur, pourquoi? Pourquoi la vie devient une sottise, l'amour une bêtise; lorsque je pense à toi, et que malgré tout ça je ne peux t'oublier, pourquoi? Pourquoi vais-je céder ma place à l'autre qui t'attend, quand je pourrais si bien t'écraser dans mes bras et te garder pour moi, pourquoi je t'aime? (Poème écrit le soir où Jean Yale m'a fait voir la vérité.)

Ginette la jeune fille que j'ai connue.

À mon retour de Paris.

Ginette et moi au début, dans le salon devant le vieux piano de ma mère.

Le Sta Maria avec ses voiles.

Un capitaine heureux.

Une cabine où on est bien.

Le bateau «phantom» à Sorel.

L'épave du Vautour au moment où je l'ai achetée.

Ginette Ravel.

Le soir au théâtre Laurier à Québec.

Le jour sur la plage de Sillery.

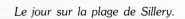

Ma première super Rolls-wagen

La M.G. (2e).

M.G. t.d. devenue depuis voiture de collection.

Le beau côté de ce qui restait de ma Porsche après l'accident.

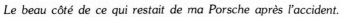

Le Vautour arrivant de Québec à Repentigny.

Un capitaine sur le Vautour, et son chien Tempête.

Un matelot largue les amarres.

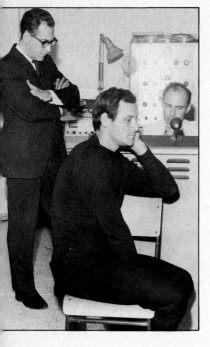

Au studio RCA avec Marcel Leblanc le découvreur de vedettes.

C'est parce que je t'aimais trop
que je t'aimais aussi mal.
C'est parce que tu ne m'aimais pas
que je me suis fait mal à t'aimer.

Ginette jouant
avec son chien
dans le lit de
mes déceptions.

Au début de l'été 1958, j'arrivais d'un long séjour de plusieurs mois à Paris où j'avais laissé un morceau de mon cœur. Depuis mon retour, j'avais de la difficulté à me réadapter.

Ma vie se partageait entre mon bateau, où je vivais en solitaire, et les bars où je passais mes nuits blanches à la recherche de quelque chose que je ne trouvais pas. J'avais beau jeu pour trouver des filles à couchette, grâce à la publicité des premières pages qui racontaient mes aventures en Europe et mon retour. Mais ce n'était pas ce que je voulais. Un soir, alors que je marchais sur la rue Ste-Catherine, dans l'est, me demandant ce que j'allais faire de ma peau, je me suis arrêté un moment devant la porte du café St-Jacques pour regarder les photos des artistes et des orchestres qui y travaillaient. Au bout d'un moment, je me suis retourné nonchalamment et mon regard s'est posé sur la petite église de l'autre côté de la rue. Je décidai pour faire changement, d'aller y faire un petit tour plutôt que d'aller dans le bar d'en haut pour rien trouver de plus que ce que j'y avais trouvé la veille.

Je sais d'avance que ces quelques lignes vont faire rire les athées et les non-croyants mais puisque je l'ai fait, je l'écris.

En entrant, je me suis senti bien, quoiqu'un peu gêné avec toutes ces années passées sans avoir vu l'intérieur d'une église. Je me suis assis sur le dernier banc. J'ai commencé par regarder le plafond avec ses dessins et ses images. Au bout d'un moment passé à écouter ces voix inconnues qui récitaient des prières dont les paroles me reviennent doucement, je me suis senti ramené loin derrière, au temps de l'orphelinat alors que j'étais un enfant. Cette statue de la Vierge, que je voyais au-dessus du grand autel, était la seule confidente de mes rêves, celle à qui je disais tous les mots de tendresse que je ne pouvais dire à personne. Je lui adressais des prières de détresse pour qu'on vienne me chercher un jour, me sortir de cette prison où l'on m'avait enfermé, cette prison qui me séparait de ma mère et de tous ceux que j'aimais.

Ce soir-là, j'étais assis sur un banc semblable à celui de mon enfance. Pourtant, malgré qu'on ait écrit quelquefois mon nom en très gros, je me sentais prisonnier, prisonnier de la vie, de ses amours décevantes et éphémères. Je la regardais, cette dame, comme si elle pouvait encore quelque chose pour moi. Peut-être que c'est moi le coupable dans ma défaite, coupable de ne pas savoir aimer ou de trop vouloir aimer. Je ne sais plus. Il me semble que ce serait si bon d'avoir à aimer un ange qui viendrait de je ne sais où, à qui je pourrais donner tout ce que j'ai gardé de bon en moi, tout ce que la vie n'a pas encore sali et que j'ai gardé caché à l'abri de ces «mains de nuit» qui ne sont pas toujours propres. Je suis resté un moment à penser à tout ce qui entourait ma vie et je lui ai dit merci quand même de m'avoir écouté. «Salut Sainte Vierge!»

Je me suis levé pour sortir de l'église, en baissant la tête pour ne pas être reconnu par les gens, car j'avais le même feeling qu'un enfant qui vient de faire un mauvais coup.

Dès que j'ai mis le nez à l'extérieur et que l'air alourdi par la chaleur de l'asphalte chauffé au soleil m'est monté au visage, je me suis mis à rire, de ce rire nerveux qu'ont les gens au moment où se mélangent le pire et le meilleur. Au moins, j'avais l'impression d'être heureux.

Je m'engageai sur la rue Ste-Catherine qui avait déjà allumé ses néons. De St-Denis à Bleury, le monde nocturne commençait sa tournée. Un monde habillé en gala ou en fille de joie, en voyou, en bourgeois ou en ouvrier, quelle importance ! Jusqu'au matin, tout ce monde aux couleurs contrastantes se confondra dans la recherche d'un plaisir ou d'un oubli. Je pensai tout à coup à Paris qu'on dit la ville-lumière et qui pourtant semble mourir après minuit alors que Montréal, du moins à cette époque, prenait de l'énergie à mesure qu'avançait la nuit.

Vois-tu, Diane, il faut quelquefois s'éloigner d'un tableau pour en admirer vraiment les couleurs et la beauté. Je marchais à travers les gens qui, pour la plupart, me souriaient ou me saluaient en m'appelant par mon prénom. Jamais, ou presque, on ne m'appelait «monsieur Noël» et c'est mieux ainsi car aujourd'hui, je sais combien tout ce monde a fait partie de ma vie et de mes espoirs.

Très peu de temps auparavant, je marchais sur les Champs Élysées, à travers des milliers de

Parisiens, et je me sentais horriblement seul et perdu, alors qu'ici, je faisais vraiment partie d'une vie. Je me rappelle que ce soir-là, un vagabond ou un clochard m'avait arrêté pour me demander de l'argent. De prime abord, j'ai eu envie de dégager sa main qui me touchait car il n'était vraiment pas beau à regarder avec son linge qui tombait en lambeaux et il dégageait une odeur de pisse et d'alcool ; mais quand il m'a dit :

Chu' t'un chum d'Émile Noël, c'tu vrai qu' c'est ton père ?

J'ai changé d'attitude car je me trouvais bien chanceux d'être ce que j'étais. Je lui ai donné un peu d'argent, comme je l'aurais donné à mon père, tout en sachant très bien à quoi il allait servir : acheter de la robine ou de l'alcool frelaté ; mais je ne suis pas curé ni travailleur social. J'ai compris depuis longtemps que ce n'est pas moi qui vais changer le monde. Cependant, si je peux apporter quelque soulagement à ses misères, ça me suffit.

Je continuais à marcher lorsqu'en passant devant la vitrine du restaurant « Jeracimo » — qui a été pendant des années le rendez-vous de nuit des artistes fauchés qui se partageaient un sandwich et un café après la fermeture des cabarets — j'aperçus un ami, coiffeur pour dames, en compagnie d'une jeune fille de seize ou dix-sept ans. Il était heureux de me revoir et il me présenta cette demoiselle qui s'appelait Ginette Ravel. Elle me tendit une main ferme en me jetant un regard gentiment effronté, comme une couventine qui a décidé d'être femme mais qui a oublié de ne pas rougir, en disant « salut » avec une voix qui n'était pourtant pas celle d'une petite fille.

J'ai retenu cette main pendant un instant et je l'ai regardée. Je ne sais pas lequel des deux a été le plus impressionné par l'autre, mais je sais que je ne pouvais pas parler, comme ça m'arrive presque toujours au moment où mon cœur fait un délic révélateur.

C'est mon ami qui a enchaîné en me disant que Ginette venait de décrocher son premier contrat comme chanteuse dans une boîte qui s'appelait « La Cave ». J'ai répondu que je connaissais bien monsieur Mollet, le patron. Elle m'invita alors à aller voir son spectacle. Tout le long du parcours, que nous faisions à pied jusqu'à l'ouest de la rue Bleury, sur la rue St-Alexandre où était situé ce cabaret, la discussion tourna autour de mon voyage à Paris. Cela semblait passionner Ginette qui en était à ses débuts dans le métier. À cette époque, pour être un artiste complet, il fallait avoir fait son petit séjour en France. Tous ceux qui ne l'avaient pas fait en rêvaient.

Sur scène, c'est une autre fille que j'ai vue. De toute petite qu'elle m'a paru dans la rue, elle prenait maintenant une place immense quand elle ouvrait les bras comme pour attraper un infini se perdant dans la lumière du projecteur au moment où sa chanson disait « je t'aime » ; ces mots, elle ne les chantait pas, c'était comme un cri venant du fond de son ventre et si fort que j'avais l'impression que sa voix venait de partout à la fois. Je n'osais même pas bouger ni toucher mon cognac pour ne pas déranger mon esprit et mon regard qui étaient rivés à cette voix qui disait des mots d'amour si beaux que j'aurais voulu qu'ils soient pour moi tout seul.

Les applaudissements me sortirent vite de ma rêverie pour me ramener à la réalité. Le spectacle était déjà terminé. Je suis resté quelques instants à réfléchir et à me demander qu'est-ce qui se passait en moi. Pourquoi, pendant que je la regardais sur scène, le cœur me débattait-il si fort, alors que pendant que j'étais à Paris, je courais les spectacles pour applaudir de grands artistes qui n'ont jamais eu cet effet sur moi.

Je me suis levé et me suis dirigé vers le bar pour aller faire mes salutations au patron, appuyé derrière sa caisse. Je souris en le regardant avec son nez arrondi et son cou disproportionné qui lui donnaient son allure de lutteur, avec un petit air de parrain qu'on était obligé de respecter. Pendant que nous discutions, j'ai réalisé qu'il était au courant de bien des choses et même de mes contacts avec le milieu Corse de Pigalle. Il me dit tout à coup, sur un ton moqueur :

— Je crois que t'as une touche avec la petite.

— Non, j'crois pas. D'ailleurs, j'la connais que depuis ce soir.

— Je ne parle pas de toi, je parle de Ginette. Tu sais, à moi, on ne me la fait pas. J'ai l'œil observateur et sache que dans le métier que je fais, il faut prévoir les coups avant qu'ils ne te tombent dessus. Tiens, justement, tu devrais pas boire de cognac, c'est très mauvais pour la voix (un conseil que je n'ai pas tellement mis en pratique mais qui a donné à quelques reprises les résultats qu'il m'avait prédit).

Je ne croyais pas beaucoup aux observations de monsieur Mollet concernant Ginette, car à travers tous les hommes qui lui avaient parlé après le spectacle, il devait sûrement y en avoir un plus intéressant que moi. Je fus surpris lorsqu'elle me demanda si je pouvais la raccompagner jusque chez elle, car elle commençait à avoir peur d'une certaine Cadillac noire qui la suivait toutes les nuits depuis quelque temps.

Je ne demandais pas mieux que de servir à quelque chose, moi qui depuis mon retour d'Europe ne servait qu'à emmerder ma mère et mes amis avec mon ennui. Ça me grandissait l'intérieur d'être le protecteur d'un petit bout de femme dont le comportement m'intriguait depuis le début de notre rencontre. Qu'est-ce qui pouvait bien m'attirer en elle ? Elle n'avait rien de ce que j'aimais physiquement d'une femme, comparée à Lucille que je venais de laisser et qui avait tout pour attirer sexuellement un homme. Ginette n'avait pas de fesses, des seins pas trop apparents et quelquefois une allure un peu trop garçon. Mais elle avait au fond des yeux un gris-vert qui me donnait envie d'y plonger.

À peine avions-nous mis le nez dans la rue que je repérais la Cadillac en question, stationnée pas très loin de la sortie. Je dis à Ginette de ne pas regarder et de continuer à marcher comme si de rien n'était, pendant que je faisais des gestes comme si nous discutions. Nous n'avons pas eu besoin de jouer la comédie bien longtemps. Ses phares se sont allumés et je l'ai vue passer à côté de nous en sens inverse dans la rue mal éclairée.

J'ai dit à Ginette :

— Bon, tant mieux. Je pense qu'on en est débarrassés, mais je préférerais aller te reconduire quand même si ça te dérange pas.

— Bien non, au contraire. Ça me fait plaisir.

J'étais heureux qu'elle accepte car le temps passait bien vite avec elle et je voulais le faire durer. Rendus sur la rue Ste-Catherine, nous avons pris un taxi car je n'avais pas encore d'auto. En ce temps-là de ma vie, j'avais des idées bien spéciales sur les voitures. Je considérais ce paquet de ferraille comme une source d'embêtements et un mauvais placement. (J'aurais dû garder ces idées car le temps a prouvé que j'avais raison.)

Il n'y avait rien de plus beau pour moi que la ligne et la fesse d'un bateau. Dans le taxi, Ginette était assise à côté de moi sur la banquette arrière et ne parlait pas. Elle se contentait de garder la tête haute en regardant devant elle pendant que moi je cherchais un sujet de conversation que je n'arrivais pas à trouver. Nous roulions à travers la circulation de nuit, assez dense malgré l'heure tardive, sans nous dire un mot. En approchant de la rue Iberville, je m'aperçus qu'une voiture semblait nous suivre. Je n'en étais pas certain, car avec le reflet des lumières, je ne pouvais pas distinguer la marque de la voiture derrière nous. Je dis au conducteur d'enfiler la rue Iberville jusqu'à Sherbrooke pour vérifier si vraiment on était suivis. Ça n'a pas manqué. La voiture tourna et nous suivit de loin.

Je dis à Ginette :

— Ce serait pas par hasard quelqu'un que tu connaîtrais et qui aurait tout simplement envie de te suivre ?

— Non, j'connais personne qui a une Cadillac. Dans mon entourage, les seules voitures que je connaisse sont le taxi de mon père et le petit modèle anglais de ma mère. C'est là la raison de mon inquiétude. Ça fait une semaine que je suis suivie toutes les nuits.

Je dis au chauffeur :

— Augmente la vitesse pour voir.

— O.K., mais si j'pogne un ticket, c'est toé qui le paye !

— Vas-y, y'a pas de problème !

136

Et nous voilà partis, je ne sais pas à quelle vitesse nous allions mais à chaque bosse ou imperfection du pavé, on avait l'impression que cette voiture à suspension molle allait décoller de la route. Ginette, qui était calme depuis le début, semblait s'inquiéter et me prit la main tout en gardant son étrange silence. Il ne m'en fallait pas plus pour que je me prenne pour un don Quichotte ou un invincible Hulk venant au secours de la petite fille en danger. En peu de temps, nous passions la rue Viau et je dis au chauffeur d'arrêter brusquement. Ce qu'il fit illico. Cet arrêt imprévu obligea le conducteur de la Cadillac à s'arrêter presque derrière nous. Sans perdre une seconde, je descendis rapidement et courus vers la voiture inconnue. J'essayai d'ouvrir la portière qui était verrouillée mais je vis enfin son visage. Il me regarda, l'air un peu perdu, avec sa physionomie de Libanais ou de Marocain au teint foncé et j'lui criai :

— Descends ta vitre, j'veux te parler !

Mais il ne bougeait pas, tout en continuant de me fixer dans les yeux. Je donnai un coup de pied dans la tôle de la portière qui rebondit sous le choc.

— Sors de d'là, grosse vache, que j'te parle !

Comme j'allais me laisser emporter et frapper dans la vitre avec mon poing, la Cadillac démarra en trombe et je n'eus que le temps de me reculer. Il passa si près du taxi que j'ai eu peur un instant qu'il ne le frappe en passant.

* * *

Beaucoup d'hommes qui ont lu mon premier livre ont semblé quelquefois douter de mes écrits lors de la description de certaines bagarres dans ma jeunesse. J'ai le regret de leur avouer que j'ai quelque peu menti car j'ai atténué et diminué beaucoup de choses de peur de blesser le lecteur. Quand j'écris que j'ai voulu frapper avec mon poing dans une vitre ou une porte, je dis la stricte vérité. Depuis l'âge de quatorze ans, j'ai toujours entraîné mes jointures à absorber les coups, non pas dans un sac de sable mais sur des murs de brique et de ciment.

À l'époque de ma jeunesse, ce geste semblait exagéré mais aujourd'hui, avec l'apparition des arts martiaux et du karaté, mon fils s'entraîne tout normalement avec des professeurs qui fendent des briques en deux avec leurs poings comme ils se mettraient les doigts dans le nez. De toute façon, pendant des années, j'ai été gêné de mes mains quand j'étais sur la scène. Avec le temps, elles m'apportèrent quelques satisfactions beaucoup plus douces que celles que je trouvais dans les bagarres. Ma femme Diane me dit souvent : «j'adore me faire caresser par tes belles grosses pattes»...

* * *

Je suis remonté dans le taxi où m'attendait Ginette, un peu pâle, mais qui ne disait toujours pas un mot. Quand nous sommes arrivés devant la maison de ses parents, elle se décida enfin à parler et me dit bien calmement :

— Ce n'était pas la peine d'en faire autant.

— Je m'excuse Ginette, mais avec ces gars-là, l'élégance rapporte pas beaucoup.

— Merci quand même, mais j'ai peur d'être obligée de payer les pots cassés.

138

— T'inquiète pas, tu paieras rien. Je serai là ce soir, si ça te dérange pas.

— D'accord, à ce soir.

Je la regardai monter les quelques marches menant à sa demeure et je repartis avec le taxi vers Repentigny.

Il faisait un temps splendide, un de ces matins ensoleillés qui donne envie de ne pas dormir, même si on a passé une nuit blanche. En entrant dans la maison, ma mère était en train de faire son café et le déjeuner de Paul qui s'en allait travailler. Comme je souriais au moment où je suis allé l'embrasser dans le cou, elle m'a dit sur ce ton moqueur qui lui était familier ;

— Tiens, regarde donc ça, t'es d'bonne humeur à matin. Ch'ais pas qui t'as rencontré c'te nuitte, mais ça t'fait ben de pas avoir l'air bête.

J'ai ri des propos de ma mère qui, au fond, étaient justes, francs et directs.

Depuis que j'étais rentré de Paris, je n'étais pas tellement souriant. Ce matin-là, j'avais retrouvé une certaine joie de vivre et je me suis même aperçu que je chantais pendant que je ramais dans ma petite chaloupe pour me rendre à mon bateau ancré sur le fleuve devant la maison. Je me suis endormi heureux en écoutant l'eau flacoter le long de la coque.

Par la suite, Ginette et moi, nous nous sommes retrouvés tous les soirs pour refaire le même parcours, tous les soirs le même baiser amical sur la joue et le même taxi. Le voyage quotidien Montréal-Repentigny devenant dispendieux, j'allais coucher dans le logement vide de ma sœur Lucille qui venait d'emménager à Repentigny pour l'été. Il fallait vraiment être amoureux (ou inconscient) pour dormir tout habillé sur le matelas, sans couverture, sans oreiller et trouver encore le moyen de rêver et de se lever le matin pour prendre l'autobus vers Repentigny. À bien y réfléchir, j'ai pensé qu'à vingt-neuf ans, ça faisait déjà onze ans que je trimballais ma valise et ma guitare dans les autobus et les trains de nuit que je devais souvent attraper à la course après mon dernier spectacle. Il était temps pour moi d'acheter une voiture. Il n'y avait qu'un problème : je n'y connaissais rien ! Mon seul contact avec l'automobile était d'avoir fait à plusieurs reprises le tour de la province, assis sur la banquette arrière des voitures de Grimaldi ou de Ti-Gus et Ti-Mousse au temps des tournées.

Si je m'achetais une voiture, je pourrais partir et arriver quand je l'aurais décidé. Terminés les problèmes, les pertes de temps de toutes sortes ! Enfin, c'est ce que je croyais ; et comme je n'avais pas beaucoup travaillé depuis mon retour de Paris, je ne pouvais absolument pas me permettre une voiture neuve. J'allai donc de ce pas magasiner sur le boulevard Décarie qui est le repaire des pirates de la voiture usagée. Ça n'a pas été long pour qu'un de ces flibustiers décèle en moi le client idéal. C'est sans aucune habileté de la part du vendeur que j'arrivai à acheter une « coccinelle » vieille de quelques années pour le prix d'une neuve. En plus, j'ai dû la payer comptant. À cette époque, aucun crédit n'était accepté pour un artiste. Mais je m'en foutais. J'étais heureux de mon acquisition, même si je ne pouvais pas la conduire.

Je devais donc encore une fois prendre des autobus pour m'en retourner chez moi. Pendant que j'attendais à l'arrêt, perdu dans la file de gens qui retournaient chez eux après leur journée de travail, je me posais une question : « Si j'ai acheté une voiture et que je l'ai complètement payée, c'est qu'elle est à moi ; si elle est à moi, pourquoi je laisserais ce p'tit bijou traîner sur un terrain de vente ? Qui sait s'ils ne sont pas capables de la revendre ?

J'eus alors la brillante idée d'aller la chercher. Je retournai en courant voir mon vendeur pour lui demander les clés de ma bagnole. Il me regarda tout surpris en disant :

— Il me semblait que tu savais pas conduire...

— Ouais.. ben non... mais tu vas me le montrer.

— Écoute Paolo, ça s'apprend pas comme ça.

— Aye ! La voiture, c'est à moi ou c'est pas à moi ?

— Bien oui, c'est à toi puisque tu l'as payée ; mais t'as même pas de permis de conduire.

— Écoute un peu, travailles-tu pour la police ou si tu vends des chars ?

— O.K. J'vas te montrer comment ça marche mais si tu t'casses la gueule, oublie pas que t'es pas assuré.

— O.K. ! Laisse faire la morale pis montre-moi comment ça marche : les pédales pis le bras de vitesse.

Et ça n'a pas été long, deux petits tours sur le terrain et un, deux, trois, quatre. Je pars comme un joyeux imbécile à travers la circulation de l'heure de pointe pour traverser la ville jusqu'à Repentigny. (Le boulevard Métropolitain n'existait pas encore.) Il me fallait subir l'assaut des conducteurs mécontents d'un bout à l'autre de la ville et chanter pour ne pas entendre les klaxons. D'ailleurs je m'en foutais éperdument, plus occupé que j'étais à surveiller mes pieds sur les pédales qu'à regarder leurs gueules d'abrutis qui ne partageaient pas mon bonheur.

J'ai quand même pris le temps d'aller chercher ma petite amie, en passant, pour la présenter à ma mère en même temps que ma «rolls royce» à quatre cylindres.

Au bout d'une semaine de joyeuses promenades en compagnie des deux femmes de ma vie, j'en oubliais, dans mon euphorie le fonctionnement des lois et des freins. Je ne pensais qu'à l'accélérateur qui, par une simple pression du pied, faisait avancer mon super bolide.

Il avait déjà commencé à perdre des morceaux sur des poteaux que des jaloux ou des saboteurs avaient placés un peu partout sur mon chemin. Je m'aperçus aussi que ma voiture avait, par endroits, deux pouces d'épaisseur de «potté» cachés sous la peinture. Mais tout ça n'atténuait pas l'admiration que j'avais pour mon acquisition.

Un après-midi, alors que je volais très bas, je pris la décision rapide d'enfiler à ma gauche dans une rue adjacente à l'est de la rue Sherbrooke et où il y avait de la construction...

J'ai senti ma Volkswagen lever dans les airs comme un bateau prenant la vague de travers par babord. J'ai donc fait un bon bout de chemin sur les deux roues de droite pour m'arrêter enfin, couché sur le côté, au grand plaisir des ouvriers qui me regardaient sortir de ma voiture comme un polichinelle de sa boîte à surprises. Étant donné la légèreté de mon véhicule, il n'a suffi que de quelques bons bras pour la remettre sur ses roues. C'était la fin prématurée de ma première voiture, même si elle fonctionnait assez pour que je la ramène d'où elle venait. Le vendeur me proposa d'autres occasions en me disant qu'un artiste populaire se devait d'avoir une voiture prestigieuse : une Cadillac, par exemple. J'ai répondu :

« — Non, je veux quelque chose à la hauteur de mes talents de conducteur, quelque chose comme une voiture sport, une M.G. ou une Triumph », ce qui, à mes yeux, avait quelque chose de commun avec les bateaux, une ligne et une personnalité qui détonnaient à côté des grosses américaines.

Le vendeur, heureux d'avoir trouvé en moi la poire idéale, me répondit :

— D'accord Paolo, ce sont des voitures très rares mais on va essayer de te trouver ça.

Je repartis sans me soucier le moindrement de ce qu'on me donnait en échange de mon tas de ferraille et je repris l'autobus vers Repentigny. Mais quand il m'a fallu attendre en ligne à l'arrêt, je me suis vite aperçu qu'une semaine seulement de conduite m'avait contaminé pour toujours. L'opinion que j'en avais depuis ma jeunesse s'est avérée une vérité : c'était un mauvais placement. Mais ma passion pour les voitures sport fut plus forte que mes convictions.

Lorsqu'un matin, je vis apparaître dans la côte menant à la maison de mes parents une superbe M.G. bleu métallique, je fus aussi excité que le jour où j'ai touché pour la première fois les seins d'une femme, et ce n'est pas peu dire. Quand ma mère, qui était beaucoup plus rusée, aperçut le vendeur en train de me vanter les performances de son produit, elle ne s'est pas gênée pour lui crier du haut du balcon :

— Aye ! le gros, j'sais que mon fils est en amour avec ton char mais moi, j'trouve que t'as l'air d'un gros voleur !

Le vendeur, qui était plutôt corpulent, a rougi en entendant ma mère et lui a répondu.

— Écoutez madame, si vous êtes pour m'insulter, j'vais m'en aller.

— Tiens, fais donc ça ! Pis mon gars se fera pas fourrer encore une fois.

M'apercevant que la température commençait à monter, je dis à maman :

— Exagère pas, moman ! Tu vois bien que c'est une très belle voiture et qu'elle vaut le prix qu'il m'en demande.

— C'est ça, mon noir, fais à ta tête de cochon comme d'habitude, mais tu vas t'apercevoir que j'avais raison.

Nous sommes partis, le vendeur et moi, vers le bureau des licences. À l'époque, il n'était pas difficile d'obtenir les enregistrements d'une voiture sans permis de conduire ni assurances. C'était sûrement l'époque rêvée des fraudeurs mais ce n'était pas mon cas puisque c'était moi qui me faisais fourrer.

M'en revenant tout joyeux au volant de ma petite décapotable, je chantais sous le soleil, accompagné par les vrombissements du moteur laissant échapper un son merveilleux du silencieux. Tout à coup, au beau milieu de la rue Sherbrooke, devant un autobus dont le chauffeur avait l'air pressé d'arriver en bout de ligne pour savourer son coke, ma «jolie» s'arrêta brusquement. C'est à peine si le gars eut le temps de stopper son mastodonte pour ne pas me rentrer dedans. La tête sortie de sa fenêtre, il me traita de tous les noms les plus gentils du folklore québécois. Comme je me sentais coupable et ne trouvant pas de réponse à ses injures, je répondis comme tout bon Québécois l'aurait fait à ma place, debout sur le banc du conducteur pour être à la hauteur :

— Mange donc un char de marde !

Il a fallu que je pousse ma voiture à bras d'homme jusqu'à une station-service qui était, heureusement pour moi, à proximité. Le garagiste a constaté que la batterie et le système électrique étaient complètement finis.

C'est depuis ce temps-là que j'ai appris à ouvrir le capot d'une voiture au lieu de seulement regarder la peinture, avant de faire un achat aussi important. J'ai dû téléphoner au pauvre Paul, mon sauveur, pour qu'il vienne me rescaper. Ma mère voulait aller étrangler le vendeur contre qui je n'avais aucun recours puisqu'une petite phrase bien simple écrite dans le bas du contrat stipulait : «acheté tel que vu». Je ne l'ai jamais oubliée, celle-là !

Malgré tous ces problèmes, je restais heureux de mon achat. J'avais fini de me faire embêter dans les transports en commun où l'on ne croise pas que ceux qui nous admirent. Il y a aussi les autres, les mesquins, les emmerdeurs qui habituellement sont en groupe et qui ne ratent pas une occasion de se foutre de votre gueule en s'imaginant qu'un chanteur peut être n'importe quoi sauf un homme. Ça entraînait des engueulades et des bosses inutiles. La plus grande satisfaction à conduire ma voiture, c'est lorsque je promenais ma mère au grand vent sur les chemins de campagne et que je lui demandais de chanter pour moi les chansons qu'elle fredonnait quand j'étais enfant.

Et maintenant, il m'arrive souvent de penser à ces moments. Je sais que ce n'était pas payer cher un aussi grand bonheur qui ne reviendra jamais...

10

L'orphelinat,
ce voleur d'enfants

Tu sais, Diane, c'est au cours d'une de ces balades que ma mère me conseilla d'oublier mes rancunes envers Thérèse, ma première femme. Elle n'était pas venue à l'aéroport avec les enfants le jour de mon retour de Paris. Les enfants ne devaient pas payer pour les erreurs des parents.

Ça n'a pas été long pour que je découvre, à ma plus grande déception, que les enfants étaient dans un orphelinat. Je ne savais que trop ce que c'était que d'être enfermé dans ces institutions de malheur. J'étais en beau «calvaire»! J'ai défoncé le téléphone en le raccrochant car la directrice, avec son petit accent italien, venait de me dire que toute visite à mes enfants m'avait été interdite. Je suis parti directement vers l'orphelinat sans m'occuper ni de l'heure ni du jour. Je me présente donc à la porte, dont on me refusait l'entrée, et je l'ouvre sans demander la permission à la religieuse qui me crie :

— Si vous pénétrez à l'intérieur, j'appelle la police.

— Appelez qui vous voudrez, mais personne va m'empêcher d'aller voir mes enfants, vous m'avez compris !

Je traversai donc ce qui ressemblait à un parloir et un petit corridor menant vers la cour où j'entendais des cris d'enfants qui jouaient. J'y avais à peine pénétré qu'une espèce de silence se fit. Tous s'arrêtèrent pour me regarder, pendant que je cherchais des yeux Johanne, Mario ou Ginette. Je vis se détacher du groupe une petite tête blonde qui se dirigea vers moi en courant. Je me suis accroupi et je l'ai prise dans mes bras pour l'embrasser. Je me retenais pour ne pas pleurer. Dans ma tête un souvenir me troublait, celui de mon père qui, en sortant de prison, avait fait le même geste. Mais pourquoi, alors que j'avais travaillé si fort pour être un monsieur, devrais-je être traité de la même façon ? Là-dessus, Mario est venu nous rejoindre avec la directrice qui avait l'air d'avoir compris ma détermination. Arrivée à ma hauteur, elle me dit sur un ton qui frôlait la tendresse :

— Monsieur Noël, si vous aimez vos enfants comme vous en avez l'air, pourquoi n'essayez-vous pas de subvenir à leurs besoins ?

J'ai répondu surpris :

— Quoi ! Subvenir à leurs besoins ? Mais ma sœur, je n'ai jamais omis de payer le montant de leur pension et même plus ! Alors qui a pu vous raconter une histoire pareille ?

Instinctivement et sûrement sans y réfléchir elle a répondu :

— Je le sais, parce qu'on me l'a dit ! C'est la grand-mère, madame Picard, qui n'en pouvait plus de payer pour les enfants et c'est pourquoi ils sont ici.

— Je m'excuse, ma sœur !

Le ton de ma voix a changé car je n'étais plus en colère, j'étais enragé. J'avais envie de mordre quelqu'un ou de défoncer quelque chose. J'enchaînai :

— Je vais sortir les enfants avec moi pour une heure, mais je vais revenir demain pour vous prouver que tout ce que vous a dit ma belle-mère est une méprisable fausseté.

J'essayai de me calmer pour ne pas briser la joie que nous avions de nous retrouver, les enfants et moi, en faisant une promenade en voiture de course, comme ils semblaient le croire.

J'ai fait ce que j'aimais qu'on me fasse quand j'étais petit. J'ai emmené les enfants, dans un restaurant qui sentait bon la patate frite, pour déguster un hot-dog, une liqueur et une immense crème glacée. Rien de trop beau pour qu'un enfant, dans sa grande simplicité, retrouve le sourire. Mais de mon côté, sans le leur laisser voir, je n'en restais pas moins troublé par ce que ma belle-mère avait inventé pour nous faire du mal. J'avais une grande envie d'enlever les enfants mais je savais que ce serait donner raison à mes beaux-parents qui se feraient un plaisir de me créer d'autres embêtements. Je les ramenai bien malgré moi, comme je l'avais promis, à la religieuse et je repartis vers la maison le cœur à moitié démoli. Je conduisis ma voiture sur le boulevard Gouin qui longe la rivière Des Prairies en suivant mille détours et je réfléchis. À l'intérieur, la colère et la rage qui se mélangeaient, se changeaient en tristesse. J'essayais de comprendre le pourquoi de ces choses. Pourquoi Thérèse n'était-elle pas venue à l'aéroport lors de mon arrivée?

Peut-être qu'alors, avec un peu de bonne volonté de part et d'autre, les enfants ne connaîtraient pas la tristesse et la solitude d'un orphelinat, sans parents ! Mais pourquoi a-t-elle placé les enfants, au lieu de m'écrire et de me faire savoir qu'elle manquait d'argent à ce point ? Que vient encore faire Fredda dans le décor de ma vie, en y laissant couler son venin ? Je n'aurais pas cru la religieuse si ce même mensonge ne m'était pas venu aux oreilles auparavant, par la bouche de Michel Posa, le gérant du Casa Loma. Son épouse était propriétaire d'un salon de coiffure où allaient régulièrement ma femme et ma belle-mère. Je me souviens très bien ce qu'il m'avait dit, sur un ton très paternel ?

— Paolo, dans la vie on peut faire n'importe quoi, être n'importe qui, mais si on veut avoir la chance de son côté, il ne faut jamais abandonner ses enfants.

— Je ne vois pas ce que vous voulez dire, monsieur Posa.

— J'ai su de bonne part que tu ne payais pas la pension alimentaire de tes enfants.

— C'est absolument faux ! J'ai toujours payé et même que je me suis privé de manger pour le faire...

— D'accord Paolo, si tu'l'dis j'te crois mais n'oublie pas le conseil que je t'ai donné.

Puis un jour, la femme d'un agent bien connu m'indiqua qui avait dit ce mensonge : elle était cliente du même salon et elle l'avait entendu elle-même de la bouche de ma belle-mère...

J'arrivai enfin à la maison. Ma mère et ma sœur Lucille m'attendaient impatiemment pour avoir des nouvelles. J'avais des difficultés à terminer ce que j'avais à leur dire, tellement elles étaient insultées.

Elles parlaient en même temps que moi. Ma sœur voulut prendre l'autobus pour Montréal et aller dire sa façon de penser à mes beaux-parents. Pierre, son mari, lui dit de se calmer, que j'étais assez grand pour me défendre tout seul. Ma mère me demanda si j'avais faim mais je n'avais vraiment aucun appétit car j'avais beaucoup trop de choses sur l'estomac. Je pensai que le temps était venu d'aller régler mes comptes avant d'avoir des ulcères. Maman qui connaissait mon caractère me dit de ne pas faire de bêtises. Je ne croyais pas qu'une M.G. pouvait démarrer aussi rapidement et rouler aussi vite car je marchais à la vitesse du sang qui bouillait et qui tournait dans mes veines. À peine ai-je passé la limite de Longue Pointe pour m'engager sur la rue Sherbrooke dans Montréal qu'un policier en moto que je n'avais vraiment pas vu venir me fit signe d'arrêter.

Pendant que je ralentissais pour me garer, je me demandais ce qui m'attendait. La police! Y'manquait plus rien que ça!

Se savoir coupable de quelque chose et regarder du bas vers le haut un policier debout à côté d'une voiture de sport, alors que le siège dans lequel vous êtes assis est collé à l'asphalte rendrait malade n'importe qui. Quand il me demanda mon permis de conduire et qu'il fallut que je réponde que je n'en avais pas, il m'apparut vraiment comme un affreux géant vert penché sur le nain que j'étais... J'en avais des palpitations.

Il me regarda pendant un moment, l'air surpris, et il me dit :

— T'as pas de papiers, Paolo ?

(Au moins, il m'a reconnu ! J'espère qu'il aime mes chansons...)

153

Il s'appuya un moment sur le pare-brise de la voiture et me regarda sans dire un mot, puis il éclata de rire. Je ne suis pas une tapette, mais j'ai trouvé qu'il avait un beau sourire! Et je souris moi aussi.

— Ouais, t'es ben un Noël! T'es chanceux que je sois un ami de Johnny, ton cousin qui travaille avec moi sur les bicycles. Sinon j'aurais pas le choix, je serais obligé de t'emmener au poste, mais j'vas t'donner un break. Tu vas retourner bien doucement à Repentigny sans attirer l'attention, parce que l'autre policier qui va t'arrêter, y't'donnera peut-être pas la chance que je te donne. Pis demain matin, va chercher ton permis de conduire.

Il est venu me reconduire jusqu'à la limite de Montréal. J'm'en suis retourné chez ma mère en oubliant mes colères.

Le lendemain matin, je me suis levé très tôt pour aller au bureau des licences en compagnie de mon oncle Ti-Jean qui était un habitué de la place. D'aussi loin que je puisse me rappeler, il a toujours eu une voiture à vendre. Il connaissait tout le monde et tout le monde le reconnaissait à son vocabulaire surtout, car chacune de ses phrases commençait par un «câlisse» ou un «tabarnac.» Mais ça n'a pas traîné pour que j'aie mon permis de conduire. Un «cinq piastres» laissé sur le siège dans lequel l'inspecteur s'asseyait et l'examen n'était pas long. On s'en tirait avec une bonne note. Je suis reparti avec la permission de conduire, mais je n'en savais pas plus sur les lois et les dangers de la route. Ce qui m'intéressait et me poussait, c'était le rendez-vous que ma mère et moi avions à l'orphelinat.

La religieuse qui nous reçut était plus jeune et plus souriante que la directrice qui arriva quelques instants après. Ma mère, qui avait la parole facile dans ces moments-là, se dépêcha de sauver mon honneur et sa fierté en lui montrant tous les chèques de pension retirés (donc payés) et une copie du jugement de séparation me condamnant à payer une pension alimentaire inférieure à celle que je payais volontairement. Naturellement, avec la jovialité de maman, le tout s'est terminé dans la bonne humeur. Comme j'avais apporté ma guitare, j'ai chanté dans la cour pour les enfants et j'ai poussé quelques chansons italiennes pour les religieuses. En partant, j'ai promis aux enfants qu'ils ne resteraient pas longtemps à l'orphelinat.

Peu de temps après, je les ai installés avec Thérèse dans un petit logement situé au troisième étage sur la quatrième Avenue à Rosemont, à une rue de chez sa mère qui demeurait sur la cinquième. Ceci m'obligea à mettre une condition à notre entente, étant donné que je détenais et payais le bail. Quand je mettrais les pieds dans l'appartement, si ma belle-mère y était déjà, il faudrait qu'elle en sorte pour éviter des discussions. Ce qui réglait un problème. Mais d'autres se préparaient doucement, au fur et à mesure que se prolongeaient mes fréquentations avec Ginette. Ses parents qui, de prime abord, m'acceptaient en tant qu'artiste populaire, voyaient maintenant d'un bien mauvais œil leur fille passer son temps en compagnie d'un homme marié. Ils l'accusaient d'être ma maîtresse, ce qui était faux puisque nous étions au stade de l'amour le plus pur. Ginette, qui avait des principes, m'avait dit :

— Je ne me donnerai qu'à celui qui sera mon mari.

Mais ça m'était égal pour le moment, sa présence d'enfant rêveur suffisait à me faire oublier tous les tracas de la vie. Elle me rendait heureux. Tous les jours depuis notre rencontre, nous nous retrouvions pour parler de nos rêves, de nos ambitions, et naturellement de voyages qui nous emmèneraient au bout du monde, poussés par le vent soufflant dans les voiles de mon bateau, le « Santa Maria ».

Un soir, je dis à Ginette que j'étais invité à une émission de variétés à Radio-Canada et après lui avoir donné la date et l'heure, elle sursaute de joie et s'écrie :

— Dans ce cas, je vais être avec toi parce qu'on m'a téléphoné cet après-midi pour me dire que j'étais engagée pour cette émission.

Comme si le destin l'avait fait exprès, nous nous retrouvions tous les deux, invités de Lucille Dumont à son émission de télé « La Romance ». Comme c'était la dernière émission, Lisette Leroyer, la réalisatrice, nous convia à une réception marquant la fin d'une saison qui avait connu un très grand succès auprès du public. Tout alla bien pendant l'émission. Même si très peu de gens dans le milieu connaissaient ma liaison avec Ginette, Lucille Dumont, avec son œil coquin, eut vite fait de détecter la petite flamme qui brûlait dans nos yeux quand nos regards se croisaient, Ginette et moi. Elle est venue près de nous pendant la répétition pour nous dire :

— Vous êtes amoureux, ça se voit. C'est pour ça que vous êtes beaux, tous les deux.

Après l'émission, pendant le cocktail, nous nous tenions par la main, mêlés à tous ces artistes que nous admirions mais que nous croyions inaccessibles ; des artistes comme Paul Dupuis, dont tout le monde craignait les sautes d'humeur. Il fut d'une grande gentillesse à notre égard. Je ne pouvais pas croire que ce comédien, dont j'étais allé voir le film

«Johnny Frenchman» à plusieurs reprises, à l'époque où je n'étais qu'un jeune ouvrier, me parlait aujourd'hui comme s'il me connaissait depuis toujours.

C'est merveilleux d'avoir, de temps en temps au cours de sa vie, cette douce impression d'être encore un enfant et de redécouvrir la douceur de vivre. Ma joie fut portée à son comble lorsqu'à la fin de la réception, alors que le petit matin approchait, ils acceptèrent presque tous de venir prendre le petit déjeuner chez ma mère.

J'avais pris la précaution de téléphoner pour qu'elle prépare du café et aussi pour lui demander de faire attention à son langage devant tous ces grands artistes ; ce à quoi ma pauvre mère, que je venais de réveiller, répondit sans aucune agressivité :

— Inquiète-toi pas mon noir, c'est pas compliqué, pour ne pas faire de gaffe, j'dirai pas un mot. Pis tu peux toute les emmener. J'ai du manger pour tout le monde. J'ai fait justement un gros pot de binnes hier soir pis j'vas leur arranger ça avec des omelettes. Si y'veulent prendre un p'tit coup, j'ai reçu un gallon de whisky en esprit pis j'ai du vin St-Georges. Ça va faire du bon p'tit Caribou.

Le soleil passait comme une tonne de dynamite à travers les carreaux vitrés de la grande véranda, pendant que Lucille Dumont, Jean-Maurice Bailly, Lisette Leroyer, les musiciens et quelques gars de la technique goûtaient le punch que leur avait préparé ma mère. Elle s'affairait autour du poêle, à cuire ses omelettes géantes.

Je la regardais pendant que je déposais les ustensiles sur la table et je sentais, à son regard espiègle et à ses petits soupirs, qu'elle préparait un mauvais coup. Je la vis observer Paul Dupuis qui faisait les cent pas dans la cuisine, les mains derrière le dos, pendant qu'elle continuait de brasser ses plats. Tout à coup, ça y est, il fallait que ça sorte. Elle se retourna vers Paul Dupuis et, s'essuyant les mains à son tablier, elle lui fit, sur un ton plus que moqueur, une remarque concernant la grandeur de ses pieds qui, chaussés de bottes de travail, avaient l'air effectivement démesurés.

— J'te dis mon Paul qu'avec les pieds que t'as là, tu dois avoir une méchante kékette ! Une femme doit pas s'ennuyer dans ton litte !

Du coup, j'ai paralysé. Je ne savais pas quoi dire en voyant Paul Dupuis, avec son allure d'aristocrate de théâtre shakespearien, s'arrêter pour regarder ma mère. Je me ressaisis et pour essayer d'arranger les choses, je dis à maman :

— Moman, tu m'avais promis de rien dire ! T'es pas capable de te retenir plus qu'une demi-heure !

Mais Paul, l'air très digne, continuait de regarder ma mère puis enchaîna, en faisant retentir sa voix qu'il faisait passer d'une façon bien spéciale à travers ses mâchoires et ses dents serrées, comme s'il s'agissait d'une réplique de théâtre classique :

— Madame vous êtes une femme d'un naturel merveilleux et je vous aime telle que vous êtes. Vous dites ce que vous avez à dire comme vous avez envie de le dire sans chercher à impressionner. Vous êtes beaucoup mieux que cette bande d'hypocrites que je dois subir à cœur de jour dans les studios de Radio-Canada.

Mon inquiétude disparut lorsque mon rire nerveux se mêla à celui de tous les invités. Alors, Jean-Maurice Bailly, qui avait tout entendu s'écria :

— Je pense que c'est la première fois que Paul Dupuis se fait parler de la sorte, et ça a pris la mère de Paolo pour le faire. Bravo !

Naturellement, ma pauvre maman, qui avait sué à retenir sa langue depuis le début, ne se gêna plus pendant le déjeuner pour faire rire tout le monde avec ses histoires un peu grivoises mais jamais méchantes. La fête se termina par une promenade en bateau, sous un soleil radieux.

Tous ceux qui étaient présents à ce petit déjeuner ne l'ont jamais oublié et sont restés mes amis. Paul Dupuis, par la suite, ne manqua jamais une occasion de venir saluer ma mère lorsqu'il passait par Repentigny pour aller à sa maison de campagne située à St-Jacques de Montcalm. Tant qu'il a vécu, nous sommes restés amis. C'est à remarquer car il était difficile sinon impossible d'être son ami, tellement il sélectionnait ses fréquentations.

J'étais à Key Largo en Floride, quelques années plus tard, quand on m'annonça sa mort. J'en eus beaucoup de chagrin en apprenant qu'il était mort seul, car je savais que malgré ses airs hautains et souvent brusques, il avait un besoin immense d'amitié. Je me suis assis devant la mer pour penser à lui et à ce qu'il me disait : son amour pour la nature et ses dégoûts pour l'hypocrisie de cette société dans laquelle nous vivions. Je n'étais pas d'accord sur tout ce qu'il disait, mais je l'approuvais sur plusieurs points.

Aujourd'hui, il m'arrive de penser à lui en regardant, accrochée au mur, la casquette de marin qu'il m'avait donnée, la même que celle qu'il portait dans le film « Johnny Frenchman »...

11

Un bateau, une fille, un amour...

Tout heureux que j'étais de mon nouvel amour, j'en oubliais les réalités du métier. Être artiste, ça veut dire être rêveur, viveur, jouisseur mais très rarement homme d'affaires. Nous sommes tous plus ou moins à la merci de fins renards ou de requins qui n'hésiteront pas à nous mordre et à nous saigner à blanc si leur profit est en jeu. On a beau être prévenu, ils ont toujours le bon bout de la corde, et on doit suivre pour survivre.

Pendant que j'étais à Paris, mon impresario qui, à cette époque, était une femme assez jolie — ce qui la rendait doublement efficace et dangereuse — m'avait envoyé une lettre où elle m'expliquait que la plupart des cabarets où j'avais travaillé avant mon départ n'acceptaient pas l'augmentation de cachet qu'elle exigeait pour les engagements à mon retour. Elle m'avait fait parvenir des contrats pour d'autres boîtes où je n'avais jamais chanté mais qui acceptaient avec plaisir de payer. J'avais lu cette lettre, assis sur les bords de la Seine, perdu dans l'euphorie du printemps de Paris. J'avais complètement oublié qu'à Montréal, il y a cabaret et cabaret. Ils ne sont pas tous fréquentés par la même classe de gens. J'avais signé le tout en ne pensant qu'au cachet qui m'aiderait à rencontrer mes obligations.

* * *

Peu après mon retour de Paris, j'arrive dans le hall d'entrée de cette boîte du centre-ville de Montréal, où j'avais l'habitude de chanter, pour récupérer les grandes photos publicitaires encadrées, accrochées au mur de l'entrée.

Je demande au doorman où je pourrais trouver un escabeau pour pouvoir les décrocher. Il me regarde bien calmement en me disant avec un petit accent italien :

— Hé ! Paolo. T'es-tu vraiment niaiseux ou si tu fais semblant ?

Je ne vois pas le rapport entre ma demande et sa question.

— Ces photos-là m'appartiennent, c'est moi qui les ai payées avec mon argent.

Ma réponse ne semble pas avoir beaucoup d'effet sur ce pan de mur en tuxedo qui continue de me regarder droit dans les yeux avec un air d'autorité suprême qui me donne un complexe de culpabilité.

— O.K. Paolo. L'échelle est en bas, tu peux aller la chercher. Mais fais attention quand tu vas monter dedans. Ça peut être dangereux pour tes jambes, parce qu'y' manque des barreaux.

Je n'ai plus aucune envie d'aller chercher l'échelle car je viens de comprendre que c'était mieux pour ma santé d'oublier mes photos. Ce que moi je

164

considérais être un geste logique, soit chanter pour plus d'argent, eux le voyaient comme un geste déloyal. Comme je vais partir, je sens une pression sur mon bras qui me fait rester sur place et m'oblige à me retourner vers le doorman. Il me dit :

— Fais attention à toi Paolo, y' est arrivé des accidents à des gars ben plus populaires que toi. Tu connais-tu Sammy Davis ?

— Oui, comme tout le monde pour l'avoir entendu chanter.

— Savais-tu qui y' manquait un œil ?

— Non.

— Ben tu vois, y'a eu un accident parce qui s'pensait plus smart que les autres, ça s'rait d'valeur que ça t'arrive à toi...

J'essayais de rester calme mais j'avais hâte de sortir de ce cabaret en oubliant mes photos.

Ce petit incident n'était que le commencement de mes embêtements. À mon premier spectacle dans l'autre boîte, j'eus l'agréable surprise d'apercevoir mon gros ami, assis à la première table près de la scène, en compagnie d'autres moineaux d'aussi beau plumage qui semblaient complètement désintéressés de mon spectacle pourtant nouveau, et dans lequel je présentais mon nouveau « look » : pantalon ajusté bleu marine porté avec un chandail de lainage à encolure marine du même ton, laissant ressortir mes épaules et mes mains d'ouvrier que j'avais toujours cachées sous mes complets blancs avec chemise noire qui me donnaient une allure un peu trop à la Tino Rossi.

Je n'ai pas fait deux chansons que déjà ça commence. J'ai beau essayer de ne pas entendre, je n'y arrive pas. Je m'arrête et leur demande de parler un peu moins fort. Ils me répondent :

— Hé! Noël. Nous autres on a payé pour venir voir un artiste, pas un débardeur. Si t'es trop pauvre pour t'acheter un habit, dis-le ; on va t'en acheter un.

Comme les portiers de la place ne bougent pas, je sais que je n'aurai pas le meilleur à m'engueuler avec eux et j'essaie de continuer mon spectacle pour les autres spectateurs qui ne comprennent pas ce qui se passe. Mais rien à faire, ils font rouler jusqu'à mes pieds leur bouteille de bière vide et là, je m'arrête pour dire aux gens que le spectacle est terminé. Salut !

Je rentre dans la loge, si enragé et si insulté que je donne un coup de poing dans le mur qui ne devait pas être très solide puisque je le défonce jusque dans l'autre loge. Je me mets à pleurer de rage en pensant qu'à Paris où j'étais un inconnu, je n'étais pas payé bien cher mais au moins on m'écoutait. Il fallait que je vienne ici, dans mon pays, pour qu'on se foute de ma gueule !

J'ai terminé cet engagement bien malgré moi car je n'avais pas le choix. Mais j'ai appris qu'il existe des endroits où ne doit pas se donner en spectacle un chanteur du style romantique comme je l'étais à cette époque et surtout qu'il ne faut pas se fier aux belles paroles d'un impresario qui ne pense qu'à son pourcentage et se fout éperdument des problèmes et même des dangers que doit affronter son «poulain» pour gagner sa vie.

Devant Ginette, qui n'en est qu'au début de sa carrière, je continue à vivre comme s'il devait toujours faire soleil. Je veux cacher cette inquiétude et cette incertitude du lendemain qui se précisent en moi. Quand je me réveille la nuit, seul, je me pose la question : combien de temps me reste-t-il à chanter ? Combien de temps encore le public voudra-t-il m'écouter ? Je pense à tous ces chanteurs dont les noms ont paru en pleine lumière au-dessus de moi et qui ont disparu depuis. Je pense aux conseils de ma mère et de mes amis qui me disaient de ne pas partir pour l'Europe, au moment où ma carrière était au mieux ; car depuis mon retour, je m'aperçois qu'une vague de jeunes chanteurs a fait son apparition pendant mon absence. Et sans être envieux ou jaloux (ce sont des défauts que je ne connais pas), si je veux rester dans la course, il va me falloir travailler sérieusement et réviser mes idées sur ce spectacle que j'ai rapporté de France et qui semble ne pas plaire au public québécois qui a fait de moi une doublure de Tino Rossi.

Je veux à tout prix sortir de moi cette image pour ne pas rester toute ma vie l'ombre d'un autre. Pour le moment, je suis déçu et je décide de partir en bateau quelques jours, histoire de me refaire une beauté d'âme et de me redonner le goût du travail.

Mais il y a toujours un mais. Comme je voudrais partir avec Ginette ; sa mère, Thérèse, qui avait un nom prédestiné dans ma vie, nous obligea à emmener avec nous sa jeune sœur Marie-Claude. Au fond, c'était très peu nous imposer car c'est un petit chaperon merveilleux qui ne nous dérange en rien. Quand elle ose parler, ce qui est très rare, c'est pour ne dire que des choses gentilles.

Nous sommes donc partis à la voile, par un vent glacial du nordet, habillés de lainages et d'imperméables, pour garder au chaud et à l'abri de la pluie et des nuages gris, le bleu de nos cœurs. Que faut-il de plus à un marin de poésie pour être heureux ? Un bateau qui fend doucement l'eau, en laissant dans son sillage des frissons sur la vague qui se perd au loin, pendant que deux sirènes le regardent manœuvrer avec admiration, comme s'il s'agissait d'un grand capitaine au long cours, menant à bon port son bateau...

Après le souper, dans la douce quiétude de la lumière des lampes à l'huile, nous parlons et chantons, accompagnés par ma guitare et par la symphonie de la pluie tombant sur le toit de la cabine. Enivrés par tant de beauté (car nous n'avons bu que du thé), nous nous endormons, chacun dans notre couchette.

Je dors depuis je ne sais combien de temps, rêvant comme toujours de mes îles lointaines, lorsque je sens dans mon dos une douce chaleur qui me sort de mes rêves tout en m'y laissant. Je n'ose ouvrir les yeux, croyant qu'il s'agit d'un de ces enchantements qu'on voudrait ne jamais voir finir. J'ai beau me recroqueviller, coller ma tête dans l'oreiller pour ne pas me réveiller, j'ouvre les yeux en entendant le murmure d'une voix qui me dit :

— Je t'aime. Aime-moi. J'ai besoin que tu m'aimes pour devenir une femme.

Je me retourne et serre Ginette entre mes bras dans cette couchette à matelot déjà étroite. C'est bon de sentir sa peau sur la mienne pour la première fois. Pendant que brûle en nous une flamme de désir que nous avons retenue tous les deux depuis longtemps, c'est plus fort que moi, et comme j'ai peur d'avoir des regrets après, je lui dis :

— Ginette, je t'aime telle que tu es, ne te sens pas obligée envers moi. Je ne voudrais pas qu'un jour tu me reproches de t'avoir volé ta jeunesse.

— Non, Paolo. À partir de cette nuit et dans ton bateau, je veux que tu sois mon amant à moi toute seule et je veux être ta maîtresse tant et aussi longtemps que l'amour voudra nous aimer.

Et je laisse couler ma vie dans la pureté de ce corps de printemps comme on lave ses yeux blessés dans l'eau limpide d'une source. On y lave les larmes de la veille, jusqu'au matin où le soleil aura fait place au nuage qui jusque-là nous suivait.

Nos étreintes furent si pleines de douceur que Marie-Claude, qui dormait dans sa couchette à quelques pas de nous, ne se réveilla qu'à l'heure du petit déjeuner.

12

Gaspésie d'amour

Pendant que nous prenions le café, assis autour de la petite table carrée accrochée à la cloison avant de la cabine entre les deux couchettes, je regardais du coin de l'œil les petits points de rousselure que faisait ressortir le soleil sur ce visage de femme-enfant qui était là, à côté de moi. Et je me demandais combien de temps il me restait à l'aimer, combien de temps j'allais pouvoir la garder pour moi seul? Une jalousie possessive s'emparait déjà de moi, pour cet ange qui depuis peu faisait partie de ma vie; une jalousie de tous ceux qu'elle avait aimés avant moi. Je détestais déjà tous ceux qui l'aimeraient après moi. Quel mauvais amoureux je m'apprêtais à devenir!

Mais toutes mes inquiétudes disparaissaient dès qu'elle interrompait son silence presque maladif pour me dire:

— Je t'aime, tu es mon bel amant.

Quelque temps après, nous avions décidé de faire un voyage de noces au pays de mes parents, à St-Joachim-de-Tourelle, en Gaspésie. Mais Thérèse, sa maman, n'entendait pas laisser la brebis, fruit de ses entrailles, entre les griffes et les dents du loup que j'étais. Enfin c'est ce qu'elle pensait. Heureusement, ma petite M.G. sport n'avait rien que deux sièges. Pas question, donc, d'embarquer un chaperon comme passager. Mais il n'y avait rien à faire! Thérèse allait nous suivre de peine et de misère, avec sa petite voiture anglaise déjà fatiguée, laissant derrière elle un nuage de fumée pour essayer de nous rattraper à travers les montagnes et les nombreuses côtes de la Gaspésie de ce temps-là.

Pour échapper à sa vue et avoir le temps de nous embrasser derrière les rochers longeant la mer, je conduisais ma voiture à sa vitesse maximum comme s'il s'était agi d'une véritable course de formule un. Nous regardions la petite voiture blanche loin derrière nous dans le bas d'une côte quand nous, nous étions tout en haut, prêts à redescendre vers la mer où nous attendaient nos étreintes presque défendues mais combien merveilleuses. Dès qu'elle arrivait, nous repartions vers notre destination. Après avoir passé Cap-Chat puis Ste-Anne-des-Monts, ce fut enfin St-Joachim-de-Tourelle. En arrivant, ce fut la fête. Les tantes, les oncles, les cousins de ma mère formaient une famille de gens simples, généreux et recevants. Leurs petites maisons au pignon délavé par l'air marin s'alignaient tout le long du petit chemin de terre descendant la côte. C'était le chemin qui menait au quai des pêcheurs d'où montait, emportée par la brise, une forte odeur d'iode mêlée à celle du poisson frais pêché. On était à la fin de l'après-midi et la mer devait être haute car les petites barques multicolores attachées à leur ancrage semblaient danser la java sur les courtes vagues qui se formaient à l'intérieur de la jetée. À mesure que nous approchions du bas de la côte, j'avais l'impression de ne pas avoir les yeux assez grands pour absorber d'un seul coup tant de beauté, pendant que se précisait devant nous «le plan», comme ils appellent cet enchevêtrement de petites cabanes où s'entassent les agrès de pêche, ainsi que la minuscule glacière de bois gris où se conserve le surplus de poisson qui doit être vendu.

* * *

J'arrête ma voiture près d'une petite barque, dormant les fesses appuyées sur les cailloux, quand j'aperçois au loin mon cousin Jean qui est là, juste à l'entrée du quai, en train de nettoyer la morue. C'est étrange, de par son allure, comme il me rappelle mon grand-père, d'autant plus qu'il porte le même nom : Jean Therrien.

Mais il y a cependant une petite différence entre ces deux hommes : mon grand-père ne fumait pas alors que lui, mon cousin, il a toujours, quoi qu'il fasse, un bout de cigarette roulée à la main dans le coin de la bouche. Aussi, lorsqu'il parle, il faut bien écouter pour comprendre ce qu'il dit, avec un fort accent de vieux Gaspésien. De plus, il ouvre à peine les lèvres et prononce les mots comme s'il n'avait pas de temps à perdre à discuter. En nous voyant arriver, il s'arrête et sourit d'un seul côté de la bouche pour ne pas laisser tomber son mégot, puis s'amène vers nous en essuyant ses mains sur ses pantalons. Nous sommes descendus de voiture quant il arrive à notre hauteur. Il s'écrie alors en regardant ma M.G.

— Ah ! l'saint Paolo de câlisse. Ah ! c'est l'yâbe ! le yâbe est en enfer, l'enfer est dans 'cave ! As-tu vu c'te belle goélette qu'y nous amène là.

Ginette, qui ne sourit presque jamais, se met à rire de bon cœur en entendant ces paroles et ce vocabulaire qu'elle ne connaissait pas, lorsqu'arrive derrière nous la petite voiture anglaise, d'où descend Thérèse dont les rondeurs semblent plaire à mon cousin qui me dit sur un ton moqueur, avec un petit sourire malin qui fait presque fermer ses yeux :

— Ah ben maudit ! As-tu vu c'te beau morceau de créature qui arrive là ? J'te gage, mon Paolo, que c'est assez beau pour être mangé tout rond, pas de pataque !

Il n'en fallait pas plus pour que les présentations soient faites dans la gaieté. Malheureusement, je ne connais pas assez de mots pour décrire la jovialité de ces gens et leur façon simple, mais grande à la fois, de faire les choses. Je n'aurais pas assez de pages pour décrire les moments merveilleux que j'ai connus avec eux.

Partir au petit jour, vers le large, quand le soleil allume la ligne de l'horizon, à bord de ces minuscules embarcations dont le moteur à deux temps fait résonner son « paff paff » dans l'écho du matin... Mettre l'ancre pour « jigger » la morue, tout en admirant de loin la côte et les montagnes de ce merveilleux pays qu'est la Gaspésie. (Celui qui ne l'a pas vue du large n'en a jamais vu la grandeur et la beauté.)

Aux alentours de midi, quand la morue déjà paresseuse ne mord plus, revenir au quai, vider le poisson pour ensuite aller prendre un petit blanc (une petite santé) à chaque maison de la famille jusqu'à l'heure du souper et se coucher en même

temps que le soleil, bien heureux et bien paqueté...
Au bout d'une semaine, il était temps que nous
partions, un jeune cousin étant tombé amoureux de
Ginette pendant qu'un oncle veuf voulait à tout prix
remarier Thérèse qui semblait aux petits oiseaux, à
force de se faire faire des compliments à cœur de
jour. Moi, je n'avais pas le choix. J'ai beau avoir une
assez bonne constitution, je n'arrivais pas à suivre
les performances de ces gens habitués au travail de
la mer et à ses misères ; j'avais mal au foie. Et il
fallait que je sois à Québec dans la semaine suivante
pour y chanter dans une boîte très populaire à
l'époque : le restaurant chez Gérard. J'appréhendais
avec anxiété notre retour car je savais qu'encore
une fois, bien malgré nous, nous devrions nous
séparer car ni ses parents ni la loi ne nous permet-
taient de dormir ensemble. Peut-être que de nous
aimer avec autant de simplicité et de tendresse
empêcherait la terre de tourner... Enfin, dès notre
retour, c'est avec beaucoup de mélancolie que je
partis faire mon métier de divertisseur public. Tout
au long du chemin, selon mon habitude, je réfléchissais en conduisant ma voiture. Pourquoi chaque
fois que je suis amoureux d'une fille, il y a tant de
complications ? Pourquoi moi, qui suis un chanteur
à femme, ai-je tant de problèmes avec leur mère ?
Et comment se fait-il, alors que la terre est remplie
de filles sans problèmes, que celles que je ne
cherche pas me tombent dans les bras en amenant
avec elles tous ces embêtements dont je pourrais
me passer pour être heureux ? Peut-être que je
devrais tout simplement l'oublier et chercher ailleurs
si ça ne serait pas meilleur. Bien sûr, c'était plus
facile à dire qu'à faire car le soir même, je n'avais
pas terminé mon premier spectacle que je me
précipitais vers la première boîte téléphonique venue

pour lui dire combien elle me manquait et combien je me sentais seul dans cette ville où les jolies femmes ne manquaient pourtant pas.

Tous les soirs, c'était la même séance. Spectacle, téléphone, spectacle, téléphone, et naturellement, à des heures assez tardives. Tout n'allait pas si mal quand c'était sa mère qui me répondait ; je crois bien qu'elle ne me détestait pas autant qu'elle voulait bien le laisser paraître. Je pense qu'elle faisait tout simplement son devoir de mère en protégeant sa fille ; mais quand c'était « Maurice le vilain », son père, ce n'était pas du tout la même chose. La réponse était toujours la même :

— 'Est-pas icitte ! Si 'y a moyen, rappelle pus !

Après la fermeture de la boîte, j'allais me coucher seul dans ma petite chambre d'hôtel et je m'endormais, inquiet d'être loin de celle que j'aimais. J'avais remarqué que beaucoup de ses anciens copains ou amis d'enfance, qu'elle ne voyait plus, l'avaient redécouverte depuis qu'elle était devenue ma compagne. Il y en avait un en particulier qui commençait à me taper sur le système. Il s'appelait Toto ; c'était un jeune photographe qui avait toujours une session de photographie à faire aussitôt que j'étais parti. J'avais comme l'impression qu'avant longtemps, il aurait des problèmes de focus avec sa caméra quand je lui aurais bouché les deux yeux, à moins qu'il arrête de venir jouer dans mon jardin. Mais tout ces problèmes sentimentaux, je les oubliais dès que je montais sur scène, car pour la première fois, j'avais des difficultés à conquérir ce public qui était pourtant de Québec. Les clients de ce cabaret étaient très sévères à mon égard ou tout simplement snobs. Ils avaient l'habitude, à cause de la politique de cette boîte, de n'applaudir que des grandes vedettes françaises comme Maurice Chevalier,

Charles Trenet, Édith Piaf, Aznavour et Bécaud. Il faut dire aussi qu'à cette époque de ma carrière, j'étais encore très timide et manquais d'audace ; alors, au lieu d'avoir le public à ma main, c'est lui qui me possédait. Pour comble de malheur, un soir, alors que je chantais «les Feuilles mortes» en y mettant toute la sensibilité et la concentration voulues pour arriver à créer une ambiance devant ces clients qui continuaient à boire et à manger pendant le spectacle, j'entendis, venant de la salle, des éclats de rire qui me sortirent du rêve que je m'inventais pour bien faire passer les mots de ma chanson. Je me demandai ce qui se passait et j'en oubliai complètement mes paroles. Je m'arrêtai et l'orchestre en fit autant. Comme si on avait coupé le contact, des deux côtés, ce fut le silence tout à coup. Je me sentis humilié, insulté et je demandai au public ce qu'il y avait de drôle dans ma chanson. Une voix venant du fond de la salle m'apporta la réponse :

— Paolo, tu chantes bien, mais si tu lèves pas ta flye, ton p'tit moineau va sortir...

Je sentis un long frisson accompagné d'une bouffée de chaleur me traverser le corps des pieds à la tête. Je baissai les yeux pour apercevoir non seulement que ma braguette était ouverte mais que, par l'ouverture, sortait un bout de ma queue de chemise noire qui s'étalait bien honorablement sur mon pantalon blanc ! Sur le coup, je paralysai et aucune phrase n'arriva à se former dans mon esprit. Heureusement, au bout d'un instant d'hésitation je repris mon sang froid pour dire au public :

— Ne soyez pas inquiets, 'est pas dangereuse ! d'ailleurs, c'est pas une sorteuse...

Et je me mis à rire moi aussi avec le public, tout en remettant de l'ordre dans ma tenue vestimentaire. Cet incident qui, sur le coup, m'apparut presque comme un événement tragique, aura servi à une chose : me faire découvrir cette sensation merveilleuse de pouvoir faire rire le public. Cette facette du métier, je l'avais toujours enviée aux compagnons de mes débuts, Olivier Guimond, la Poune, Manda, Blanchard et tous les autres que je regardais travailler pendant des heures pour essayer d'apprendre à faire rire, sans jamais y arriver. Pourtant, à partir de cet incident, j'ai commencé à faire rire et à pouvoir détendre mon public pendant mes spectacles.

Un soir, après la dernière représentation, je fus invité à une table par le frère de Lucille Serval, cette chanteuse qui avait été ma compagne durant plusieurs années et dont je m'étais séparé en la laissant à Paris avec un morceau de ma vie. Jean-Paul, dont il est question, et Doris, son épouse, sont des personnes charmantes que j'avais connues quelques années auparavant en chantant l'«Ave Maria» à leur mariage. C'était au début de mes amours avec leur sœur et belle-sœur et j'avais gardé d'eux de très bons souvenirs. Je fus donc très heureux de les revoir et j'acceptai avec plaisir leur invitation à prendre le café dans leur maison de Donnacona au lieu de m'ennuyer tout seul dans ma chambre d'hôtel. À peine étions-nous assis autour de la table que la discussion se mit à tourner autour de Lucille qui, paraît-il, regrettait beaucoup notre séparation. Je les écoutais ne me demandant si je ne m'étais pas trompé en me persuadant que j'avais tout oublié. Il a tant été question de Lucille que nous avons fini par lui téléphoner à Montréal, au beau milieu de la nuit, pour lui dire, à sa grande surprise, que nous partions sur-le-champ la chercher. Il fallait être un peu fou pour le faire ; à 115 milles à l'heure dans la petite M.G., aller et retour sans s'arrêter avec le toit ouvert au vent frais du matin, afin de pouvoir asseoir la troisième personne entre les deux sièges déjà étroits pour deux. Lucille était toute surprise de me savoir propriétaire d'une voiture, moi qui ne voulais rien entendre au sujet de ces engins-là quand nous étions ensemble. À notre retour à Donnacona, ça n'a pas été long, fatigués comme nous étions, pour qu'on parle de dormir. Je me demande encore si tout n'avait pas été préparé à l'avance, car on manquait de lits dans la maison ; ce qui fait que je me suis retrouvé, comme par hasard, dans le même lit que Lucille. En plus d'être fatigué, tout était confus dans mon esprit. Pensez-donc : je venais de faire deux spectacles, conduire de Donnacona à Montréal, aller-retour, avec la tension que cela suppose, et me voilà couché, aux petites heures du matin, avec une femme que je croyais ne plus revoir, pendant que dans ma tête j'entends la voix de Ginette au téléphone. J'essayais de comprendre, en tenant dans mes bras Lucille que j'ai tant aimée. Sa chevelure blonde sentait toujours ce même parfum qui me rappelait de doux souvenirs. Pourtant même en faisant des efforts, je n'arrivais pas à retrouver la passion qui m'avait fait l'aimer au point d'en oublier que le monde existe. Je me sentais impuissant dans cette situation épouvantable, quand je la vis, avec ses yeux bleus emplis de larmes qui coulaient sur l'oreiller, ces yeux bleus immenses où j'étais si heureux jadis de mirer mon bonheur et où je ne voyais plus, maintenant, que les regrets d'un passé qui veut se faire oublier. Elle me dit alors d'une voix presque blanche à force de fatigue et d'émotions :

— Tu ne m'aimes plus, tu ne peux même plus me faire l'amour. C'est donc vraiment fini, nous deux ?

Je continuais de la regarder, tout en passant mes doigts sur ses joues pour essuyer ses larmes sans pouvoir dire le moindre mot. Je ne pouvais plus rien devant son chagrin, même si j'avais mal, et elle continua :

— Il a fallu que tu partes pour que je comprenne combien je t'aimais, mais je crois que je suis revenue trop tard. Je sens qu'il y a quelqu'un d'autre dans ta vie.

— Oui, il y a quelqu'un ; mais en ce moment, je me pose des questions.

— De toute façon, si ça ne marchait pas, souviens-toi que je t'aime toujours.

Nous nous sommes endormis ensemble pour la dernière fois, comme des époux usés par l'habitude et qui n'ont plus l'un pour l'autre aucun désir. Puis nous nous sommes quittés le lendemain, pour ne plus jamais nous revoir. Ce n'est que plusieurs années après, quand je suis devenu un artiste de télé, qu'une dame, assise parmi les spectateurs assistant à l'émission, me dit :

— Monsieur Noël, j'ai quelque chose à vous dire. J'ai été hospitalisée il y a quelque temps avec une dame qui m'a parlé de vous. Elle se nomme Madame F.T. mais son nom d'artiste était Lucille Serval.

J'ai été surpris en entendant ce nom qui émergeait de mon passé et je lui ai demandé avec curiosité :

— Est-ce qu'elle vous a parlé de moi en bien au moins ?

— Oh ! oui, nous étions dans la même chambre d'hôpital en train de regarder la télé et elle m'a dit :

— Paolo Noël, que nous voyons actuellement sur l'écran, a été mon grand amour de jeunesse et aussi mon plus grand regret.

Plus tard, pendant l'émission, je regardais cette dame en pensant :

« Combien la vie peut avoir de tours dans son sac pour nous rattraper au moment où on s'y attend le moins. »

Dans les jours qui suivirent ma rencontre avec Lucille, je restai pensif sur la réaction du cœur concernant l'amour, le vrai, pas celui qu'on s'invente pour une nuit et qu'aussi vite on oublie ; celui qui change les dimensions de ta vie, celui qui met de la beauté dans tes yeux pour embellir tout ce que tu regardes ; celui qui te donne des pincements au cœur à la seule pensée qu'il puisse finir un jour et qui te démolit quand il s'en va. Tous ces sentiments Diane, je les avais connus avec Lucille. Mais pourquoi n'avais-je ressenti aucun plaisir en la retrouvant ? Lucille était pourtant celle qui avait partagé pendant longtemps ma vie et mes nuits durant les années les plus noires de ma carrière. Si au moins j'avais pu inventer un mensonge pour la consoler... Je ne comprenais pas que l'on puisse arriver à oublier à ce point quelqu'un que l'on a vraiment aimé. J'avais beau penser et repenser, je ne trouvais pas de réponses et je commençais à avoir peur de celle dont j'étais en train de m'amouracher encore une fois. Mais mon Dieu, pourquoi ai-je toujours ce grand besoin d'être aimé alors que ça me réussit souvent si mal.

Je décidai donc de ne pas téléphoner à Ginette pendant quelques jours, le temps de réfléchir et de savoir ce qui m'arrivait. Mais ça n'a pas été long pour que je m'aperçoive que j'étais vraiment amoureux. Deux jours plus tard, le samedi soir, je n'en pouvais plus. Je la voyais partout. Tout le long du spectacle, je pensais à elle, je chantais pour elle chaque mot d'amour de mes chansons. Je regardais le réflecteur où semblait se dessiner son visage, pour arriver à oublier qu'il y avait devant moi un public. Enfin je me suis décidé, j'ai téléphoné :

— Allo !

J'étais chanceux, c'est elle qui m'a répondu. J'étais heureux d'entendre sa voix.

— Bonjour mon bel amant, c'est toi ?

— Oui, je me suis ennuyé pendant ces jours où je ne t'ai pas téléphoné.

— Moi aussi, et j'étais inquiète.

— Comment ça va, toi ?

— Très mal ! Il faut que tu viennes me chercher parce que j'en peux plus.

— Ça sera pas long pour qu'on se retrouve, je termine demain.

— Demain, c'est trop loin, il faut que tu viennes ce soir.

— Bon, O.K. ! Je pars aussitôt mon spectacle terminé.

Mon travail fini, je pris un café et je filai à toute vitesse vers Montréal.

Dimanche matin, aux alentours de cinq heures, je vois une jeune fille sur le coin de la rue. C'était elle qui m'attendait à une certaine distance de la maison, afin que ma bruyante voiture ne réveille pas ses parents. Je sentais qu'il se passait quelque chose, mais comme je savais qu'elle n'aimait pas les questions, je ne lui en posai pas ; j'attendis que ça vienne d'elle. Je me contentai donc de lui dire bonjour et de l'embrasser, puis nous sommes repartis vers Québec.

Tout au long du parcours, elle resta silencieuse et sembla chercher une solution à quelque chose. Je savais qu'elle avait des problèmes avec ses parents et que j'en étais peut-être la cause. Mais pour le moment j'étais heureux d'être avec celle que j'aimais et je me foutais de ce qu'on pensait de moi. Quand elle était là, je me sentais bien et ça me suffisait. Je n'allais pas détruire des instants de bonheur pour des préjugés que je trouvais stupides.

Rendus dans ma petite chambre d'hôtel au lit étroit que je louais bon marché pour économiser, nous nous sommes endormis comme des enfants heureux que nous étions. Ce n'est qu'à son réveil qu'elle me parla de ses problèmes avec son père et de la note qu'elle leur avait laissée sur la table de la cuisine pour les avertir de son départ. Elle avait écrit ceci :

« Thérèse, dis à ton mari que je suis partie à Québec avec mon amant. »

En l'écoutant, j'étais sûr que son escapade et ce petit billet n'arrangeraient rien à nos relations avec ses parents qui avaient le bon droit pour eux, la loi de cette époque ne permettant pas à une adolescente de quitter le foyer avant l'âge de dix-huit ans, à moins qu'elle ait un travail honnête qui lui fournisse un moyen de subvenir à ses besoins, et parmi les métiers non acceptés il y avait serveuse, chanteuse, etc. Ainsi, dès notre retour, je demandai conseil à ma mère pour éviter les complications. Elle me dit d'aller voir Paul-Émile Naud, que j'appelais avec beaucoup de tendresse mon oncle, et qui était commissaire de la Cour juvénile. J'avais confiance en son jugement, car il m'avait souvent protégé contre moi-même au moment de mes révoltes de jeunesse. Aujourd'hui, je sais que ses conseils ont porté fruit. À part ma mère, c'est une des personnes qui m'a le plus redonné confiance en mes capacités car il croyait en moi. Ma mère savait qu'il pouvait nous aider à nous sortir de ce mauvais pas, étant au courant des lois concernant les jeunes. Avant qu'on ait pu le rejoindre, ma mère vint me réveiller un matin en me disant :

— Ginette est au téléphone pis d'après sa voix ç'a l'air d'aller mal.

Elle me demandait en effet d'aller la chercher tout de suite chez ses parents. J'ai cru qu'il s'agissait encore d'une dispute avec son père qui n'était pas commode quand il avait trop bu, et qu'après avoir passé la journée ensemble elle rentrerait comme d'habitude à la maison. Mais en arrivant à la rue Monsabré, elle m'attendait sur le trottoir avec deux valises pendant que sa mère, debout sur le balcon, la suppliait de revenir. En voyant ce qui se passait, je me demandais quoi faire, et je dis à Ginette :

— T'es sûre de c'que tu fais là ?

— Oui, je suis décidée à partir d'une façon ou d'une autre. Si tu ne veux pas m'emmener avec toi, je trouverai quelqu'un d'autre.

Devant cette réponse, je n'avais pas trop le choix. Je n'allais sûrement pas la laisser partir avec un autre, mais j'avais vraiment l'impression d'être un kidnappeur en regardant sa mère qui ne disait plus rien mais qui pleurait en silence, en tenant serré contre elle le plus jeune de ses enfants. J'ai démarré en trombe pour me changer les idées, pour arrêter les larmes que je sentais venir et aussi pour ne pas avoir l'air d'un grand imbécile. Arrivés chez ma mère, Ginette a commencé à réaliser les conséquences négatives de son geste. Comme elle avait cette mauvaise habitude de garder à l'intérieur ce qu'elle aurait dû exprimer, peu de temps après son arrivée chez ma mère, elle commença à faire de la fièvre et prit le lit avec une jaunisse qui l'affaiblit pour un bout de temps. C'est d'ailleurs pendant cette maladie que Ginette se prit d'une grande affection pour ma mère qui la dorlota et la soigna comme un bébé. Elle m'avait même fait acheter, pour lui tenir compagnie la nuit, un petit chien en peluche.

Nous ne dormions pas ensemble, mais j'avais ma chambre juste en face de la sienne et je me levais souvent la nuit pour aller la regarder dormir. Aussitôt qu'elle fut rétablie, nous nous sommes empressés d'aller chez Paul-Émile Naud qui nous expliqua ce qu'il fallait faire pour être en accord avec la loi. Encore une fois, ma mère nous prouva son intelligence, car tout ce qu'il nous demanda de faire, elle nous l'avait déjà conseillé et mis en pratique, puisque nous avions chacun notre chambre où étaient nos effets personnels et que Ginette devait payer, chaque semaine une petite pension établie en bonne et due forme; d'ailleurs, avec ce que ma mère nous faisait comme nourriture, elle ne faisait sûrement pas d'argent avec ça. Ceci ne nous empêchait pas de dormir ensemble mais, si par malheur un étranger venait frapper à la porte un peu trop tôt le matin, nous nous dépêchions de retourner chacun dans notre lit ce qui nous amusait beaucoup. Nous pouffions de rire comme deux enfants qui ont fait un mauvais coup, quand ma mère nous criait du bas de l'escalier:

— O.K. les enfants! vous pouvez finir ce que vous aviez commencé. C't'encore un maudit vendeur de balayeuses ou de cosmétiques.

Mais plus souvent qu'autrement, comme nous étions bien réveillés, nous nous retrouvions dans la cuisine autour de la grande table pour prendre un café tout en écoutant les histoires salées de ma mère, ce qui faisait dire à Ginette, avec l'air hautain qu'elle aimait bien se donner :

— Voyons, sa mère, un peu de distinction.

C'était justement les mots qu'il ne fallait pas dire, car à ce moment-là, elle en mettait deux fois plus. Toutes les grivoiseries de maman embellissaient la vie de ceux qui l'entouraient. Maintenant qu'elle est partie, il m'arrive souvent d'y penser. (Comme je m'ennuie en écrivant ces mots qui te font revivre en moi, Maman !)

13

Une croisière sur le « Santa Maria »

Je n'ai jamais beaucoup aimé travailler l'été. Je me suis toujours gardé du temps pour voyager avec mon voilier.

Plutôt que de rester à la maison pour surveiller l'arrivée d'une visite inattendue, je décide de partir avec mon bateau pour le lac Champlain. En plus de Ginette, j'emmène avec moi une de ses amies, Jovette. C'est une fille assez spéciale qui écrit et récite des poèmes en rêvant de voyages autour de la terre, tout comme Ginette d'ailleurs. Aussitôt que l'ancre est levée et que mon bateau avance en faisant jaillir l'eau avec son étrave, je me sens libéré. Je ne connais pas de meilleur endroit au monde pour avoir la paix et surtout ne pas se «faire prendre les culottes baissées». À bord du «Santa Maria,» c'est la joie en partant.

Avec la belle température que nous avons depuis quelque temps, Ginette, qui a retrouvé des forces, semble heureuse et passe la plus grande partie de son temps sur le pont avant du bateau à lire ou à discuter en compagnie de son amie, ou tout simplement à se faire chauffer au soleil en admirant le joli décor qui s'offre à nous. Au moment où nous entrons dans la rivière Richelieu, nous apercevons, dans l'arrière-port de Sorel, perdu dans ce cimetière de bateaux abandonnés, un immense voilier noir qui émerge d'une autre époque en pointant ses quatre mâts vers le ciel et qui porte un nom bien approprié, le « Phantom ». Pour celui qui n'aurait pas fait dernièrement le même trajet, je dirais avec regret que tout est changé ; même l'eau a perdu sa couleur.

* * *

Vers les années 1958, on rencontrait très peu de bateaux et si, par hasard, il nous arrivait d'en croiser un, qu'on le connaisse ou pas, c'était toujours une bonne raison pour faire la fête à l'ancre, devant une petite île. On chantait jusqu'aux petites heures du matin et on s'endormait ensuite sur le pont, à la belle étoile. Mon bonheur, dans ces éléments que j'aime, aurait pu être complet, n'eût été le comportement de Jovette à l'égard de ma maîtresse ; mais je laissais aller quand même pour ne pas faire de peine à Ginette qu'enfin je voyais sourire. Au bout de la rivière Richelieu, je m'arrête devant les ruines du fort Montgomery pour y passer la nuit, lorsqu'arrive un bateau que je connais bien, le « Marie-Pier », de Québec. C'est l'occasion rêvée de prendre un puissant apéritif sous un non moins puissant soleil. Il n'y a qu'une faiblesse dans le décor : ma tête. Et je trouve le moyen de tomber à l'eau tout habillé (pour une fois que je portais mes beaux pantalons blancs et ma belle casquette de marin). Alors pour que je ne sois pas seul, tout le monde en fait autant. C'est bon d'être fou de temps en temps !

Le lendemain matin, nous entrons dans le lac Champlain qui s'était fait miroir pour nous recevoir. Le soir, nous arrivons au « Yacht Club » de Plattsburg dans l'État de New York et j'ai la surprise de voir ma mère et Paul qui nous attendent sur le quai. Malheureusement, je n'ai pas le loisir de naviguer longtemps sur le lac car j'ai un temps limite pour redescendre le canal Chambly où l'on doit fermer le nouveau pont de l'autoroute qui est en construction et qui sera trop bas pour la hauteur de mon mât.

Le matin de notre départ, je m'aperçois que sur la jetée du Yacht Club on a hissé le drapeau de tempête. Mais même si on me déconseille de partir, je fais confiance à mon bateau qui en a sûrement vu d'autres, du temps où il était contrebandier. En sortant de la marina, aussitôt passée la jetée, la vague est haute et impressionnante mais belle, car malgré le vent et quelques nuages, il fait soleil et mes voiles sont gonflées au maximum. Pendant que mon bateau, qui est trapu et lent, avance bien confortablement, assis le cul dans l'eau, je le regarde monter et redescendre au creux des vagues comme un jouet flottant sur un étang, pendant que je sens une grande pression s'exercer sur la barre que je tiens à deux mains. C'est l'ultime communication entre un marin et son bateau. J'aurais tellement aimé pouvoir en faire autant avec la fille que j'aime, mais il y a toujours cette passagère qui a pris beaucoup trop de place auprès d'elle depuis le début du voyage et en plus, sur mon bateau. Ce bateau même qui fut témoin de nos premiers instants, de cette première fois qu'on n'oublie jamais ! Suis-je un amoureux trop jaloux ? Je ne le sais pas. Mais j'ai le droit de ne pas accepter cette situation.

Vers la fin de la journée, quand nous sommes revenus sur le Richelieu où l'eau est plus calme, je décide de régler mon problème une bonne fois. J'appelle Ginette qui est assise à l'avant avec Jovette. À l'heure qu'il est, j'ai pris assez de rhum pour perdre ma diplomatie habituelle et je lui dis carrément :

— Qu'est-ce qui se passe avec toi, Ginette ? Es-tu une lesbienne qui s'ignore, câlisse ?

Elle me regarde avec des yeux que je ne lui connaissais pas et me répond avec cet air de comtesse qu'elle prend lorsqu'elle est offusquée :

— Paolo Noël, j'te défends de m'insulter de la sorte ! Et pour quelle raison me dis-tu ça ?

— Parce que je trouve que la Jovette, a t'colle un peu trop à mon goût, pis là chu'tanné !

— Paolo, t'es jaloux même de mes amies ! T'es vraiment pas correct !

— Ben, correct ou pas, câlisse, rendus à St-Jean tu vas faire un choix : elle ou ben moi ! Si c'est elle que tu choisis, j'vous débarque toutes les deux sur le quai en arrivant !

— Mais tu sais bien que ça n'a pas d'allure, on est parties toutes les deux pas d'argent !

— Ça c'est pas mon osti d'problème ! Vous ferez du pouce pour vous en retourner à Montréal !

Après cette discussion pas trop élégante, mes deux passagères avaient la mine plutôt basse et comme je m'étais calmé en me débarrassant du surplus que je retenais depuis une semaine, je regrettais presque d'avoir sorti mon mauvais caractère et brisé l'atmosphère du voyage, mais il fallait que je le fasse ; trop, c'est trop !

À peine accosté à St-Jean, je prends les valises de Jovette, les lance sur le quai et, me retournant vers Ginette, je lui dis :

— Qu'est-ce que tu as décidé ? Tu débarques ou tu restes ? Pis fais ça vite, j'ai pas grand temps à perdre. L'écluse est ouverte, on attend après moi !

Pendant ce temps, Jovette avait pris ses valises et s'en allait le long du quai. Ginette me dit alors en me regardant avec des yeux de chien battu :

— T'en ben niaiseux ! Tu sais que je t'aime, pis c'est avec toi que j'veux rester.

Nous sommes arrivés si juste pour passer le pont que l'éclusier dut téléphoner pour retarder la fermeture définitive du pont afin que je puisse passer sans être obligé d'enlever mon mât. (La popularité a des mauvais côtés mais elle en a parfois aussi de très bons.)

En écrivant ces lignes, je pense à tous les amateurs de voile dont le nombre est aujourd'hui de plus en plus grand et qui sont obligés de travailler à démâter leur bateau avant d'entrer dans le canal pour pouvoir passer sous des ponts construits par les ingénieurs actuels qui ont oublié quelques détails. Nos grand-pères, eux, avec la technologie moderne en moins, trouvaient le moyen de construire ces mêmes ponts en évitant les problèmes de navigation que malheureusement vous ne connaissez que trop, vous les gens de la voile !

* * *

Ayant retrouvé notre intimité, Ginette et moi avons pu terminer notre voyage en paix tout en discutant de notre métier et de nos projets. Ginette, qui en était à ses tout débuts, était très peu connue à cette époque, bien qu'elle ait fait quelques émissions de télévision. Elle avait des difficultés à obtenir des engagements dans des endroits convenables. Les impresarios ont toujours eu cette vilaine habitude de ne donner des contrats valables qu'à des artistes ayant déjà un nom, même si, quelquefois, ils ont moins de talent que bien des débutants qui ne savent plus quoi faire pour arriver à percer. De mon côté, je ne voulais pas non plus que Ginette aille chanter dans des endroits de troisième ordre.

Dès notre retour chez ma mère, je me suis mis au travail en passant par-dessus les agences théâtrales et en téléphonant directement aux gérants ou propriétaires de cabarets que je connaissais, pour leur vanter les qualités et le talent de ma petite amie. Ce n'était pas du « tout cuit » car je voulais aussi qu'elle soit payée à sa juste valeur. Or, quand on parle de sous avec un propriétaire, la voix qui était amicale un instant auparavant change d'intonation et le ton sec du businessman apparaît. Il faut être convainquant et convaincu pour arriver à les décider à faire un essai. Je me faisais souvent répondre :

— Aye Paolo ! Ta petite, tu peux ben coucher avec tant que tu veux, mais t'es pas obligé de nous faire payer pour.

Je me souviens très bien d'une autre réponse que me fit Paul Ener, le gérant de l'hôtel Sorel :

— Emmène-la si tu veux quand tu vas venir chanter, on va te la nourrir, mais criss ! on n'est pas obligés de se faire casser les oreilles parce que t'es en amours avec !

Je leur proposai alors de déduire son cachet du mien si elle n'était pas à la hauteur de ce qu'ils attendaient d'elle. J'allais jusqu'à lui céder ma place de vedette du spectacle pour faire l'animateur et le présentateur à sa place puisqu'elle ne le pouvait pas.

C'est souvent après toutes ces concessions que j'arrivais à la faire engager, mais dès le premier spectacle, tout changeait et le patron venait s'excuser de ne pas m'avoir cru. Naturellement, pour le contrat suivant, elle était en vedette et n'avait plus besoin de moi pour vendre son talent. Car elle en avait à revendre, mais il fallait quelqu'un pour lui ouvrir les portes. C'est un des grands secrets du show business. Tous ces problèmes venaient du fait qu'elle n'avait pas connu de grands succès sur disque. Elle avait enregistré, pour Jacques Matti, une chanson qui n'avait pas beaucoup marché et comme je devais faire quatre chansons chez RCA Victor, j'en profitai pour la présenter à Marcel Leblanc, directeur du répertoire français de cette compagnie qui était aussi mon ami depuis qu'il m'avait sorti de l'ombre quelques années auparavant. Il écouta la voix de Ginette et elle lui plut immédiatement, mais celui que Marcel devait convaincre pour pouvoir la faire enregistrer, c'était le grand manitou, celui qui disait oui ou non, M. Joseph, le directeur de RCA Victor. C'était un homme d'affaires averti. Tout ce qui rapportait de l'argent l'intéressait.

Lors de l'audition de Ginette, il ne laissa paraître aucune impression pouvant laisser prévoir son jugement. D'ailleurs, M. Joseph ne comprenait pas un traître mot de français. Mais à force de discussions et de persuasion, il finit par accepter qu'elle fasse deux chansons sur la session d'enregistrement qui m'était réservée à deux cents du disque. Ce qui fait que j'ai dû sacrifier deux de mes quatre chansons. Ce n'était pas grave, car j'avais atteint mon but. Il

197

restait le plus important : trouver un « hit ». Sinon, c'en était fait du contrat chez RCA pour Ginette.

Marcel Leblanc se mit en communication avec les maisons d'éditions et les compagnies de disques européennes pour trouver un succès sûr. Un matin, il nous téléphona pour nous demander de venir à son bureau, car il avait trouvé ce qui devait devenir le premier succès de Ginette et rester son cheval de bataille pour des années : « Les Enfants du Pirée ». Cette chanson lui ouvrit les portes qui jusque-là étaient restées fermées. Mais ce n'était là que le commencement d'une série de succès. De plus en plus d'admirateurs et d'admiratrices connurent le nom de Ginette Ravel. La petite fille que j'avais aimée était devenue une femme. Le succès amène avec lui la facilité de vivre et même ses parents avaient changé à son égard. Ils étaient maintenant fiers de leur fille, ce qui ramena la paix et nous permit de vivre ensemble sans contrainte, dans un petit appartement que nous avions aménagé avec simplicité bien qu'avec goût, juché sur les toits. Nous y vivions notre amour sans problème car la chance était de notre côté. Vers la fin de l'automne '58, j'ai acheté un nouveau voilier que j'avais repéré sur la plage de Sillery, près de Québec. C'était un magnifique bateau de quarante pieds qui avait appartenu à Roger Lemelin, à l'époque où il écrivait « La famille Plouffe ». Ce vieux voilier de cinquante ans, qui avait jadis gagné des trophées, était là depuis trois ans, couché dans le sable à attendre qu'un amoureux fou des bateaux ait le courage de lui redonner la vie. Et ce fou arriva : c'était moi. J'étais tombé amoureux de lui quelques années auparavant lorsque je le vis passer toutes voiles ouvertes avec son allure de scooner bahamien. J'avais dit aux personnes qui étaient avec moi : « Un jour, ce voilier sera à moi!» Tout le monde avait ri, me croyant bien audacieux ou bien rêveur. Eh bien, c'était fait! Il est maintenant à moi, et de «Jojo» qu'il s'appelait, il portera désormais le nom d'un ancien bateau de pirate: le «Vautour II».

Après avoir passé l'hiver à travailler en vue d'accumuler des sous, ça n'a pas été long pour que, le printemps venu, je m'installe à bord de mon bateau et que je commence la rénovation; car avec ces années d'abandon, il avait souffert des intempéries et du manque d'entretien. Comme il faisait encore froid sur la plage, avec le fleuve qui promenait ses grands vents, j'installai tout d'abord un petit poêle à bois pour faire ma nourriture et me chauffer la nuit. J'y vivais seul, en vrai bohème, sans aucune commodité: ni eau, ni électricité. Par contre, j'avais devant moi la beauté d'un décor qui contrastait avec la vie bruyante des cabarets. Chaque soir, avant de m'endormir, je m'asseyais sur le pont pour regarder passer les grands paquebots illuminés ou je rêvais aux étoiles et à ces îles lointaines que je verrai peut-être un jour quand la vie m'aura trop fatigué. J'ai toujours aimé me retirer du monde artistique, même quelquefois au détriment de ma carrière et de son avancement, pour refaire le point dans mon esprit. Maintenant, avec le temps, je sais que j'avais raison. Un de ces soirs-là, j'avais écrit ceci:

«Quand mon cœur et mon corps
Auront la couleur brunâtre de mes voiles
Brûlées par trop de bordées
Et de caresses d'eau salée
Je pourrai tout quitter
Sans me retourner.»

Un matin, alors que j'essayais de me rendormir en me recroquevillant dans ma couverture pour me réchauffer, j'entendis la pluie tomber avec pesanteur sur le pont, poussée par le vent qui sifflait dans les haubans. Ne pouvant pas, malgré mes efforts, repartir dans mes rêves, j'ai pensé qu'il serait mieux de me faire un bon café bouillant pour me mettre un peu de chaleur dans la bedaine. Je décidai donc d'oublier la douceur de mon lit et de me lever pour allumer le poêle ; mais en posant les pieds sur le plancher, une surprise m'attend : le bateau est rempli d'eau. Je reste saisi et la surprise me fige. Je me demande si je ne rêve pas tout éveillé : c'est impossible qu'il y ait de l'eau dans un bateau qui est sur la terre à 700 pieds du fleuve ! Je monte sur le pont et j'y vois un décor de fin du monde. Le ciel est noir de nuages et la marée est si haute qu'elle a amené l'eau du fleuve jusqu'à la voie ferrée, loin devant mon bateau. Des vagues poussées par le vent du nordet se brisent sur la jetée du quai pour monter en écume à vingt pieds dans les airs. C'est beaucoup pour une personne qui dormait paisiblement, il y a quelques minutes. J'ai peur que les mouvements de l'eau fassent tomber mon bateau sur le côté. Je ne sais vraiment pas quoi faire.

Tout à coup, je vois venir vers moi une grosse chaloupe de sauvetage qui fait son chemin en frappant tout sur son passage. Il faut que je fasse quelque chose pour qu'elle n'endommage pas plus qu'il ne l'est mon pauvre vieux bateau. Que le diable emporte mon café, puis tout le reste ! Je saute dans l'eau froide qui m'arrive aux épaules et je fais mon chemin à travers les morceaux de bois qui flottent partout pour arriver à agripper cette maudite grosse barque qui allait éperonner mon bateau juste dans le flanc. Ce n'est pas facile de la maintenir car je commence à avoir des difficultés à bouger mes membres dans cette eau glacée, lorsque tout à coup je vois, plantée sur le devant de cette embarcation — qui, paraît-il, appartenait à un évêque (je l'ai su après) — une statue de la Vierge. Je n'ai pas de temps à perdre pour retrouver mes anciennes prières d'orphelinat. Je lui crie alors :

— Aye, Marie, c'est le temps de montrer ce que tu peux faire parce que si tu me laisses tomber, y va falloir que tu te trouves un autre osti d'chanteur pour tes pauvres.

Et croyez-le ou non, ç'a marché ! Deux mécaniciens qui regardaient la scène, de leur locomotive arrêtée sur la voie ferrée, sont allés chercher de l'aide au chantier de construction de bateau des frères Laliberté, situé juste en face. Polo et Manuel sont venus m'aider. Il était temps, car j'étais exténué ! Ensuite, ils m'ont ramené à leur maison pour que je puisse me faire sécher et me réchauffer avec du bon café. Pis celui-là y'était bon en maudit ! Dans la vie t'as une épreuve, t'as une récompense, c'te fois-là j'm'suis fait deux amis et ils le sont toujours, après vingt-cinq ans !

14

Mon père, cet étranger...

Quand on vit de cette façon, on finit par oublier que le reste du monde existe autour de nous et qu'il faut continuer à vivre avec ses contraintes, ses vices et ses problèmes. Pour ces derniers, on n'a pas besoin de courir après eux, ils nous trouvent où qu'on soit. Un bel après-midi, je vois arriver ma mère avec Paul qui venaient de faire le voyage Repentigny-Québec par la route 2 pour me montrer un subpoena de la Cour supérieure. Ce papier m'enjoint de paraître devant elle, la semaine suivante, pour répondre à une plainte faite par mon père, concernant une pension alimentaire qu'il me réclamait. Il m'accuse d'avoir omis de lui donner de l'argent pendant que j'étais en France. En lisant le texte de l'accusation, je n'en crois pas mes yeux ! Je sens la révolte et la colère monter en moi car en plus de ne faire aucun effort pour travailler, il vit avec une maîtresse qui est garde-malade et qui le fait vivre ! Je regarde ma pauvre mère, qui sait plus que personne ce qu'elle a eu à souffrir à cause de cet homme qui l'a fait avorter en la battant, qui est allé jusqu'à lui faire faire la vie pour se payer son boire et son manger et ensuite nous abandonner à l'orphelinat sans se soucier le moins du monde de notre existence. Et le voilà qui réapparaît, alors qu'il est dans la dèche, pour me faire du chantage et me quémander de l'argent, le jour où je suis devenu un artiste connu et qu'il me pense riche... Je suis si enragé que mes paroles ont peut-être dépassé ma pensée quand j'ai crié à ma mère en frappant du poing sur la cabine :

— Maman, j'vas t'en débarrasser une bonne fois pour toutes. J'vas aller y tirer une balle entre les deux yeux. Comme ça, y va nous câlisser la paix, l'osti d'pourriture qu'il est !

Ma mère m'a regardé avec ses yeux de tristesse qui vous ouvrent le cœur en deux ; ce même regard qu'elle avait dans le taxi, à mon retour du centre de police, le jour du coup de couteau donné par le Grec, dans ma jeunesse. Ce regard pour lequel je m'étais tant battu avec la vie pour être quelqu'un et ne plus jamais la voir pleurer... Elle m'a dit, avec des sanglots dans la voix :

— Fais pas ça, mon noir, je connais du monde qui serait content de te voir en prison. Pis si tu l'fais, c'est moi qui va mourir de peine. Chu' trop fière de toi, mon Paolo, pour que tu fasses ça ! Émile en vaut pas la peine...

Était-ce la rage que j'avais contre mon père ou les mots que venait de me dire ma mère ? Toujours est-il que je me mis à pleurer pendant que maman, qui nous a toujours considérés comme des enfants, m'a pris dans ses bras en me serrant très fort. Paul qui regardait la scène sans dire un mot, comme d'habitude, s'est décidé à parler.

206

— Paolo, fais-toi-z-en pas ! J'savais que ça arriverait. J'me rappelle ce qu'y m'a dit un jour quand vous étiez tout petits : « Envoye fort, Vadeboncœur ! Élève-les, pis quand ils seront grands, ils me feront vivre ». Mais on te laissera pas tout seul, on va t'aider à te trouver un avocat pour te défendre.

Naturellement, Paul et ma mère n'étaient pas des habitués de la Cour. Ils ont pensé bien faire en me présentant l'avocat qui s'était occupé de la séparation d'Émile et de maman. Dans la semaine suivante, je me présentai donc à la Cour en compagnie d'un jeune avocat qui n'était pas celui que j'attendais et à qui je n'avais jamais parlé. Il ne connaissait rien de mon histoire. Il fut donc complètement impuissant devant l'avocat de mon père qui avait tout préparé, en plus d'avoir de son côté la loi qui disait qu'on est obligé de subvenir aux besoins de ses père et mère. En voyant apparaître, dans la boîte au témoin, mon père qui marchait avec des cannes, j'ai eu pitié de lui et j'ai prié le bon Dieu de ne jamais lui ressembler. Il s'est mis alors à témoigner et à raconter, avec une voix si faible qu'on l'aurait cru presque à l'agonie, la misère qui l'accablait à cause de moi, son fils, une vedette qui vivait dans l'abondance et le luxe, se payant des voyages en France, des voitures et des bateaux, et que je le laissais crever de misère sans lui donner un sou. Là, ça allait encore ! Je savais qu'on était en cour et qu'il devait se défendre. Mais quand il a commencé à parler de ma mère en des termes que je ne peux pas répéter ici, j'ai regretté de ne pas l'avoir étouffé quand je l'avais croisé dans le corridor. Après la plaidoirie de son avocat qui en mettait et en remettait, ce fut à mon tour d'aller dans la boîte et il a fallu que je me défende seul, car mon avocat ne disait

207

presque rien. J'étais décidé à tout raconter à ce juge que je voyais depuis le début écouter sans trop d'intérêt tout ce qui se disait autour de lui, occupé qu'il était à tourner les grandes pages d'une sorte de « scrap-book oversize » qui semblait l'absorber complètement. Heureusement pour moi, je suis arrivé à attirer son attention aussitôt que j'ai dit :

— Votre Honneur, j'aimerais que vous demandiez à mon père — lui qui me réclame, pour le confort de sa vie, le paiement de deux habits, deux paires de souliers, trois pyjamas, des chemises, des chaussettes, trois repas par jour et une chambre convenable, avec de l'argent de poche — combien de fois, pendant mes huit ans d'orphelinat, il est venu me voir ; combien d'oranges et de chocolats il est venu me porter pour que je trouve la vie belle, moi qui ne lui avais pas demandé de venir au monde pour être ensuite enfermé ? Demandez-lui s'il s'est déjà soucié de la misère que ma mère avait pour nous faire manger, pendant qu'il était en prison ?

L'avocat de mon père a demandé une objection sur mes dernières paroles mais le juge a refusé et m'a dit :

— Continuez, monsieur Noël.

— C'est pendant que mon père était en prison que ma mère est tombée malade et que l'Assistance publique nous a pris sous sa protection.

Mon père qui, depuis le début du procès, parlait d'une voix faible, reprit tout à coup son ton naturel pour crier, sans demander la permission au juge :

— Parlez pas d'elle, cette H... V... là ! J'veux pas entendre son nom icitte !

Le juge s'est retourné brusquement pour regarder mon père et lui dire en frappant devant lui avec son marteau :

208

Au retour d'un voyage bien avant que la barbe soit populaire.

Simone et moi à la timonerie du Vautour.

Ma mère, la seule femme qui me restait fidèle.

Le cadeau de Simone : la « Jag ».

Au lancement du Sta Maria 2.

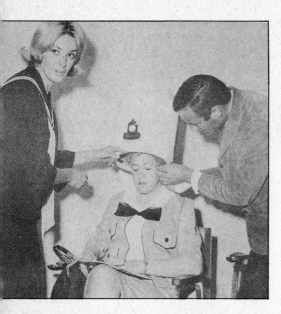

Le salon de coiffure de Simone qui portait mon nom.

— Monsieur! et je vous dis monsieur pour la forme car vous n'en êtes pas un! Taisez-vous et parlez quand vous en aurez la permission!

Il a ensuite demandé à mon avocat s'il avait quelque chose à dire pour ma défense.

— Après ce que monsieur Paolo Noël vient de raconter, je n'ai rien à ajouter.

Alors, le juge s'est retourné vers moi et m'a dit sur un ton presque paternel:

— Je regrette, M. Noël, d'être obligé de vous condamner à payer une pension à cet homme qui est sensé être votre père, car je ne suis pas ici pour faire la loi mais pour l'appliquer.

Puis se retournant vers mon père, il ajouta:

— Si j'étais à votre place, monsieur, après tout ce que je viens de lire dans votre dossier, je serais fier d'avoir un fils comme celui que vous avez et je me contenterais de l'aimer et de l'admirer au lieu de l'embêter.

Puis il se tourna vers moi:

— Faites vos paiements, monsieur Noël, pour que je n'aie pas à vous revoir. La cause est entendue.

Mon père avait gagné mais je n'avais pas perdu. Car ce que j'ai dit au juge, c'est à mon père que je voulais le dire et depuis longtemps. S'il s'était conduit envers moi ne serait-ce qu'un tout petit peu en père, il n'aurait pas eu besoin de prendre la loi pour que je l'aide. Au temps de mon premier mariage avec Thérèse, nous l'avions habillé et nourri pendant des mois sans rien lui demander alors que je vivais dans une petite cabane au bord de l'eau sans eau chaude et chauffée seulement avec un poêle, parce que j'étais trop pauvre pour me payer mieux et, pour nous remercier, il avait disparu un beau matin en emportant le seul habit et le seul imperméable que j'avais pour m'habiller.

En sortant du Palais de justice, je lui ai demandé pourquoi il s'attaquait à moi alors que j'avais toujours été le seul de ma famille à lui parler et à l'aider.

— Aye! mélange pas toute, ti-gars. Ça c'est de la business qu'on vient de faire là!

— Peut-être pour toi, mais pour moi c'est la même chose! À l'avenir, j'vas t'envoyer ton argent mais j'veux plus te voir sur mon chemin.

Ce qui ne l'a pas empêché de venir me compliquer la vie, chaque fois que j'étais en public.

En retournant à la maison, ma mère était bien déçue du résultat car elle savait combien de fois il m'était arrivé, par le passé, lorsque j'avais des baisses de travail dans mon métier, d'avoir des difficultés à trouver de l'argent pour payer la pension de mes enfants. Maintenant, avec une deuxième, qu'est-ce que j'allais faire si j'avais des problèmes monétaires? Et c'est arrivé, croyez-moi! Paul, le bon St-Bernard, voulait bien m'aider pour la pension des enfants; mais il n'était pas question de donner son argent, qu'il gagnait durement, à Émile. Alors ça n'a pas été long pour que mon père, à ma plus grande honte, émette des saisies à même mes royautés de disques chez RCA; moi qui m'étais bien gardé de leur raconter ma vie.

15

Le Vautour II

Après ce procès avec mon père, j'étais plutôt dégoûté; dégoûté de la loi et de tous ses trucs contre lesquels il faut être vicieusement averti pour ne pas se faire avoir et pour arriver à s'en sortir sans blessures; ce genre de blessure qu'on ne voit pas mais qui est là sur le cœur et qui vous fait mal. Avant de repartir pour Québec, où je devais chanter pour monsieur Grimaldi au théâtre Laurier, j'ai dit à maman, qui semblait s'inquiéter pour moi, de ne pas s'en faire pour le moment car tout allait bien et que dans quelque temps, je serais de retour avec mon bateau devant ma maison.

Ça je savais que ça lui ferait plaisir. Je l'ai prise dans mes bras pour l'embrasser et je suis parti. À chacun de mes départs, c'était toujours la même chose. Elle était là, sur le balcon, à me faire des bye-bye jusqu'au moment où je disparaissais de sa vue. Chaque fois, de mon côté, c'était la dernière image que je gardais d'elle. En arrivant sur la plage de Sillery, j'ai retrouvé avec joie la paix que j'aimais.

D'autant plus que je ne serais plus complètement seul dorénavant car en passant par Trois-Rivières, j'ai hérité, de mon ami Roland Cardinal (le gros policier-nounours), d'un magnifique petit berger allemand âgé de trois mois, pour me tenir compagnie et surtout occuper mes quelques loisirs à réparer les mauvais coups qu'il me faisait. Il était définitif que j'aurais les orteils à l'air puisqu'il avait mangé le bout de mes espadrilles... Mais ce n'était rien. J'avais une superbe petite bête qui me donnait son affection en attendant que ma maîtresse vienne me rejoindre...

* * *

Les jours passent et mon bateau est de plus en plus beau. Je travaille dès le lever du soleil et jusqu'à son coucher. Je n'ai d'ailleurs pas d'autre éclairage. J'ai même gratté et reverni le grand mât, assis sur une espèce de balançoire que je montais et redescendais moi-même avec un câble. — Je te donne toutes ces précisions, Diane, parce que je veux que tu saches qui je suis. Trop souvent, au cours de mes tournées, lorsque je descendais de scène dans mon beau complet blanc, bien coiffé, avec ma guitare à la main, on s'est moqué de moi et de mon bateau, en prétendant que c'était une histoire arrangée pour la publicité. C'est une remarque qui m'a toujours insulté et j'ai aussi observé que ceux qui s'adressaient à moi avaient de jolies petites mains délicates alors que moi, le chanteur, j'étais gêné de montrer les miennes tellement elles étaient rudes et tachées de peinture. Ne ris pas, Diane. C'est vrai car, à travers le chanteur que tu connais, je suis toujours resté l'ouvrier qui a besoin de travailler avec ses mains...

* * *

Un beau matin, alors que l'été en était à ses débuts et que le soleil passait par les hublots pour m'apporter sa douce chaleur, mon chien, que j'avais nommé « Tempête », et pour cause, se mit à japper. Je me levai pour aller voir ce qui se passait dehors et en me penchant par-dessus le bastingage, j'aperçus une jolie fille qui me souriait de toutes ses dents. C'était elle, Ginette, celle que j'attendais, habillée en petit voyou, avec ses cheveux longs dans le dos.

Comme c'est bon de se retrouver quand on a attendu le temps qu'il faut pour savoir la différence. Même s'il faisait beau ce jour-là, nous avons passé l'avant-midi dans notre petit lit, à nous redécouvrir et à nous aimer comme les jeunes amants que nous étions.

Le Québec de ce temps-là était le rendez-vous des artistes. Il y avait, dans la ville, une boîte ou un cabaret pour le style de chacun, ce qui faisait qu'on avait beaucoup d'amis à aller voir, si Ginette ou moi ressentions le besoin de voir du monde. Ce qui était le fun, c'est qu'on était au début des boîtes à chansons et de ceux qu'on appelait les chansonniers : les Jean-Pierre Ferland, Claude Léveillée, Claude Gauthier et même Gilles Vigneault, alors que les vieux routiers comme Félix Leclerc et Raymond Lévesque avaient ouvert la voie à tous ces jeunes.

En travaillant sur le bateau, on écoutait la radio. Notre petit transistor nous transmettait la voix de jeunes annonceurs qui commençaient à faire vibrer le cœur des jeunes écolières. Il y avait, entre autres, Jacques Boulanger et un autre que nous écoutions présenter le palmarès et qui faisait dire à Ginette, en se moquant :

— Marcotte, laisse tomber les détails !

En effet, chaque fois qu'il présentait un artiste, vous saviez, avant d'entendre sa voix, quelle était la couleur de ses yeux, de ses cheveux et même de sa chemise ou de sa robe. Il n'y manquait rien. Et voilà qu'un bel après-midi, après une entrevue, Ginette arrive au bateau avec Pierre qui était un ami d'enfance. Par la suite, nous sommes devenus facilement des amis et je me suis aperçu à mes dépens que s'il n'était peut-être pas le champion des annonceurs de radio, il était à coup sûr le champion conducteur de Volkswagen sur les plaines d'Abraham. Je ne suis jamais arrivé à le battre avec ma M.G. qui, dans l'aventure, a laissé un peu de peinture métallique sur les bancs publics situés trop près du chemin.

Pierre, que j'avais appris à bien connaître parce qu'il avait pris l'habitude de se joindre à nous tous les jours après son émission, avait des manières de garçon bien élevé qui contrastaient beaucoup avec moi qui ne me gênais pas pour jurer quand ça n'allait pas à mon goût. Mais nous formions quand même une bonne équipe de peintres qui portaient chacun leur couleur sur leur linge et dans leurs cheveux.

J'avais accepté de chanter dans une boîte où c'était plaisant de le faire : le «Coronet» Tous les soirs, après le spectacle, on se retrouvait sur le bateau pour prendre un dernier verre en discutant au clair de lune (quand elle était là). Mais un samedi soir, je me suis souvenu, après être sorti de la boîte, que ma réserve à bord était à sec. J'ai dit à Pierre et Ginette :

— Attendez-moi une minute, j'vas aller voir si le patron ne peut pas me dépanner.

Un marcheur solitaire se consolant de l'amour par la tendresse des animaux.

Le tour du St-Laurent sur scène.

Avec la mustang
Player's

Avec M. Bouchard, directeur de promotion d'Imperial
Tobacco, qui m'a repayé mon cachet volatilisé.

En parade avec Margot Lefèvre.

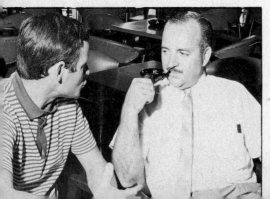

HOTO VEDETTES

NO 8   MONTREAL 7 novembre 1964   **15c**

AOLO NOËL, LE MAL
IMÉ DE L'AMOUR!

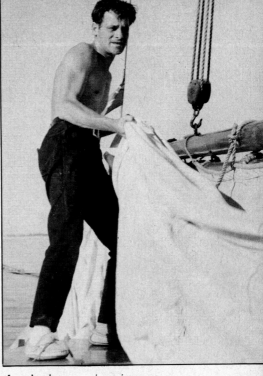

Je m'embarquerai un jour sur un de ces longs cours car tu as trahi mon amour.

«*C'EST quand le poète se tait que son âme se met à chanter; et c'est quand il aura fini de parler que l'on comprendra de sa poésie toute la vérité*». *Et nous, nous savons très bien que Paolo Noël ne mourra jamais, ses chansons nous l'ont dit.*

TOUTES LES FEMMES l'ont trompé sauf sa mère. C'est ce qu'il nous a dit. Nous le croyons, d'autant plus que nous comprenons les difficultés d'une telle vie amoureuse.

...SON BATEAU

PAOLO NOËL: VOICI LA FEMME QUI A SAUVÉ MA CARRIÈRE

Je reviens au bout d'un instant avec quatre belles bouteilles dissimulées dans deux sacs que je tiens serrés contre moi, un sous chaque bras. En m'approchant de mes deux compagnons, au milieu du trottoir, je me fais bousculer, par un gars que je n'ai pas vu venir, pendant que deux autres passent à côté de Pierre et Ginette en les tassant volontairement. J'essaie de garder mon équilibre pour ne pas échapper la cargaison que je tiens toujours serrée.

Les trois gars ont à peine eu le temps de nous dépasser en riant que, tout à coup, je vois Marcotte, mon collégien bien élevé, en attraper un par l'épaule et lui descendre une de ces droites sur la gueule qui le fait rouler sous un gros camion stationné au bord du trottoir ! Les deux autres, voyant leur compagnon K.-O. du premier coup, décident de se sauver en courant. Mais Pierre n'avait pas l'air de vouloir les laisser aller après leur provocation sans raison. Il court derrière eux au milieu du boulevard Charest et en attrape un deuxième qui, lui, reçoit tout ce que le troisième n'aura pas, car il détale comme un chevreuil. Je ne sais pas combien de coups il a mangé mais je l'ai entendu supplier d'arrêter, qu'il en avait assez, pendant qu'il se sauvait à quatre pattes.

Tout ce que je viens de vous dire a été plus long à décrire qu'à regarder, car je n'ai pas eu le temps de bouger que tout était déjà fait. J'ai vu un Pierre Marcotte, avec le sourire victorieux d'un champion de boxe olympique, venir vers moi pour me dire, sur un ton moqueur :

— Hein ! Hein ! Paolo Noël, tu pensais qu'il y avait rien que toi qui étais capable de se battre. T'as vu, ça, ç'a pas été long, hein !

Moi, je regardais la scène en continuant de protéger mes bouteilles. Je m'étais vite aperçu qu'il était assez grand pour se défendre tout seul. N'empêche que je me disais en moi-même :

— Ça s'peut pas ! Pas lui ! Moi qui pensais que c'était une tapette, avec ses belles manières. Ç'a d'l'air que j'me suis trompé.

En arrivant au bateau, nous avons pris un « night-cap » bien mérité.

* * *

L'été avait déjà commencé à attirer les pique-niqueurs sur la plage de Sillery, quand je décidai que mon bateau était prêt à aller dans son élément.

Dans toutes les régions où il y a des marées, on n'a pas besoin d'un immense quai pour mettre un bateau à l'eau. Il suffit de l'amener au plus bas de la plage, quand la marée s'est retirée, et d'attendre qu'elle revienne pour le voir flotter. Le mien, en plus d'être prêt, était naturellement le plus beau. Après qu'un petit tracteur l'ait tiré en le faisant glisser sur le sable qui, cette journée-là, était chauffé par un soleil merveilleux, nous nous sommes assis tous les trois, entourés de tous ces flâneurs qui mangeaient leurs sandwiches et buvaient leurs liqueurs en attendant le spectacle ; tout se sait très vite à Québec. Je me disais en moi-même avec fierté : « Vous allez en avoir plein les yeux ! »

La marée s'est mise à monter doucement. On a d'abord vu disparaître la quille, puis tout à coup l'eau s'est mise à monter plus vite, en faisant de petits remous autour de la coque, puis c'est le gouvernail qui a disparu, et ensuite la ligne d'eau.

Il devait flotter mais après trois ans de sécheresse, le bois a bien le droit de prendre son temps lui aussi ! On lui doit bien ça ! Mais ça n'empêche pas que je commençais à m'inquiéter car l'eau continuait de monter et le bateau restait obstinément collé au fond, comme si une immense sangsue le retenait... Je les entendais discuter entre eux, ces experts du dimanche qui n'ont jamais vu un bateau ailleurs que dans un livre ou à la télévision.

J'espérais encore qu'il allait faire un effort pour que je n'aie pas honte, mais à ma grande déception, l'eau arrivait bien au-dessus de sa ligne de flottaison sans qu'il se soit élevé d'un pouce...

O.K., j'étais peut-être déçu, mais pas découragé ! Je partis en courant chercher mes amis Laliberté pour leur demander de l'aide. En moins de deux, Polo est là, avec son sourire habituel, si calme dans ces circonstances où moi, je suis si nerveux. Il me dit, de sa voix qui change de tonalité quand il parle :

— C'est pas grave, t'as dû oublier quelque chose ; la marée va descendre dans quelques heures et j'vais regarder ça avec mon frère Manuel.

Il me réconfortait mais les flâneurs étaient repartis, persuadés que le rafiot de Paolo Noël ne flotterait jamais et que la pauvre épave que j'avais achetée l'était restée. Pourtant, aussitôt la marée descendue, il a fallu cinq minutes à Polo pour voir que nous avions oublié de boucher avec une cheville de bois le trou qui avait été fait dans la coque pour laisser s'écouler l'eau de pluie pendant qu'il était en cale sèche.

Un morceau de bois, un rabot et un coup de marteau, le tour était joué. Quand la marée est revenue, mon bateau est monté au-dessus de l'eau comme un goéland. Enfin, j'étais complètement heureux ! Nous l'avons attaché au bout de la jetée et nous sommes restés à nous faire bercer par la vague en prenant un verre de rhum bien mérité.

Cette nuit-là, nous n'avons pas beaucoup dormi. Pour rien au monde, je n'aurais voulu manquer un instant de ce bonheur. Pierre est reparti le matin pour faire son émission de radio, les yeux un peu fatigués, mais je crois qu'il était heureux, lui aussi, car nous avions gagné ! Il flottait, ce rafiot qui aurait pu finir ses jours écrasé dans le sable !

Fais la comptabilité toi-même : il avait déjà cinquante ans, à cette époque, et il existe encore aujourd'hui ! Il est toujours aussi beau et élégant malgré son âge. Après moi, il a appartenu à mon frère, puis à son fils, Johnny, et cette année (en 1982), il vient de sortir de la famille. Il appartient maintenant à deux anciens marins qui en sont amoureux eux aussi. J'ai croisé mon ancien bateau, dernièrement, alors qu'il revenait du bas du fleuve. J'ai eu un petit pincement au cœur comme lorsqu'on voit un ami qui nous aurait oublié.

Je me suis ensuite amusé à naviguer dans la région de Québec, autour de l'île d'Orléans qui ne manque pas de charmes. Un matin, il a bien fallu que je quitte mes amis pour revenir à Montréal où m'attendait beaucoup d'ouvrage. Je suis parti avec un équipage composé de ma mère et de Ginette ; et comme tout ce que je fais dans ma vie, le voyage ne fut pas sans aventures.

* * *

À cinq heures du matin, la marée est au montant et l'eau est calme comme un miroir dans lequel se mire un début de ciel bleu, annonçant une journée de navigation à moteur. Mes deux matelots dorment confortablement dans leur couchette quand je lève l'ancre en faisant le moins de bruit possible pour ne pas les réveiller. J'ai toujours aimé, et j'aime encore, voir mon monde se lever dans un décor différent de celui qu'il a vu avant de s'endormir. C'est passé Trois-Rivières, le lendemain, que j'ai eu des problèmes de voies d'eau alors qu'un vent contraire et assez fort faisait taper mon bateau dans les courtes vagues du lac St-Pierre. Ma mère et Ginette se relayaient régulièrement sur la «pompe à mitaine» pour vider l'eau qui s'accumulait. Il commençait déjà à faire noir quand je me suis réfugié dans le «chenail des Corbeaux», juste à la sortie du lac. Nous étions tous fatigués mais avant de souper, il a fallu que je plonge à plusieurs reprises sous le bateau avant de pouvoir étancher la voie d'eau en me servant de mon beau gilet de marin car je n'avais pas de calfa à bord. Au diable ma belle marinière importée de France, le bateau d'abord!

Le lendemain matin, c'est un bon vent de nordet qui a poussé le bateau à la voile jusqu'à Repentigny où m'attendait celui que je n'attendais pas. Il est toujours là, quoi qu'il puisse se passer. On ne peut rien lui cacher pendant plus de vingt-quatre heures. Je parle d'Edward Rémy. (Tu vois, c'est pas d'hier qu'il est commère!) Naturellement, tout le monde a connu mon aventure par les journaux, mais avec des vagues immenses et un vent frôlant l'ouragan, ce qui a bien fait rire mes amis de Québec. Quand j'ai revu Edward, je lui en ai parlé. Il m'a répondu pour se défendre:

— Tu sais, Paolo, pour intéresser les lecteurs, il faut en mettre sinon les journaux ne se vendent pas.

Il avait peut-être raison...

Ma saison de navigation fut cependant de courte durée.

Un soir, nous sommes tous assis sous la grande véranda, en train de souper. Toute la famille est réunie et on discute de mon bateau que nous regardons, à l'ancre, devant la maison. Tout à coup, je vois un yacht à moteur hors-bord venir à toute vitesse. D'après sa ligne de direction, j'ai nettement la sensation qu'il va passer un peu trop près de mon bateau. Mon frère me fait remarquer que s'il continue, ce n'est pas à côté du bateau qu'il va passer mais dedans ! Je l'écoute en espérant qu'il a tort et je m'arrête de manger car je suis inquiet... Soudain, on entend un boum, comme une explosion, et je vois un homme monter dans les airs pour retomber sur la cabine de mon bateau, mais l'autre embarcation a disparu. Toute la famille se lève pour regarder attentivement à travers la moustiquaire et essayer de comprendre ce qui vient de se passer. L'homme sur la cabine ne bouge plus et soudainement, nous voyons sortir de derrière mon bateau une moitié d'embarcation. Comme il s'agit de la partie arrière et que le moteur qui y est attaché continue de tourner à plein régime, ce morceau du bateau fou, sans conducteur, tourne et zigzague à travers les chaloupes de pêcheurs pour qui c'est le sauve-qui-peut. Ça ressemble à un mauvais film d'horreur... mais c'est pourtant bien réel.

Mon frère et moi partons en courant pour essayer de sauver mon bateau avant qu'il ne soit trop tard. Je suis si énervé que le bol de soupe que je viens d'avaler me remonte dans la gorge. Au moment où nous embarquons dans la chaloupe à rames, je vois revenir le morceau de yacht qui file encore à toute vitesse. Il passe à quelques pieds de nous puis tourne carré vers le large pour entrer en plein dans l'avant-tribord de mon bateau comme une torpille, l'éventrer puis rester pris dans la coque.

Je n'en crois pas mes yeux! Je voudrais donc que ce soit un mauvais rêve dont on se réveille en faisant «ouf». Mais ce n'est pas le cas. Il faut y aller avant que le bateau ne coule. Heureusement que mon frère a de bons bras pour faire fonctionner à toute vitesse la fameuse pompe à mitaines car le bateau fait déjà beaucoup d'eau. En regardant du côté babord, je me rends compte que le morceau avant du hors-bord, le morceau qui manquait, est lui aussi pris dans la coque avant qu'il a défoncée. Je contemple avec tristesse mon bateau blessé.

Des voisins qui avaient vu la scène sont venus porter secours à l'accidenté et l'ont transporté à terre où attendait une voiture de police. Puis mon frère et moi sommes partis vers Pointe-aux-Trembles en nous remplaçant chacun notre tour pour pomper l'eau qui rentrait abondamment bien que nous ayons laissé les deux sections de hors-bord plantées dans la coque. En regardant avancer mon bateau, cela me faisait penser à «Jaws» se promenant avec sa proie.

Nous avons été très chanceux que Jean Beaudoin soit là pour sortir le bateau et le mettre en cale sèche et en sécurité. La police et l'ajusteur d'assurances n'ont jamais accepté notre version de l'accident. Ils n'ont jamais voulu croire que nous disions la vérité. Ça l'était pourtant. J'aurais bien pu laisser couler mon bateau et m'en faire payer un tout neuf par les assurances, mais je ne suis pas un homme d'affaires. Quand je suis amoureux d'un bateau, c'est lui que j'aime et que je veux garder. Il n'y aura jamais assez d'argent pour me faire changer d'idée.

16

Quand l'amour se meurt

Sans bateau, il ne me restait qu'une chose à faire, travailler. À cette époque, la compétition ne manquait pas dans ce métier. Tous les mois, on voyait apparaître un nouveau chanteur ou une chanteuse qui souvent avait du talent et venait de je ne sais où. Il fallait se grouiller les fesses pour ne pas sortir de la course. Remarquez, c'est encore ce qu'il y a de mieux pour faire tourner le métier, un métier des plus beaux, des plus valorisants, mais aussi le plus dangereux quand on est amoureux et surtout lorsque ce même métier vous met en compétition avec celle que vous aimez!

Ginette était devenue une grande fille qui n'avait plus besoin de ma protection pour faire son chemin. J'essayais souvent de nous faire engager dans les mêmes spectacles, mais sans succès. Les patrons ne voulaient pas payer deux vedettes de spectacle en même temps. Nous étions obligés de travailler chacun de notre côté dans des endroits éloignés qui nous séparaient l'un de l'autre. Ce fut le commencement de la détérioration de notre amour qui petit à petit s'éteignait. Si bien que le jour où on s'en est rendu compte, il était vraiment trop tard. On n'acceptait pas, on ne voulait pas perdre notre rêve et on s'agrippait désespérément à ces rochers glissants que sont les illusions qui finissent un jour ou l'autre par vous laisser tomber dans le néant des disputes et des querelles et qui achèvent la destruction de cet amour qu'on voudrait malgré tout retenir. J'étais toujours amoureux de Ginette et j'aurais bien voulu la garder, mais il n'y avait rien à faire. Elle voulait vivre à sa façon et comme elle l'entendait. J'étais devenu pour elle celui qui attend qu'on lui fasse signe pour revenir lui faire l'amour lorsqu'elle se rappelait que je l'aimais.

Un jour, en revenant d'un engagement qui m'avait retenu à l'extérieur et pendant lequel je m'étais ennuyé à mourir, je décidai d'aller directement à l'appartement lui dire bonjour et prendre de ses nouvelles. Qui sait, peut-être aurait-elle envie de moi ?

Je n'aurais jamais dû y aller sans prévenir. J'ai été déçu, en entrant, de trouver au lieu de celle que j'aimais, un tas d'abrutis à moitié saouls qui fêtaient je ne sais quel événement. De les voir dans ce lieu, qui était celui de mon amour, eut pour effet de me mettre en colère.

Je vidai d'abord la place, sans aucune politesse, pour ensuite prendre Ginette par les flancs et la soulever de terre en criant, pendant que je la tenais appuyée sur le mur :

— Ginette, qu'est-ce que t'as envie de faire avec toi, câlisse, une putain, une salope, quoi ?

236

Elle me regarda avec des yeux un peu perdus pour me crier à son tour :

— Paolo Noël, remets-moi par terre pis touche-moi pus !

— Non, j'te toucherai pus, parce que si j'te touche, avec le mal que tu m'fais, y a pus personne qui va pouvoir te toucher après.

En disant ces mots, je regrettai de m'être laissé aller à ma colère. J'essayai de me calmer et de la calmer en lui disant :

— Ginette, réfléchis ! T'es en train de tout détuire ; pis, si tu continues à te tenir avec c'te gang-là, c'est ta carrière que tu vas détruire !

Je m'approchai d'elle pour la prendre dans mes bras et m'excuser, mais elle recula en me regardant et me dit avec conviction :

— Ne me touche pas et va-t'en ! J'ai pas besoin de tes conseils. Ma vie est à moi pis j'en ferai ce que je veux. Désormais, je n'veux plus te voir dans cet appartement. Dorénavant, tu peux rester chez ta mère. C'est fini entre nous deux.

Je suis reparti à moitié démoli et le cœur bien gros. Tout le long du chemin, pendant que je conduisais ma voiture, un film en noir et blanc tournait dans ma tête. Un court métrage racontant l'histoire de deux amoureux qui voulaient faire le tour du monde sur un voilier, et d'une petite fille que le succès trop facile et les aventures éphémères sont en train de détruire. Comme je regrette de l'avoir si souvent poussée, bien malgré elle, à travailler, elle qui me disait quelquefois en pleurant quand je la tenais dans mes bras :

— Ne me laisse jamais seule avec moi-même. Je me fais peur, protège-moi.

Je ne l'ai pas écoutée et j'ai perdu son amour. Maintenant je me retrouve seul encore une fois.

Deux jours plus tard, son amie Jovette me téléphona pour me demander de venir à l'appartement car Ginette pleurait sans arrêt et ne voulait même plus manger. J'étais heureux de savoir qu'elle avait besoin de moi car depuis deux jours, je ne bougeais pas de ma chambre et chaque fois que le téléphone sonnait, j'espérais que ce soit elle. En peu de temps, j'étais près de Ginette pour la consoler et l'endormir dans mes bras, mais mon départ définitif n'était que partie remise. Elle ne savait plus vers quoi et vers qui porter ce surplus et cette faim de vivre qu'elle traînait en elle. Je suis reparti chez ma mère avec mon chagrin. Ma mère était encore la seule à pouvoir m'aider, mais je restais le pantin qui faisait la navette entre l'appartement et la chambre où j'avais dormi avec une petite fille aux yeux d'ange que les principes empêchaient de se donner à moi qui ne pouvais pas être son mari. Jusqu'au soir où j'en ai eu assez d'être malheureux. C'était un samedi. Nous chantions tous les deux au Casa Loma, liés par un contrat signé bien avant que nous ayons des problèmes sentimentaux. Le patron, monsieur Cobetto, n'étant pas au courant de nos disputes, l'installa dans la loge en face de la mienne. Ainsi, bien malgré moi, je la voyais arriver ou repartir avec d'autres hommes et quelquefois même d'anciens amis qui n'osaient plus me parler. J'avais beau me chercher une porte de sortie où je pourrais me défaire de cet amour qui m'enlevait tout goût à la vie, rien n'y faisait. Mais comment faire, alors qu'elle était là juste devant moi, que je la croisais derrière les rideaux de la scène et qu'elle me disait bonsoir avec ses yeux de chatte qui a besoin d'amour. Et si j'osais passer la porte de sa loge et qu'elle n'avait pas envie de me parler, elle m'envoyait promener en me disant :

— Ici, c'est ma loge. Tu viendras quand tu seras invité.

J'avais l'impression quelquefois d'être le bon chien qu'on envoie se coucher dans un coin. C'est peut-être vrai mais j'avais aussi envie de mordre tous les hommes qui tournaient autour de cette femme que j'aurais dû détester... Si au moins je l'avais pu !

Entre les spectacles, je m'assoyais seul dans ma loge et je buvais du cognac en compagnie de celui qui était dans le miroir. Après la soirée, quand la fatigue et l'épuisement dus aux trois spectacles se faisaient sentir, la boisson avait un double effet et mon chagrin aussi. Je cherchai dans le stationnement ma voiture, une Porsche blanche identique à celle avec laquelle James Dean s'était tué un mois auparavant. Je mis le contact et je laissai tourner mon moteur en pensant à cette histoire de James Dean et des rumeurs voulant que cet accident soit dû, en fait, à une histoire d'amour. Lui au moins, il avait fini de souffrir !

À l'est, la rue Sherbrooke était vide de circulation. On aurait dit une piste de courses dont les lignes blanches m'hypnotisaient pendant que j'accélérais. Je regardai un instant le compteur qui indiquait cent vingt-cinq milles à l'heure, mais je continuai d'accélérer. J'avais l'impression de voler quand je regardais les grands tableaux publicitaires encore allumés, malgré la barre du jour qui faisait couler son sang de lumière rouge sur la noirceur de la nuit. Comme j'avais mal et comme j'étais fatigué de souffrir. Je venais de m'engager dans la dernière courbe menant à la rue Notre-Dame. Dans mes yeux embrouillés par les larmes, je voyais l'enseigne du garage «Forgue» et je décidai que c'en était assez. Je tournai carré vers la droite, vers le marécage à moitié gelé en cette nuit de printemps. Je voyais le ciel, le sol, le ciel et ainsi de suite, car ma voiture tournait sur elle-même sans arrêt...

Mais j'avais encore conscience de ce qui se passait... J'ai même eu le temps de dire :

— Excuse-moi mon Dieu, chu'pus capable!

Dans ma tête, j'entendais des bruits de métal se brisant sous le choc... Et ce fut un grand trou noir.

Combien de temps je suis resté pris dans sa carrosserie tordue? Je ne le sais pas! J'avais le visage collé contre la glace, écrasé par le poids de mon corps. Je me demandais si j'étais mort ou en vie. Mais comme le sang coulait dans ma bouche, je me rendis à l'évidence : j'étais toujours en vie.

J'essayai de bouger mes pieds qui étaient pris entre le volant et le plancher. J'avais très peu d'espace pour faire mes mouvements car la voiture s'était arrêtée à l'envers et comme c'était une décapotable, le toit n'avait pas résisté longtemps.

Il était temps que je sorte de cette boîte à sardines et que je replace mon corps à l'endroit car le sang me montait à la tête et je manquais d'air. J'y arrivai après beaucoup d'efforts mais je fus pris de panique quand je me rendis compte que j'étais enfermé. Je frappai avec mes pieds dans la portière coincée par un mélange de neige et de vase. J'avais beau frapper, elle ne s'ouvrait pas, cette maudite porte! Je n'avais plus aucune envie de mourir. Mon commencement de panique se changea en rage. Les épaules bien d'aplomb, je m'appuyai dans le fond de la carrosserie en frappant de toutes mes forces avec mes deux pieds. Enfin, un filet de lumière apparut ; un tout petit rayon de soleil qui me donna le courage de défoncer la porte. Me voilà assis dans la neige, à regarder les dégâts. Mais je m'en fichais j'étais en vie. Comme c'est bon la vie quand on a vu la mort d'assez près pour sentir sa main froide.

— Merci, mon Dieu ! Merci à toi, mon ange gardien ! Je ne mérite peut-être pas l'amour que tu me donnes, mais je te remercie quand même de m'avoir encore protégé malgré moi.

Je me levai en me tournant pour regarder le soleil bien en face et je me mis à rire. J'ai ri à en avoir des crampes dans le ventre. C'était sûrement une réaction nerveuse, mais au moins elle était positive. Je trouvais la vie belle.

Ma voiture avait fait tellement de chemin, avant de s'arrêter, qu'il m'a fallu traverser le champ au complet en piétinant dans la boue et dans la «slush» avant d'atteindre la rue Sherbrooke. Là, j'ai dû attendre sur le bord du chemin pendant un bon moment avant que des policiers, qui faisaient leur ronde, n'arrêtent pour me demander ce qui m'était arrivé. Je leur expliquai que j'avais eu un accident avec ma voiture et qu'elle était là-bas, dans le champ. Je me retournai pour leur indiquer l'endroit où elle était, mais je ne la voyais même plus. Heureusement que je m'en étais sorti sans blessures, car si je n'avais pas pu me rendre tout seul sur la rue Sherbrooke, je serais mort au bout de mon sang ou de froid sans que personne ne s'en aperçoive.

Je trouvais étrange que les deux policiers que je connaissais bien, me parlent comme à un étranger. Je leur demandai :

— Vous ne me reconnaissez pas, les gars ?

— Tu t'appelles qui ?

— Ben voyons, c'est moi ! Paolo Noël !

— Quoi !

Ils me dirent alors de me regarder dans le rétroviseur. J'avais la figure noire d'huile, avec seulement deux petits points blancs à la place des yeux. Je comprends qu'ils ne m'aient pas reconnu. Au poste de police, après les formalités, Paul est venu me chercher pour me ramener à la maison où ma mère m'attendait tout inquiète avec du bon café et un bon conseil que j'ai suivi depuis :

— Paolo, tu devrais pas boire quand ça va mal. De toute façon, ça arrange rien.

Après cet accident, je suis resté un bon bout de temps sans toucher une goutte de boisson alcoolique, ce qui a fait du bien à mon foie et surtout à ma tête.

L'après-midi même, je faisais mon spectacle du dimanche devant un public tout étonné de me voir en vie après que la radio eut parlé de mon accident.

Je n'ai jamais dit à personne, excepté à ma mère, la véritable raison de mon geste, tout étant déjà assez compliqué comme ça. Je ne sais pas si c'est à cause des rapports de police, mais j'ai été sur la liste noire des assurances et des compagnies de finance pendant presque deux ans. J'ai dû me contenter, pendant ce temps, d'une ancienne M.G.-t.d. achetée à bon marché et qui avait besoin de beaucoup de réparations.

17
Maman, quand tu souriais...

Ginette et moi commencions à nous voir de moins en moins souvent. Je m'efforçais de l'oublier, mais sans trop de succès. Chaque fois que tout commençait à aller bien, une émission de radio ou de télévision nous obligeait à nous rencontrer. Pour elle, ce n'était rien; mais pour moi, tout était à recommencer. Si je sortais avec une fille pour me changer les idées, elle avait toujours, sans que je m'en rende compte, un petit quelque chose qui me rappelait Ginette. Ma mère, avec son expérience, me répétait :

— C'est pas la bonne façon d'arranger ton affaire, Paolo! Ce qu'il faudrait que tu trouves pour t'aider, c'est une femme, une vraie, pas une de ces petites pimbêches qui a encore la couche au cul, pis qui va te faire accroire qu'elle était vierge avant d'avoir couché avec toi. C'est toutes des petites menteuses, pis toi, tu marches là-dedans.

Pour ma mère, me donner des conseils était sûrement plus facile que pour moi les mettre en pratique. La meilleure façon de m'aider à oublier était de travailler. Je n'arrêtais presque jamais et j'allais d'un bout à l'autre de la province, à des salaires aussi variés que les distances que je parcourais. L'important était de m'éloigner le plus possible de tout ce qui était mon passé avec Ginette.

J'ai repris ma vie de vagabond sentimental tout en demeurant chez ma mère. C'était d'ailleurs la seule femme que je savais capable de m'endurer, à rentrer à quatre ou cinq heures du matin, après mon travail, avec des barmaids, des waiters... quand c'était pas l'orchestre au grand complet, pour prendre un verre et luncher. Il y avait aussi tous les copains du métier : le grand André Bertrand, un raconteur d'histoires qui nous faisait rire aux larmes,

Claude Girardin, au temps où il était chanteur, Roméo Pérusse, un autre qui faisait bien rire maman. Il y avait aussi Yvan Dufresne, le fabricant de vedettes avec sa nouvelle découverte, Donald Lautrec, que j'avais rencontré alors que je chantais au théâtre Mercier et qu'il était acrobate. Il y avait aussi Michel Louvain, un ancien poulain de Dufresne (dans son cas, c'est la vérité) qui venait voir ma mère lorsqu'il avait des problèmes de laryngite. Il lui demandait de faire venir notre ami, le docteur McDuff, pour qu'il lui donne des piqûres de démocinéol. Ma mère lui disait en riant :

— J'veux bien y téléphoner pour qu'y vienne t'arranger ta gorge mais comme y't'pique dans les fesses, j'veux avoir la permission de les regarder.

Ça le faisait bien rire. Il était à l'époque de son plus gros boum de popularité et beaucoup de jeunes filles auraient bien voulu avoir ce privilège. Quand ma mère allait le voir chanter, il n'oubliait jamais de la présenter à son public en l'appelant « Maman Vadeboncœur, la mère des artistes » et ça, c'était l'ultime récompense pour ma mère.

Il y avait aussi le plus tannant de la gang, mon ami Claude Blanchard, qui arrivait toujours avec sa grosse Cadillac noire décapotable. Il venait me tirer la pipe, à l'époque où il était propriétaire d'une plage à St-Sulpice. L'endroit avait pour nom « La plage Claude et Armande » car sa compagne, à ce moment-là, était une fille que j'aimais beaucoup, Armande Cyr.

J'avais un autre copain, danseur et chanteur, qui arrivait aussi chez nous avec sa grosse Cadillac noire ; mais lui, il faisait des enterrements avec sa voiture pour arriver à la payer. Il est devenu un homme d'affaires connu dans la région de Québec ; je parle de Roger Dulud.

Puisqu'on est dans les grosses limousines, il y en avait une qui venait de temps en temps porter des fleurs à ma mère. C'était celle de Frank Cotroni. Il aimait bien maman et la respectait beaucoup.

Tout ce monde venait s'asseoir autour de la grande table de la cuisine. Elle en a vu tourner des tasses de café et des p'tits lunches, cette grande table toujours prête à recevoir quelqu'un. Et maman, avec son tablier — comme s'il y avait toujours du manger à préparer — était là, contrastant à travers ce monde, avec un seul désir : les voir repartir heureux. Elle le faisait sans préjugés d'aucune sorte et sans jamais porter de jugements sur quelqu'un. Avec ma mère, que vous soyez Premier ministre, curé, bandit, putain ou tout ce que vous voudrez, tout le monde était pareil et méritait son amitié. Il y avait toujours une chambre de libre dans la maison pour celui qui était trop fatigué ou trop saoul pour s'en aller chez lui en sécurité.

J'ai vu à plusieurs reprises des homosexuels du métier venir lui raconter leurs peines d'amour et leurs déceptions. Il ne faut pas oublier que nous étions loin de l'évolution d'aujourd'hui dans ce domaine. Elle les écoutait sans jamais paraître indifférente à leurs problèmes. Plus souvent qu'autrement, elle réussissait à les aider. Il y avait aussi les gars, ceux qui avaient des problèmes avec la justice. Ils venaient la voir avant de disparaître pour des «vacances» de quatre à cinq ans. Elle leur écrivait pour les encourager pendant qu'ils faisaient leur temps. À travers tout ça, il ne faudrait pas oublier le curé. Il venait faire son petit tour et prendre son café-cognac afin de se donner de l'énergie et continuer sa tournée.

Je l'ai entendue, un matin, parler au téléphone avec quelqu'un qu'elle appelait «Ti-Jean» gros comme le bras. J'ai pensé qu'il s'agissait de mon oncle Ti-Jean, son frère. Eh bien non! Elle parlait avec le Premier ministre de la province du temps, Jean Lesage, qu'elle avait rencontré avec moi sur le yacht d'un de mes amis de Québec. J'ai bien failli m'étouffer avec mon café quand j'ai réalisé avec qui elle parlait. Maman lui avait téléphoné pour savoir s'il ne pouvait pas trouver du travail pour des cousins de la Gaspésie.

Ben, arrange ça comme tu veux, elle a obtenu ce qu'elle voulait! Sa façon d'être était assez exceptionnelle; un peu trop directe mais toujours sincère. Elle ne disait jamais rien qui puisse faire du mal.

Un matin, nous étions tous les deux en train de bavarder en buvant notre café, lorsque la discussion tourna autour du fait que je n'avais pas d'émission de télévision à moi. Je lui répondis que je n'étais, pour le moment, qu'un chanteur de cabaret et que tout était bien ainsi.

— Ben moi, j'trouve que t'as plus de talent que ça, pis t'es ben meilleur que ceux que je regarde des fois.

— Moman, Moman! Toi, t'es ma mère pis tu m'vois dans ta soupe; mais les réalisateurs, c't'une autre affaire.

— Les réalisateurs, j'vas m'en occuper, moi. Après le déjeuner, tu vas m'embarquer dans ton p'tit char pis on va aller voir monsieur De Sève.

— Ben voyons, moman! Monsieur De Sève, c'est le grand patron; y a sûrement pas de temps à perdre avec nous autres. De toute façon, moman, tu l'connais pas.

— Ouais, ben viens avec moi pis tu vas voir si je l'connais pas.

En arrivant à Lavaltrie, devant la résidence, ou plutôt le domaine de monsieur de Sève, je suis inquiet de l'excès d'audace de ma mère. En frappant à la porte, un homme assez grand, habillé en «butler», nous répond que monsieur De Sève est absent. Ma mère ne perd pas un instant et lui répond :

— Ben voyons, sa grosse voiture est juste en avant, y peut pas être parti.

Juste à ce moment, je vois apparaître derrière l'homme qui nous a répondu, monsieur De Sève qui dit en riant :

— Mais c'est la maman de Paolo ! Laissez entrer, je vous prie.

Je n'en croyais pas mes oreilles et encore moins mes yeux lorsqu'un instant plus tard, nous étions assis sous la grande véranda, ou plutôt dans le salon vitré, d'où l'on voyait, à travers les arbres, son yacht attaché au gros quai de ciment. Monsieur De Sève était habillé d'une façon très aristrocratique avec, autour du cou, un foulard de soie qui lui donnait vraiment l'allure de l'homme important qu'il était. Il n'avait cependant aucune prétention dans sa façon d'être et dans sa voix toujours très calme. Je l'écoutais parler avec ma mère qui, elle, ne changeait pas son vocabulaire, ce qui n'avait pas l'air de le déranger. Il se retourna vers moi en disant :

— Paolo, la télévision privée est une grande entreprise. Je suis persuadé qu'un jour ou l'autre, ton heure viendra. En attendant, tu dois continuer à travailler, à te perfectionner et surtout reste ce que tu es pour que le public continue à t'aimer. Essaie de perfectionner ta diction un tout petit peu.

Il est venu nous reconduire jusqu'à la porte et il a mis la main sur mon épaule en disant :

— Bonne chance, Paolo !

Je suis revenu à la maison le cœur gonflé d'espoir, en espérant qu'il ait raison.

18

Quand on vit dans une valise

En attendant, je restais quand même un chanteur de boîtes de nuit, endroits où les aventures ne manquaient pas, car des cabarets, il y en a de toutes les sortes. Il y a d'abord le «super club», avec ses clients écrasés dans des fauteuils, fumant le cigare et qui vous regardent de très haut même s'ils sont assis très bas. Il y a ensuite le cabaret moyen où l'on marche sur des tapis et avec une clientèle variable. Et enfin l'autre, le plus fréquent, l'ancienne taverne au plancher de terrazzo qu'on a transformé en club pour faire des shows après que la danseuse ait fait son strip-tease; c'est alors le client qui détermine lequel des deux a la vedette.

Quant aux patrons, parlons-en. Comme ça pourrait être long pour bien les décrire, disons qu'il y en a autant de variétés qu'il y a sur terre de colombes et de vermines... Bien sûr, on ne les choisit pas.

S'améliorer, dans ces sortes d'établissements, ce n'est pas chose facile. Un client saoul, qu'il vienne de la haute classe ou du milieu ouvrier, reste toujours un client saoul. Où que vous alliez, il y en a toujours un pour vous emmerder. Essayer de parler un français académique à un client éméché qui a déjà des difficultés à parler, c'est du temps perdu car pour s'entendre, il faut d'abord se comprendre. La radio et la télé, c'est autre chose. Pour donner une idée de ce qu'un chanteur est obligé d'affronter quelquefois pour s'en sortir, je vais raconter quelques incidents que j'ai vécus. À travers ce que je vais te dire, n'oublie jamais que je suis d'abord un homme qui a connu la rue. J'en parle parce que j'en suis sorti, mais c'est très important car si, avec le temps, j'ai acquis un peu de classe, il ne faut cependant pas me bousculer trop fort pour que je redevienne, si c'est nécessaire, ce que j'étais avant. J'ai connu des artistes de cabaret qui, dans certaines situations, ont été très malheureux. J'en connais même qui ont tout laissé tomber tellement ils étaient dégoûtés, et souvent après s'être tapé une bonne dépression nerveuse.

Tu vois, Diane, ceux-là n'avaient pas été à la bonne école, celle où on apprend à se battre avec sa tête, son cœur et ses bras quand il le faut. La vie nous a donné des armes pour nous défendre et nous protéger ; il faut savoir s'en servir.

* * *

Un soir à Québec, au restaurant « Chez Émile », une petite boîte — où allaient travailler presque tous les chanteurs populaires — fréquentée en partie par un public d'ouvriers qui aimaient beaucoup les chansons romantiques, je suis sur une très petite scène ; derrière moi, trois musiciens sont écrasés contre le mur et séparés de moi par un minuscule piano par-dessus lequel je vois la tête sympathique de mon pianiste, Léon Bernier. Je suis en train d'interpréter ma chanson préférée, qui l'est encore d'ailleurs. C'est la première version que j'ai faite, à l'âge de dix-neuf ans, d'une chanson anglaise, sur un sujet que j'aime toujours, la marée. Je me concentre en laissant passer ma voix dans le micro lorsque je sens quelqu'un marcher derrière moi. J'essaie de ne pas oublier mes mots mais je frissonne en moi-même sous l'insulte qu'on vient de me faire. Je finis ma chanson et pendant qu'on m'applaudit, je me félicite de n'avoir rien dit. Mais revoilà le client qui s'engage sur le chemin du retour sans faire de détour. C'est sûrement moins long de passer derrière moi que de zigzaguer à travers les tables pour aller pisser. Je le vois s'engager sur la première marche de la scène. J'ai le temps de l'observer parce qu'il prend bien son temps. Il est habillé en uniforme de garagiste « Texaco », sa casquette sur la tête, avec un beau sourire vainqueur. Je me dis :

— Est-ce que j'vas prendre tes outils dans ton garage quand tu travailles? Alors pourquoi tu viendrais fouiller dans les miens?

Au moment où il va passer devant moi, je lui souris moi aussi mais aussitôt fait, je lui descends une de ces droites derrière le crâne qui fait voler sa casquette d'abord et lui après! Tous les deux s'écrasent sur le terrazzo en faisant tomber les tables des clients. Je prends le micro pour dire au monde, en oubliant ma belle diction :

— Le show est fini, câlisse!

Et je descends de scène, le cœur rempli d'une frustration qui fait trembler mes mains. Je veux que personne ne me touche ou me parle. En passant par la cuisine pour descendre au sous-sol où est ma loge, le doorman vient me crier :

— Hé, Noël ! Si tu commences à te battre avec les clients, ça va aller mal !

— Toé l'gros, tu peux ben aller chier ! C't'à toé de faire ta job !

— Noël, t'es mieux d'être poli parce que tu retourneras pas à Montréal en vie.

— Ouais, essaye donc ça, le gros, pour voir.

— Parfait Paolo, dimanche après la job.

En arrivant devant ma loge, je donne un coup de poing dans la porte pour me défouler. Ma main, après avoir défoncé le contre-plaqué complètement et fait voler en mille miettes le miroir qui était de l'autre côté, reste prise dans la porte. Je suis enragé par les insultes du client d'abord et ensuite du gros pas bon de la porte qui ramasse les pourboires sans faire son travail et vient crier après moi qui suis la source indirecte de ses revenus. J'arrache la porte et la lance au bout de mes bras, dans le fond du corridor étroit, jusque dans les bouteilles de ketchup et les pots de moutarde.

Après la soirée, je vais rejoindre des copains, dont Jacques Desrosiers, qui travaillent dans la haute ville. À ma grande surprise, tout le monde est au courant de ce qui s'est passé.

J'ai continué à chanter toute la semaine, mais j'étais très prudent lorsque je sortais le soir car je me doutais bien que quelqu'un avait des comptes à régler avec moi. Pour plus de sécurité, je téléphonai à mon frère Claude pour qu'il vienne me chercher le dimanche, car le gros de la porte, si c'était facile de l'envoyer promener pendant que j'étais enragé, je le trouverais lourd à soulever, une fois calmé. Quand l'heure est arrivée d'aller chercher ma paye, le dimanche, le patron, un homme attaché à ses sous, m'a fait payer tous les dégâts, même si tout le long de mon engagement j'avais rempli la place. Alors sur un salaire de deux cents dollars, il ne m'est resté, pour avoir travaillé toute une semaine, que quatre-vingts dollars. (Plus tard, après que ma cote de popularité ait augmenté, il m'a offert beaucoup plus d'argent pour retourner chanter chez lui, mais j'ai toujours refusé.)

Ce qui m'inquiétait le plus, ce n'était pas l'argent. C'était l'autre règlement, celui du gros de la porte. Peut-être avait-il oublié. Dans ce cas-là tant mieux, car je n'avais pas encore eu de nouvelles de mon frère. Il fallait bien que je sorte de la boîte : on fermait. Il devait être à peu près minuit quand j'ai mis le nez dans une rue déserte avec ma valise et ma guitare sous le bras. Devant ma petite voiture sport stationnée en face du club, une grosse voiture était là. J'y vois quatre personnes. Je ne pouvais pas distinguer de qui il s'agissait, mais je me dépêchai d'embarquer mes bagages pour disparaître au plus vite. Hélas, c'était peine perdue, car voilà l'affreux gorille. Le moment n'était pas à la prière et de la façon dont il s'amenait vers moi, en balançant ses gros bras, il fallait que je me défende pour lui faire gagner chèrement ma peau. De toute façon, je n'avais rien à perdre, et puis ça m'était arrivé, par le passé, d'être chanceux... Mais ça ne m'empêchait pas d'avoir «la crotte au cul». Tout à coup, derrière moi, j'entendis un cri monstrueux, presque un grondement de bête féroce :

— Aaaaaaa ! Mon gros tabarnac de tas de marde. Touche pas à mon frère ! J'vas t'fendre en deux !

Je me retournai et je vis mon frère qui s'en venait les bras en l'air. Il avançait avec les jambes ouvertes, en équilibre d'attaque. Aujourd'hui, je peux vous le décrire parce que « Hulk » existe. C'était à peu près la même chose, moins la couleur. Le créateur de Hulk avait sûrement dû voir mon frère au cours d'une de ses colères...

Pendant ce temps, mon brave doorman s'était réfugié dans sa voiture et se préparait à démarrer. Mais mon frère avait eu le temps de se rendre à côté de la portière, avant qu'il ne lève sa vitre et leur criait avec rage, en donnant des coups de pieds dans la voiture et en la secouant :

— Sortez tous les quatre, j'vas vous prendre en même temps. Vous allez voir que moi chu' pas chanteur. J'vas vous arracher la tête, gang de pourris.

Je m'en suis sorti de justesse encore une fois. Mon frère et moi, aussitôt nos faux assaillants partis, nous avons éclaté de rire comme des fous. Mon frère, dans ces moments-là, riait avec autant de cœur qu'il avait de rage l'instant d'avant. Et moi, j'avais l'impression que nous étions encore deux gamins jouant dans les ruelles, heureux d'avoir fait un bon mauvais coup bien réussi.

* * *

Un autre jour, à Pointe-aux-Chênes, je suis engagé avec les « Tune-Up Boys », pour faire le spectacle d'ouverture d'une ancienne salle de danse transformée en cabaret. La scène est aussi large que la salle dont on a ouvert les grands panneaux, qui donnent directement à l'extérieur, afin de faire entrer l'air frais du bord de la rivière Ottawa et dissiper la fumée des clients aussi nombreux qu'il y a de chaises. Le spectacle va bien car c'est un public facile. Je suis en train de chanter une chanson que tout le monde reprend avec moi, «Le bateau de Tahiti». Je suis quelque peu dérangé par des bruits de voix et de tables qui tombent, mais tous les artistes qui ont l'expérience du cabaret savent qu'il ne faut jamais s'arrêter dans un spectacle pour des bruits de doorman en train de planter un client trop «barbeux». C'est la meilleure façon de perdre son auditoire. Je continue donc de chanter, en marchant doucement tout le tour de la scène, quand je vois arriver devant moi un policier en uniforme, le revolver à la main. Je reste surpris, mais croyant qu'il vient pour rétablir l'ordre, tout en trouvant qu'il exagère un peu et qu'il pourrait bien oublier son gun, je m'arrête de chanter et je fais quelques gags concernant la police pour détendre l'atmosphère. Il n'a pas l'air de les trouver drôles. Je voudrais bien me voir ailleurs lorsqu'il pointe son arme dans ma direction. Je ne vois aucun endroit autour de moi pour me mettre à l'abri. Il tire alors une balle dans le plafond, juste au-dessus de ma tête. C'est la première fois de ma vie que ça m'arrive et ce n'est pas du tout comme au cinéma! Dans la salle, c'est la pagaille, le sauve-qui-peut général. Les verres, les tables, tout vole en l'air car les clients sont pressés de se mettre hors de portée du malade et de sortir en se bousculant. J'entends crier des femmes à chaque nouveau coup de feu que le gros policier tire un peu partout. Je sens tout à coup une main puissante m'agripper par mon veston et me traîner derrière le vieux piano, loin derrière moi sur la scène. C'est mon ami Maurice qui vient sûrement de me sauver la vie en me sortant de l'état de prostration où j'étais. Nous nous retrouvons accroupis tous les deux et il me dit:

— Bouge pas d'icitte, ti-gars, parce qu'on va se faire faire des trous qu'on a pas besoin pantoute.

Nous restons là sans bouger pendant que le gros policier vide son arme ; après quoi les doormen arrivent à l'assommer à coup de bat de baseball.

Le patron, qui n'a pas l'air d'avoir été ébranlé plus qu'il ne faut par ce qui vient de se passer, nous donne un verre pendant qu'il fait nos payes en nous disant :

— Les p'tits gars, on va oublier ça. L'ouverture est fuckée, j'pense pas que l'monde d'la place vont revenir icitte.

Nous autres, c'était pas notre problème. Il s'était sûrement passé quelque chose d'anormal. D'ailleurs, comme par hasard, la place brûla quelque temps après.

* * *

Je te raconte, je te raconte, mais il ne faudrait pas que tu crois que je suis un superman. Quelquefois, j'ai été bien inquiet pour ma santé et ma longévité.

Quand on est à Montréal, c'est pas la campagne et si les gars du milieu décident de faire du sport, c'est du sport. Surtout quand ils partent en « safari » aux bébittes à deux pattes.

Une nuit, le cabaret vient de fermer ses portes. Je suis assis avec les doormen et quelques waiters en train de prendre le dernier verre quand tout à coup, comme si un signal venait d'être donné, ils se lèvent tous et j'entends le plus vieux dire:

— C'est l'heure, les boys. Y faut y aller.

Je me lève comme eux, croyant qu'il est temps que je vide les lieux, mais à peine ai-je passé la porte que je vois une grosse Cadillac noire stationnée en avant. Les doormen me prennent par le bras en disant :

— Paolo, à soir on te sort. Y est temps que tu sois déniaisé.

J'essaie de leur faire comprendre que j'ai une petite blonde qui m'attend, rien à faire. Je me retrouve assis sur la banquette arrière, entre deux mastodontes qui s'amusent à faire des farces sur moi, dans le style :

— Ta p'tite blonde qui est venue l'autre soir, ça coûterait combien pour l'essayer ?

Je dois dire que je ne la trouve pas tellement drôle, mais je m'efforce de sourire. Je pense bien que j'ai pas le choix. Celui qui est assis devant se retourne vers moi pour me tendre un livret de chèques en blanc :

— Écris le montant dessus, j'vas le signer. Fais le prix pour quatre.

Je les trouve de moins en moins comiques. La voiture roule sur Ste-Catherine vers l'ouest. En arrivant à la rue Bleury, la Cadillac fait un « U-turn » rapide et s'arrête derrière une décapotable blanche stationnée en double file et dans laquelle je ne vois personne. Mes compagnons de promenade descendent rapidement pendant que le chauffeur appuie sur le bouton qui fait ouvrir le coffre arrière et d'où ils sortent des bâtons de baseball. Tout à coup, deux gars arrivent en trombe et sautent dans la décapotable blanche. Son conducteur n'a pas le temps de démarrer. J'entends le bruit que font les bâtons en frappant sur les crânes et je vois le sang jaillir. Les trois doormen frappent sans arrêt, en prononçant un nom que je ne dirai pas ici. Finalement, la décapotable arrive à démarrer. Je me demande quelle sorte de crâne a le chauffeur, car son passager a disparu sous la banquette depuis quelque temps déjà.

Je me dis que j'en ai déjà trop vu et je viens pour sortir de la voiture lorsque le chauffeur me dit, sur un ton très calme :

— Énerve-toi pas Paolo. On les a pas tués, c'est juste un avertissement. Ça fait longtemps qu'on lui dit d'aller jouer dans sa cour. T'as vu qu'il avait la tête dure.

Je suis rentré à sept heures du matin, après avoir fait le tour de tout ce qu'il y a comme boîtes fermant à des heures défendues à Montréal. C'était une façon à eux de me montrer leur affection. C'est très spécial, mais c'est comme ça.

* * *

Ces aventures peuvent paraître étranges à celui qui fait une vie normale. Ces petits à-côtés font partie du métier et je pense bien que c'est la meilleure école pour former un caractère d'artiste, quoiqu'il faille avoir la santé pour se rendre au bout de la chanson.

Il m'a fallu bien des années pour apprendre à ne pas me vexer devant les remarques désobligeantes d'un client qui a trop bu, qui est stone, ou tout simplement à qui ta tête ou ta voix ne revient pas parce que tu plais un peu trop à sa compagne.

Au début de ma carrière, j'étais un peu trop prompt à répondre à l'insulte par l'insulte ou par des gestes qui ne m'ont rien donné qui vaille, si ce n'est des embêtements inutiles. Avec le temps, j'ai appris à me servir des mauvais compliments du client en question, qui souvent est complexé et ne cherche qu'à attirer l'attention sur lui. Je lui renvoie poliment la balle dont il ne sait que faire. Tout le monde s'amuse à ses dépens et pendant ce temps, c'est moi qui suis payé. Et bien sûr, tout ça sans l'insulter, ce qui fait que souvent il devient un bon spectateur, heureux d'avoir fait son petit show.

* * *

Revenons à mes propos au sujet de mon caractère prompt. Je chante dans un cabaret très chic où, justement, le client est assis très bas pour te regarder de très haut. Pendant que je fais mes chansons avec ma guitare, j'ai à ma droite un client en train de boire du champagne avec une dame qui se pâme chaque fois que je dis quelque chose. Lui me traite de tapette. Aujourd'hui, ce genre d'insulte me fait bien rire ; mais dans ma jeunesse, c'était l'insulte suprême. D'un seul coup, je m'arrête de chanter. Je prends ma guitare par le manche et la défonce sur la tête du gars qui reste là, tout surpris, la guitare autour du cou, sans avoir l'air de comprendre ce qui se passe. Les clients se tordent de rire et les musiciens, derrière moi, sont pliés en deux. Ce n'est pas très brillant de ma part d'avoir fait ça, car il faudra que je m'achète une autre guitare alors que je ne suis même pas assez riche pour finir de payer, à raison de cinq dollars par semaine, celle que je viens de défoncer sur la tête d'un imbécile n'en valant même pas le prix.

Il y a aussi des clients un peu plus sadiques dans la façon de vous montrer leur mécontentement. Avec ceux-là, c'est bien difficile de passer outre, surtout lorsqu'ils s'amusent à lancer leur mégot de cigarette allumé tout en continuant à parler à haute voix avec leurs compagnons qui admirent leur audace. Ça m'est arrivé une fois et celui-là, je lui ai réglé son problème assez facilement.

Je ramasse le bout de cigarette qui vient de tomber à mes pieds tout en continuant à chanter comme si de rien n'était. Je me souviens très bien, c'était à Trois-Rivières et je chantais « La Mer ». Je m'approche très lentement de mon petit « rocker » peigné à la Elvis, en le regardant avec mon plus beau sourire, pendant qu'il reste « évaché » dans sa chaise, les pieds bien appuyés sur le rebord de la scène. Ma chanson est finie quand j'arrive devant lui. Alors rapidement, pendant les applaudissements, je me penche, laisse tomber mon micro par terre, lui saisis fermement le poignet, puis lui écrase comme il faut un de ses bouts de cigarettes dans le creux de la main pour ensuite la lui refermer dessus. Il pousse un cri et veut se lever mais j'ai tout prévu. Je lui tiens la main toujours fermée en bloquant son poignet pour qu'il ne bouge pas, le temps de lui dire quelques paroles douces à l'oreille.

— Je finis dans vingt minutes, mon osti de pas bon. Si t'as affaire à m'parler, tiens-toi devant la porte après le show.

Je n'ai cependant pas eu besoin de m'en occuper car j'avais des amis dans la place. Ils se sont fait un plaisir de m'enlever de l'ouvrage...

* * *

Ne va pas croire qu'il n'y a que de mauvaises aventures dans ce métier. Que non ! J'en ai connu de très belles, sinon ça ne vaudrait pas la peine de continuer... Et les plus belles avaient des noms de femmes.

Pour un chanteur mâle, un vrai, c'est terriblement grisant de se sentir aimé et admiré par les femmes de tous les âges ; mais il ne faut pas avoir la prétention de croire que l'on puisse toutes les conquérir et les posséder. Le plus souvent, ce sont elles qui nous choisissent et nous conquièrent à notre insu. Il y a quelquefois de grands dangers cachés derrière un regard angélique, un sein audacieux ou des hanches un peu trop appétissantes. Ce que je dis là, je le sais ; j'ai payé pour l'apprendre, même si tout au long de mon existence, j'ai été un grand admirateur de la beauté féminine.

Si j'ai dit plus haut qu'il y avait quelquefois des dangers derrière un visage angélique, c'est que je me rappelle une belle jeune fille qui m'attendait tous les soirs, après le spectacle. Elle restait dans la pénombre, à la sortie des artistes, cette jolie brunette assez grande avec des cheveux longs tombant sur le dos. Lorsque je partais, elle me regardait avec ses grands yeux de biche, quêtant un sourire ou un baiser sur la joue, me parlant gentiment de choses et d'autres. Elle finissait toujours par me demander d'aller la reconduire chez elle. Je dois dire que j'ai été tenté de le faire à plusieurs reprises, mais j'avais le pressentiment que son joli minois cachait quelque chose que je ne pouvais définir et je n'y suis jamais allé. Un des portiers s'en est occupé, un soir. Je n'étais pas inquiet car je le connaissais. C'était un garçon charmant qui travaillait à deux endroits pour pouvoir se payer le voyage de ses rêves. Il était au Canal 10 le jour et le soir, portier au théâtre. J'étais déjà couché depuis quelques minutes, après avoir regardé le dernier film à la télé avec ma mère, lorsqu'on frappe à la porte. Maman était encore debout car elle rapassait son linge la nuit. Elle est allée répondre avant que j'aie eu le temps de me lever et de descendre du deuxième où était située ma chambre. En entendant des voix d'hommes que je ne connaissais pas, je me dépêchai de descendre car, Paul travaillant sur le chiffre de nuit, ma mère se trouvait seule en bas. En arrivant dans la cuisine, je tombai nez-à-nez avec deux policiers. Ma surprise passée, ce fut la question automatique :

— Qu'est-ce que j'ai fait encore ?

Ils m'expliquèrent alors qu'ils recherchaient une jeune fille de quatorze ans qui, selon sa mère, devait être avec moi. J'expliquai aux policiers qu'il n'y avait personne avec moi, excepté ma mère, et que la dernière fille que j'avais vue dans la soirée, si elle était jeune, devait avoir au moins dix-huit ans, qu'elle était partie en compagnie d'un des portiers du théâtre et que je ne croyais pas qu'il s'agisse de la même personne. Comme ils n'ont pas eu l'air convaincus de ce que je leur disais, ma mère leur fit visiter la maison, chambre par chambre et garde-robe par garde-robe. Après quoi ma mère, commençant à perdre patience devant leur air indécis et sentant un danger me menacer, redevint la tigresse de faubourgs qui n'a pas la langue dans sa poche quand il s'agit de policiers :

— Bon, vous êtes contents, là ? Est pas dans' maison pis j'peux pas m'la fourrer dans l'cul ! Sacrez votre camp que j'finisse mon repassage !

Ils sont repartis et comme je n'avais plus envie de dormir, nous avons discuté longtemps, ma mère et moi, des raisons pour lesquelles cette femme avait envoyé la police chez moi avec la certitude que sa fille y était.

Finalement, j'ai appris le lendemain qu'on avait arrêté le jeune portier sous une accusation de détournement de mineure. Je l'ai rencontré plusieurs années après. Il était allé en prison et avait perdu son emploi. D'après lui, il aurait hérité d'un coup monté qui m'était destiné. Encore aujourd'hui, j'en ai des frissons rien que d'y penser !

* * *

Ne va pas croire qu'il n'y a que les mineures qui ont des yeux d'ange avec, collé au cul, un écriteau marqué «DANGER».

À l'époque où j'étais encore très timide et maladroit, je chantais dans un club qui a eu son heure de gloire et qui était situé sur la rue Ste-Catherine, à l'ouest de St-Laurent. Le maître de cérémonie, «l'animateur», était un jeune chanteur qui, depuis, fait de la radio comme nouvelliste : Pierre Leroux. Il faisait pâmer les femmes avec son grand succès «Rossignol de mes amours». Il présentait mon spectacle qui n'avait qu'un thème, l'amour. Ça plaisait beaucoup à toutes ces jolies dames aux grands chapeaux qui entouraient la scène. Quand les mots de ma chanson disaient «Je t'aime», mes yeux se posaient automatiquement sur cette jolie fille toujours habillée de blanc qui me regardait, elle aussi, avec son visage de madone.

Comme elle était belle ! Beaucoup trop belle pour le pauvre chanteur aux poches percées que j'étais. Quand j'avais terminé mon tour de chant et que je me retrouvais seul dans ma loge, je me faisais du cinéma en pensant à elle, un cinéma romantique, et j'osais parfois être érotique en y pensant. Même un pauvre chanteur a droit à ses rêves ! Mais comment les réaliser quand elle change de chevalier servant tous les soirs. La beauté a ses privilèges.

Une nuit, après avoir fini mes deux spectacles, j'allai me payer mon gueuleton préféré : un coke et un hot-dog, sur la «main». Je zigzaguais sur la rue St-Laurent, à travers cette gibelotte humaine dans laquelle se retrouvaient toutes les couches de la société : avocats, voleurs, tapettes, hommes d'affaires, putains et tout le reste... Même la police était là, déguisée en tout ce que vous voudrez. Tout le monde se retrouvait au « Montreal Pool Room » ; on y faisait les meilleurs hot-dogs en ville. Le tout était servi avec beaucoup de classe, c'est-à-dire tout le monde debout, et ceux qui étaient trop saouls pour se tenir debout pouvaient trouver une place préférentielle au comptoir ou contre le mur.

Je marchais lorsqu'une voiture s'arrêta près de moi en klaxonnant. Je reconnu alors, à son grand chapeau et à son visage de madone, la fille à qui je dédiais tous les soirs mes chansons d'amour. Et le miracle se produisit ; elle m'invita à prendre le café chez elle.

Enfin j'allais pouvoir lui parler et la regarder de près. Nous rentrâmes dans un petit deux pièces, rue Hôtel de Ville. Aussitôt entrés, elle alla se mettre à l'aise dans un déshabillé si transparent que j'en étais mal à l'aise. Elle m'offrit un drink mais je n'étais pas encore habitué à boire et je lui demandai un café, mais elle n'en avait pas. Je la regardais promener ses hanches autour de moi. Je ne bougeais pas, de peur de rompre le charme, lorsqu'elle se décida à me dévêtir, ce qui me donna le courage d'enlever mon pantalon mais pas mon caleçon. Elle m'emmena, par la main, dans une petite chambre où je vis un de ces grands lits de cuivre aux pattes hautes, comme celui qu'avait ma grand-mère. J'ai à peine eu le temps de m'asseoir qu'on frappa à la porte, mais pas de façon délicate. J'avais plutôt l'impression qu'on voulait la défoncer.

C'était le signal que j'étais au mauvais endroit et que je devais sortir au plus vite. Comment faire, sans culotte, alors que la seule porte que je connaissais était déjà occupée. Elle me fit un signe de ne pas parler en me montrant le dessous du lit. Je n'avais pas le choix ; je m'y glissai rapidement mais de peine et de misère car l'espace me manquait ; après quoi, elle m'envoya mon linge. Je restai couché sans bouger, la face collée contre le plancher. Je m'ennuyais de ma mère. J'avais l'air fin, couché en-dessous d'un lit où je n'avais pas d'affaire à être, en train de respirer des moutons de poussière qui me rentraient dans les narines et me chatouillaient. Mais on n'était pas dans un film. Je me demandais ce qui allait m'arriver si j'éternuais. De l'extérieur de mon abri, j'entendais des voix qui criaient, des claques sonores et des mots pas gentils. Il fallait bien que je tombe sur une femme mariée ! Je sentis tout à coup deux mains sur mes chevilles et mon corps se mit à glisser sur le plancher. Tout se fit si vite que ma tête accrocha le rebord du lit en sortant. Je me retournai sur le dos pour apercevoir, au-dessus de moi, un des doormen du club. Je ne savais vraiment pas quoi dire car c'était celui qui avait toujours été le plus gentil avec moi. Je me levai tout en m'excusant :

— J'savais pas que c'était ta femme.

Il me regarda un instant de haut en bas d'un air moqueur, car j'avais sûrement l'air très intelligent, debout en caleçon.

— Paolo, tabarnac, insulte-moi pas. C'te vache-là, c'est pas ma femme, mais est supposée être s'a job à c't'heure-citte, pis toé, mon p'tit criss, t'es chanceux que ce soit moé qui l'aie pognée à lofer, parce que t'aurais pu avoir du trouble. Paolo, fais pas de passes aux filles des ring side qui ont des grands chapeaux, c'est toutes des plottes de gaffe.

Amuse-toé pas avec ça, tu peux pogner pas mal mieux. Là, mets tes culottes, pis va-t'en!

Se retournant vers la fille qui s'essuyait les yeux :

— Toé, grouille-toé l'cul, t'a pas fini ta nuitte.

Je suis sûr qu'il n'y a pas un pompier qui peut s'habiller aussi vite que je l'ai fait cette fois-là.

Par la suite, j'ai été prudent avec les femmes de la nuit. Si je ne les connaissais pas auparavant, je refusais carrément d'aller dans leur appartement, où la chance ne serait peut-être pas sous le lit.

Un homme serait bien prétentieux de dire qu'il sait tout des femmes car plus on en apprend sur elles, plus on s'aperçoit qu'on ne sait rien. Et ça fait mentir le proverbe qu'un homme averti en vaut deux. En amour, c'est faux.

19

Simone

Alors que je chantais à Hull, encore déçu de la fin de mon aventure avec Ginette, je reçus, après mon spectacle, une douzaine de roses accompagnées d'une carte sur laquelle était écrit : « D'une admiratrice, Simone », avec l'adresse d'un salon de coiffure d'Ottawa. Je me demandais bien qui pouvait être cette personne. Les roses étaient magnifiques, mais comment était-elle, elle ? Je me suis toujours méfié des invitations par lettre ou par téléphone, car je n'aime pas les mauvaises surprises.

Un après-midi que je n'avais rien à faire, je décide d'en avoir le cœur net et d'aller voir. Je me présente donc à l'adresse indiquée, sur la rue Dalousie. À la jolie dame qui me répond en rougissant, je demande si je peux parler à Simone. Elle me répond, en rougissant encore plus :

— C'est moi.

Ne voulant pas la rendre plus mal à l'aise, je lui dis :

— Je passais et je voulais te remercier pour les roses. Si un jour ça te tente, j'aimerais t'inviter à souper. Je chante encore pendant une semaine à Hull.

Elle ne répond pas et semble nerveuse. Ses yeux sont toujours tournés vers la vitrine. Peut-être ne suis-je pas au bon endroit et au bon moment pour faire mes visites. Je lui dis simplement bonjour et m'en vais. J'ai à peine le temps de me rendre à côté de ma voiture que je sens une main agripper mon épaule par derrière. Comme je suis méfiant de nature et que je n'aime pas qu'on me donne l'heure juste quand je n'en ai pas besoin, je me retourne rapidement pour apercevoir un homme assez jeune que je ne connais pas. Je lui demande ce qu'il veut. Il ne répond pas mais se prépare à faire un mouvement. Rapidement, je le prends à la gorge avec ma main gauche, en tenant bien serré son collet de chemise et en le retenant au bout de mon bras. Je lui répète ma question :

— Qu'est-ce que tu veux ? Pis prends pas trop d'temps pour répondre, sinon y va t'arriver quelque chose que t'aimeras pas.

Et, tout agressif qu'il avait l'air un instant avant, il se met presqu'à pleurer comme un enfant déçu, pour me dire :

— Touche-moi pas, j'viens juste d'être opéré pour l'appendicite. Croyant à une ruse de sa part, je le tiens toujours.

— J'veux pas savoir ta vie, j'veux savoir c'que tu m'veux.

— J'veux te dire que Simone, c'est ma blonde. J'veux pas que tu sortes avec.

— Ta blonde, j't'a volerai pas, mais je l'ai invitée à souper pis si à décide de venir, j'te demanderai pas la permission. Pis recommence pas ton p'tit jeu sournois avec moi, sinon tu vas avoir des troubles avec ton opération. Là disparais, j't'ai assez vu.

Pendant ce temps-là, toutes les clientes et les coiffeuses du salon regardaient la scène à travers les vitrines. Pour leur montrer que la chose n'était pas bien grave, je leur ai fait un beau sourire et un beau bye-bye avant de partir.

Quelques jours plus tard, je reçus une autre gerbe de roses, mais cette fois avec un numéro de téléphone : un numéro de téléphone nommé Simone, derrière lequel se cachait une cage dorée dont j'ai été prisonnier pendant quelques années. Un prisonnier d'abord heureux parce que ma geôlière était jolie et aimait la vie. Avec elle, pas de problèmes. Tout avait un prix. Ce qui ne lui venait pas, elle allait le chercher. Comme elle était passée maîtresse dans l'art de la coiffure depuis plusieurs années, pour se payer ce qu'elle voulait, elle travaillait du matin au soir dans son salon. Moi qui n'avais jamais été gâté par la vie, je l'étais enfin. Mais je continuais à vivre avec un ombrage sur le cœur et il m'a fallu l'aide de mon ami Jean Yale pour me débarrasser du fantôme de Ginette. Il n'a pas pris cette voix que tu connais par la télévision et par la radio, pour me dire sur un ton sec et direct :

— Paolo, mets-toi une chose dans la tête. Entre la Ravel et toi, c'est fini ! Arrête ta poésie ! Elle est déjà amoureuse d'un gars que tu connais bien, Pierre Marcotte.

Je l'écoute et refuse de le croire, mais je sais que Jean est un homme franc et je continue de l'écouter.

— De toute façon, tu t'arranges bien avec la petite d'Ottawa. Profites-en donc pour te faire gâter un peu pis prendre le temps de vivre. Prends aussi l'habitude de mettre ton cœur dans tes poches pour ne pas te faire avoir encore une fois ; ça te ferait du bien de changer d'air pendant un bout de temps.

Jean, voyant que je ne suis pas convaincu de ce qu'il vient de me dire, se fâche.

— Criss, si ça te prend des preuves, quitte à ce que tu me détestes après, j'vais t'les donner si ça peut de guérir.

Il m'a emmené dans sa voiture jusqu'à l'appartement de Ginette, dont j'avais encore la clé, et je les ai vus tous les deux. Pierre semblait embarrassé mais Ginette était heureuse de me dire les mots blessants qu'il me fallait peut-être entendre pour être convaincu.

— Paolo Noël, t'as vu ! T'es content ! Ben maintenant, remets-moi la clé de mon appartement pour que je la donne à mon amant puis va-t'en !

J'ai mis la clé sur le bureau et je les ai regardés sans rien dire. Le cœur me faisait trop mal et je ne voulais pas m'abaisser à pleurer. Comme j'allais partir, Pierre m'a dit.

— Je m'excuse Paolo, je croyais vraiment que c'était fini entre vous deux.

Et comme Ginette allait recommencer son numéro, il lui a dit :

— Tais-toi, ne sois pas méchante pour être méchante, il a assez mal comme ça !

Je suis reparti et ce n'est que dans la voiture que je me suis mis à pleurer.

J'ai passé la nuit à parler avec Jean de nos philosophies de la vie et de l'amour qui étaient complètement différentes mais qui, au fond, se rejoignaient. J'ai suivi son conseil. Je suis parti pour

Ottawa chez ma petite coiffeuse, pour une désintoxication amoureuse.

Simone avait fait aménager, dans le sous-sol de son salon, un joli petit boudoir avec tout ce qu'il faut pour être heureux sans voir personne. Elle y venait pour faire l'amour, entre deux clientes, à l'insu de sa mère, la puritaine. Elle n'aimait pas ma présence sur les lieux. (Encore une belle-mère qui m'adore; décidément, je devrais en faire une collection.) Je passais mes journées à lire, à écrire de la poésie et des chansons et aussi à rêver de mon bateau et de mes îles. Je n'avais aucun problème monétaire. Simone s'occupait de tout. Doucement, petit à petit, avec son sourire et sa joie de vivre, elle a fini par me guérir; mais je n'étais pas encore amoureux d'elle. J'étais toujours méfiant et sur mes gardes.

Je ne sais plus combien de temps je suis resté dans ma retraite mais un jour, la fringale de mon métier m'est revenue. J'avais besoin de voir du monde comme on a envie de manger, lorsque la fièvre est tombée. J'ai décroché le téléphone.

Chez RCA on se demandait ce que j'étais devenu. Marcel Leblanc avait une bonne nouvelle pour moi : il voulait faire un microsillon composé de chansons de mer, reliées entre elles par des poèmes que je devais écrire. Je lui ai dit que c'était déjà fait et je suis reparti pour Montréal. Simone n'aimait pas beaucoup me voir retourner à mon destin mais il le fallait. Le microsillon a connu beaucoup de succès. Il était fait sur le thème «Le Bateau s'en va».

Un succès traîne toujours avec lui des retombées sur le plan du travail : radio, télé, spectacles. Simone faisait la navette entre Ottawa et les endroits où je travaillais. Elle voyageait avec sa voiture, en avion, en autobus et même en train. Les distances ne semblaient pas exister pour elle, pourvu que nous passions une nuit ensemble. Plus les mois passaient, plus sa présence me devenait nécessaire et je m'attachais à elle sans m'en rendre compte. Lorsque je ne chantais pas, c'est moi qui voyageais vers Ottawa pour aller la retrouver, dans une magnifique Jaguar sport que je m'étais achetée mais qu'elle avait payée au complet pour que je n'aie pas de problème avec la finance. Tout allait bien entre nous. Pour que nous ayons un peu d'intimité lorsqu'elle venait à la maison, ma mère avait meublé une petite piaule dans l'ancien garage faisant face au fleuve et que mon beau-frère, Pierre, avait rénovée. Toutes les fins de semaine, Simone et moi nous y retrouvions. Ça rendait ma mère heureuse de me voir avec une femme équilibrée qui était devenue un membre de la famille car elle savait se faire aimer de tout le monde. Pendant deux ans, tous les week-ends furent une petite fête. Elle arrivait, la voiture pleine de cadeaux, de nourriture et de boissons, afin que nous ne manquions de rien. Puis un jour, elle s'est fatiguée de ma présence, comme un enfant lassé d'un jouet.

J'ai commencé alors à avoir des difficultés à la rejoindre. Il y avait toujours une raison pour qu'elle ne vienne pas me retrouver où j'étais, son téléphone restait sans réponse ou c'était sa mère qui me répondait que sa fille n'y était pas et que je devais l'oublier avant qu'elle ne me fasse du mal.

— Car Simone, disait-elle, est une femme qui se paie les hommes qu'elle veut, pour ensuite les laisser tomber quand elle en a assez.

Je raccrochai en me disant que sa mère devait être une autre de ces mères possessives qui veulent garder leur enfant rien que pour elles. Un samedi matin, alors que j'avais eu ce genre de réponse, je partis pour Ottawa sans avertir. Avec une Jaguar qui peut se taper le cent quarante milles à l'heure, les distances sont vite parcourues si on oublie la loi. En arrivant devant la maison de ses parents, je me garai devant une Corvette. Je n'eus pas le temps de me rendre à la porte que je vis Simone sortir sur le balcon. En me voyant, elle fut toute surprise que je sois là, lorsque apparut derrière elle, le propriétaire de la Corvette : le cousin aux lunettes fumées qui était pilote d'hélicoptère et qui me regarda avec son air snob. Je m'approchai pour lui dire d'attendre un instant, que j'avais affaire à Simone mais sans lui. Il resta appuyé devant la porte pendant que je parlais avec elle, assis tous les deux dans ma voiture. Simone avait l'air très nerveuse et bafouillait en me répétant qu'il n'y avait rien entre eux, que c'était tout simplement son cousin et qu'ils s'apprêtaient à partir pour l'aéroport, faire un tour d'hélicoptère.

— J'trouve que pour un cousin, y'a l'air pas mal collant. Puis en fin de semaine, tu m'avais promis de venir sur mon bateau. J'vas t'aider à tenir ta promesse.

Comme le moteur de ma voiture tournait toujours, j'ai pu les prendre par surprise. J'ai démarré à toute vitesse. En moins de deux, j'avais traversé la circulation d'Ottawa pour me rendre à l'ancienne transcanadienne, une route à deux voies à sens unique. Je me mis à zigzaguer tout le long de la rivière Ottawa quand soudainement, j'aperçus dans le rétroviseur la Corvette qui gagnait du terrain. J'écrasai mon pied au fond, doublant à gauche, à droite, sur le gravier ou sur l'asphalte ; ça n'avait aucune importance. S'il voulait me rattraper il allait falloir le gagner. Simone me suppliait d'arrêter mais je n'avais pas le temps de répondre. Quand on conduit de cette façon, il faut se concentrer et ne rien voir d'autre que ce qui est devant et derrière la voiture.

Quand le cousin eut lâché, c'est la police qui s'est mise à mes trousses. Mais c'était déjà trop tard, j'approchais des limites de l'Ontario. Dans ce temps-là, aussitôt qu'on avait pénétré dans le Québec, ils nous oubliaient. Simone était silencieuse et semblait même heureuse des événements et de l'importance que je lui donnais.

Le lendemain matin, nous étions en train de prendre notre café dans le bateau lorsque j'entendis le bruit d'un hélicoptère qui tournait autour de mon mât. C'était le cousin qui avait pris la voie du ciel pour venir chercher son petit ange qu'un affreux marin lui avait volé. Le temps qu'il atterrisse sur le terrain de ma mère, nous étions rendus dans la cabane où mon frère, au courant de ce qui se passait, était venu nous rejoindre. Deux hommes sont sortis de l'hélicoptère, le cousin et un gros court. À peine avaient-ils mis le pied dans la cabane que Claude leur dit :

— Aye, restez où vous êtes tous les deux pis dites-moi ce que vous voulez.

— On est venu chercher Simone pis on partira pas sans elle !

— Un instant ! La seule personne qui va décider si a's'en va ou si a'reste, c'est elle ! O.K. ?

Simone était assise à la table et semblait troublée par la situation. Mon frère lui posa la question.

— Est-ce que tu restes avec mon frère ou si tu pars avec celui-là ?

Elle a pris ma main en disant :

— Je reste avec Paolo.

— Mais voyons Simone, t'as même pas pris le temps de réfléchir. Tu sais très bien que lui c't'un gars pas d'avenir! a rétorqué le cousin.

Mon frère, voyant mon embarras, dit:

— Aye, a'dit qu'à restait, ben allez-vous-en par le même chemin que vous êtes arrivés.

Le gros a fait un pas en avant mais Claude, qui le dépassait d'une couple de tours de bras, l'arrêta:

— Toé, l'gros, si t'avances d'un autre pas, tu vas manquer le voyage de retour.

On s'est arrêté tous les quatre pour se regarder et se mesurer. Mon frère et moi attendions un tout petit mouvement de leur part pour faire un peu d'exercice et savoir si tout fonctionnait comme dans le temps de la rue Cuvillier. Mais non... ils sont partis.

Ce fut une autre bonne occasion pour fêter quelque chose que je ne pouvais définir: un retour, une victoire ou une défaite? Je l'ignorais. Maintenant, ce que je savais, c'est que Simone mentait comme elle respirait et qu'elle le faisait avec tellement de conviction qu'elle finissait par y croire elle-même. Peut-être le faisait-elle pour ne pas faire de peine, mais à la fin du compte, c'est ce qui arrivait quand même. Je l'ai entendue, à son insu, raconter les plus doux mensonges à son père et à sa mère pour qu'ils n'aient pas de chagrin lorsqu'elle partait avec moi sans qu'ils le sachent. Quand on découvre un mensonge, on en découvre d'autres. La petite fille qui demeurait chez ses parents et qui devait être sa sœur, était en réalité sa fille...

Toutes ces choses, au fond, m'étaient bien égales. Elle ne m'avait pas menti à moi, mais j'avais perdu confiance en elle. Elle me disait qu'un jour, quand nous serions vieux et que j'aurais accumulé assez d'argent pour nous deux, nous irions vivre sur mon bateau dans mes îles. Je ne l'écoutais plus, je savais qu'elle mentait et qu'elle repartirait.

Qu'est-ce que je peux bien leur faire, aux femmes, pour qu'infailliblement, un jour ou l'autre, elles se lassent de moi ? Suis-je un si mauvais amoureux ? Je voudrais bien le savoir. J'avais pourtant suivi le conseil de ma mère. J'avais trouvé une femme, une vraie, celle qui doit savoir ce qu'elle veut. Pourtant, le résultat était le même. Je passais encore de longues semaines à attendre, seul. Il y avait des jours où je me disais : si au moins j'avais mes enfants avec moi, je n'aurais pas besoin d'une femme pour venir me raconter ses mensonges et déranger ma vie.

*　*　*

Quand ma solitude devenait trop lourde et que j'avais besoin d'un ailleurs, j'allais quelquefois passer un bout de soirée dans une petite boîte que j'aimais, Chez Clairette. Je m'assoyais dans un coin pour écouter les jeunes poètes qui y chantaient. Quand la « mère supérieure » avait fait son tour de chant, elle venait me dire bonsoir. Clairette me connaissait depuis plusieurs années. Elle était ce genre de femmes qui devinaient mon état d'âme et elle me disait, avec toute la chaleur de son accent du midi :

— Pauvre petit, va, tu as encore du chagrin, toi. Ne reste pas seul dans ton coin, viens t'asseoir près du bar. Le temps de faire la caisse et je te rejoins.

Et elle disait ces mots avec des larmes au bord des yeux, comme s'il s'agissait de son propre chagrin. Cette grande dame m'a fait quelquefois beaucoup de bien sans le savoir.

Un soir, j'étais à sa boîte, appuyé sur le comptoir près de la caisse, d'où on voyait l'entrée de la cuisine. Par la porte ouverte, j'apercevais de profil, un homme assis sur une caisse de coke qui se balançait en fumant une cigarette, une bière à la main. Je demandai à Clairette qui était ce monsieur que je croyais reconnaître. Je n'étais pas sûr que ce soit lui, ou plutôt je n'arrivais pas à y croire. Elle me dit avec son sourire bien marseillais :

— Bien, c'est lui ! Tu ne t'es pas trompé, c'est bien Jacques Brel !

C'est incroyable qu'il soit là, lui, le grand Brel de la chanson, assis tout simplement sur une boîte de coke comme l'aurait fait n'importe quel ouvrier. C'est là que j'ai appris qu'il était lui aussi un grand amoureux de la mer et des bateaux. Quand je suis reparti vers ma cabane, je me sentais moins seul et plus riche. J'avais vu Brel et même s'il ne parlait pas beaucoup, je me suis vite aperçu que je n'étais pas seul à traîner mon ennui. Il y en avait de plus grands que moi avec de la tristesse au fond des yeux.

20

La mafia vs maman-la-tigresse

Après quelque temps sans nouvelles de Simone, elle me téléphone un soir pour que j'aille la chercher à Dorval. En entrant dans l'aéroport, je la vois venir vers moi, toute souriante avec des cadeaux plein les bras : trois petites trousses de voyage de compagnies d'aviation remplies de friandises qu'elle a achetées pour mes enfants. C'est sa façon à elle de se faire pardonner ses fugues. De toute façon, je l'embrasse et ne dis rien. Je sais d'avance que c'est du temps perdu et j'en suis rendu à me contenter de quelques parcelles de bonheur. Arrivé dans la voiture, je lui propose d'aller porter les cadeaux aux enfants à Rosemont, chez les parents de Thérèse. En arrivant sur la cinquième avenue, je stationne ma voiture près de la ruelle pour éviter d'attirer l'attention sur Simone en attendant que j'aille porter les cadeaux. Thérèse me répond et comme il est un peu tard, elle me dit que je ne peux pas voir les enfants parce qu'ils sont couchés. Je lui remets les cadeaux en lui disant d'embrasser les enfants pour moi. Je m'en retourne vers la voiture un peu déçu et comme je vais pour démarrer, j'aperçois, dissimulées dans l'ombre juste au coin de la ruelle, des silhouettes qui semblent me surveiller. Je fais semblant de ne pas les voir mais aussitôt que j'ai démarré et que ma voiture est en ligne avec la ruelle, j'allume les phares. Je suis déçu et paralysé pendant quelques instants par la surprise ! Avant qu'elle ne se sauve, j'ai le temps de bien voir Fredda, la mère de Thérèse, en train de montrer à ma fille aînée, Johanne, que j'étais venu lui rendre visite accompagné d'une autre femme. Comment cette femme, après tant d'années, peut-elle me haïr au point de vouloir détruire l'affection qu'ont les enfants pour moi ? Comment peut-elle faire du mal à mes enfants qui ne sont responsables de rien ?

Simone est très mal à l'aise et s'excuse d'être la cause d'une chose aussi laide.

— C'est pas de ta faute, t'es responsable en rien de ce qui vient de se passer. Je suis séparé depuis tellement d'années ! J'avais cru que mes anciens beaux-parents auraient oublié nos vieilles querelles, mais je pense qu'il n'y a rien à faire. Ils vont me haïr jusqu'à la fin de mes jours ! Ils vont continuer à nous créer, aux enfants puis à moi, des chagrins pour rien. En parlant de chagrin, tu sais que tu m'en fais, toi aussi. Ça fait longtemps que j'ai pas eu de tes nouvelles. T'étais pas au salon, t'étais pas chez vous, t'étais nulle part !

— J'étais tannée d'avoir un homme qui m'appartenait pas à moi toute seule. J'suis allée en vacances dans l'Nord pour essayer de t'oublier.

— T'es revenue parce que ton problème était réglé ?

— Oui, parce qu'au début ça allait bien. J'avais l'impression que ça serait facile. Un beau jour, j'ai commencé à m'ennuyer, pis me v'là.

Elle se met à rire pour atténuer le sérieux de ce qu'elle vient de me dire.

Elle me raconte ensuite que pendant ses vacances, elle a fait la connaissance d'un homme avec beaucoup de classe, un Italien, qui se dit artiste-peintre. Lorsqu'elle me dit son nom, je suis stupéfait :

— Ce peintre-là, j'pense qu'y peinture au gun !

— T'es jaloux !

— Peut-être, mais ce qui m'inquiète le plus, c'est que tu t'es sûrement mis les pieds dans les plats.

— Voyons, Paolo, toi pis tes histoires de mafia, tu m'fais rire. T'es t'un vrai enfant !

— Moi, j'suis peut-être un enfant mais pas lui ! Surtout si tu lui as dit que tu revenais avec moi !

— Je lui ai parlé de toi mais y connaît même pas ton nom.

— S'y connaît pas le mien, moi je connais le sien...

Quelques jours après que Simone soit partie, mon téléphone sonne au milieu de la nuit. Croyant que c'est Simone qui m'appelle, je réponds en prenant ma voix douce. Mais ce n'est pas elle. Celui qui me parle a un fort accent italien. Il demande pour parler à Simone.

— Simone est pas ici, qui parle ?

— Laisse faire qui qui parle. À l'avenir, y va falloir que tu laisses Simone tranquille ! O.K., Noël ?

Il n'a pas besoin de me dire son nom, je sais qui parle. J'entends bien ne pas me faire donner d'ordres par cette gang-là. J'suis pas dans leur business. Je lui crie à en défoncer le téléphone :

— Veux-tu aller chier, osti d'wops! Tu m'diras pas quoi faire dans ma vie, toi mon tabarnac! Pis mange donc un char de marde à part de d'ça!

Et je raccroche pour rappeler Simone et lui conter la chose. Mais elle ne me croit pas parce qu'il «était trop distingué»!

— Ben oui, quand ils veulent embarquer quelqu'un, ils sont tellement bons comédiens qu'ils devraient tous être dans l'Union des artistes.

Ensuite, j'essaie de dormir. Le lendemain soir, à la même heure, la même voix me réveille.

— Aye, Noël! T'as-tu réfléchi à propos de l'affaire que je t'ai dit hier?

— Oui, pis mange un autre char de marde. Si tu veux me parler, dérange-toi pis viens me voir! Tu m'fais pas peur, mon osti!

Je raccroche mais je commence à me poser des questions. Pour ne pas prendre de chances, je charge mon douze et je l'appuie à côté de mon lit. Mais je connais mieux comme somnifère...

La nuit suivante, comme s'il avait un cadran accroché au cul, il me téléphone à nouveau mais cette fois, je l'attends et je ne le laisse pas parler.

— Aye, j'te dis de te déranger si tu veux me parler. Au téléphone, c'est trop facile d'être brave pis d'avoir une grande gueule. Avec un douze dans l'cul, tu vas peut-être parler moins fort.

— Aye, aye! Énarve-toi pas! J'ai justement envoyé des p'tits gars pour te parler. Va regarder, tu vas voir si j'te conte des menteries!

Je laisse tomber le téléphone, je prends mon douze et regarde si les cartouches sont bien en place. Je sors de la maison. Il y a bien une grosse voiture noire stationnée en haut de la côte, juste dans l'entrée. Je raccroche le téléphone sans dire un mot pour ne pas être pris dans la souricière qu'est ma cabane. Je cours, en caleçon, me réfugier chez ma mère, en emportant mon douze. Ma mère se lève. Je lui dis de ne pas allumer de lumières et de venir regarder avec moi par la fenêtre, en avant, la voiture qui est stationnée en haut. Pour plus de précision, je prends les lunettes d'approche de Paul. Je vois alors très bien trois hommes qui discutent et fument. Je vois leurs cigarettes mais ils ne sortent pas de la voiture. Au bout d'une heure, ils repartent.

Ma mère me dit de me coucher en haut, que demain elle téléphonera à quelqu'un. Comme j'allais m'engager dans l'escalier, elle rajoute, sur un ton moqueur mais convaincant :

— N'empêche pas que ta Simone, a't'en fait des belles. Y manquerait pus rien qu'ça, que tu t'fasses tirer pour une femme ! Comme ça, t'aurais le gâteau au complet !

Le lendemain, ça ne traîne pas. Maman-la-tigresse est sur le téléphone, appelle l'un, appelle l'autre. Elle finit par rejoindre l'oncle du peintre en question et on n'en a plus jamais entendu parler. J'étais heureux que cette histoire se termine de cette façon.

* * *

Il suffit quelquefois d'un éclair de folie pour commettre des actes irréparables. Néanmoins, si la présence de Simone m'était encore agréable, je me méfiais de plus en plus d'elle et de ses réactions de révolte devant cet amour possessif qui l'animait. Elle ne me disait rien de ses sentiments, mais elle a confié à mon frère et à sa femme qu'elle aurait préféré que je sois laid afin qu'aucune femme n'ait de désir pour moi et qu'ainsi elle puisse me garder à elle toute seule. Je lui ai dit un jour que j'étais fatigué d'attendre qu'elle ait besoin de faire l'amour pour avoir le plaisir de sa présence et que si nous continuions à vivre «à longue distance» comme nous le faisions, avant peu nous serions définitivement séparés.

Elle vendit son salon de coiffure à Ottawa, loua un appartement à Pointe-aux-Trembles pour y installer sa fille, son père et sa mère, et nous, nous vivions tous les deux à plein temps dans la cabane avec nos oiseaux et nos chiens. Et tout alla pour le mieux.

Je venais d'enregistrer un succès qui marchait bien et tournait beaucoup à la radio. «Le temps des guitares». Mais pour faire plaisir à Simone, je refusais de chanter en public. Je passais mon temps à travailler sur mon nouveau bateau, mon frère étant devenu propriétaire de mon ancien voilier. Un après-midi, j'étais en train de peindre sur le pont de mon bateau, en cale sèche. Autour de moi, les ouvriers de Jean Beaudoin s'affairaient à la réparation d'une autre embarcation quand l'un d'entre eux me dit :

— Aye, Paolo! Y paraît que t'aurais volé la chanson d'un autre chanteur ?

Je m'arrêtai de travailler pour lui demander :

— Qui t'as dit ça, toi ?

— C'est Jacques Matti qui a écrit dans le journal que t'avais volé la chanson d'un de ses artistes.

— C'est un tabarnac de menteur !

Un homme que je connaissais et que je ne veux pas nommer dit à l'ouvrier :

292

— Paolo a volé une chanson ! Ça, ça me surprend pas. Si y'est aussi voleur que son père, vous êtes mieux de barrer vos coffres d'outils !

Je sautai directement du pont du bateau sur l'homme qui, sous mon poids tomba sur le dos. J'eus à peine le temps de lui mettre mon poing sur la gueule que Jean Beaudoin, qui avait tout entendu, vint nous séparer pour ensuite mettre l'intrus hors de portée.

— Paolo, t'es pas pour commencer à te battre pour des paroles d'ivrogne ; de toute façon, nous autres on sait qui c'est que t'es !

Mais je n'étais pas calmé ni contenté après ce qu'on venait de me dire. Je sautai dans ma voiture, avec sur le dos mon linge souillé de peinture, pour retrouver Matti. Je me rendis d'abord à CKAC où il était directeur des programmes. J'arrivai quelques minutes trop tard, il venait de partir. Je sillonnai la rue Ste-Catherine d'est en ouest et comme je revenais sur mes pas (la rue Ste-Catherine était encore dans les deux sens) je l'aperçus qui traversait à l'intersection de la rue Guy. Je n'avais pas de temps à perdre. J'étais encore sous l'effet de l'insulte. Je stoppai ma voiture au milieu de la rue et je sortis en criant :

— Aye, Matti !

Comme il venait dans ma direction, il s'arrêta en m'apercevant.

— Matti, depuis quand j'suis un voleur, câlisse ?

Il rougit et me répondit :

— Paolo, ne t'emballe pas pour rien.

— Comment pour rien criss. Tu m'as traité d'voleur !

Fin renard comme il l'est, il me répondit pour me calmer :

— Mais, mon pauvre Paolo, c'est des histoires de journaux ! Tu ne devrais pas t'en faire ! C'est de la publicité pour toi et pour lui !

— Écoute un peu, Matti, « Le temps des guitares », c'te chanson-là, c'est pas plus à ton chanteur qu'à moi. C'est Tino Rossi qui l'a créée.

— Mais oui, je suis d'accord. J'vais en parler la semaine prochaine.

Il était temps que la discussion se termine car nous dérangions quelque peu la circulation, plantés tous les deux au beau milieu de la rue.

Je démarrai rapidement avec ma voiture, avant que le policier à la casquette blanche n'arrive à me rattraper en zigzaguant à travers la circulation bloquée.

Je suis retourné à Repentigny, mais je n'étais pas content de moi et de ma façon d'agir. Au fond, l'insulte ne venait pas de Matti, elle venait de ceux qui me l'avaient rapportée à leur façon. Quand je pense que j'ai des premières pages avec ma photo et qu'on ne m'en parle même pas ! Pour une fois qu'on écrivait un mot de travers, on se dépêchait de me le dire. Mais leur médisance aura au moins servi à quelque chose : me réveiller pour que je m'aperçoive que si je ne m'occupais pas de ma carrière et que je continuais à jouer les vieux amoureux rangés, pendant ce temps-là, d'autres se grouillaient le cul pour avancer.

En arrivant à la cabane, je contactai tout de suite mon ami impresario, Guy Lepage. Il me dit que j'arrivais pile. Il devait engager des artistes et trouver des commanditaires pour le tour cycliste du St-Laurent qui devait commencer dans quelques semaines. Je lui signalai que j'étais disponible et que je serais heureux de faire une tournée car j'en avais un besoin moral pressant.

Simone m'écoutait et n'avait pas l'air heureuse de ma décision parce qu'elle devait ouvrir un nouveau salon dont je serais le propriétaire fictif. J'essayai de lui faire comprendre la nécessité que j'avais de faire mon métier. Elle me dit, avec tristesse, qu'elle était d'accord mais quand je la pris dans mes bras pour l'embrasser, parce que j'étais heureux, je sentis qu'elle, elle ne l'était pas.

Au bout de quelques jours, je reçus la visite de M. Roland Bouchard, le directeur de la publicité chez «Imperial Tobacco». Il venait me faire signer un contrat, en compagnie de Guy Lepage, pour jouer le rôle de M. Players dans le tour du St-Laurent. On me fournissait, en plus de toutes les cigarettes dont j'aurais besoin si j'étais fumeur, une magnifique Mustang blanche et bleue qui serait tirée à la fin de la tournée. J'étais heureux comme un roi, pas pour les cigarettes mais pour l'auto.

Dans la semaine qui suivit, j'eus le temps de m'occuper de l'ouverture du salon de Simone. J'avais des amis journalistes qui sont venus me donner un coup de pouce pour faire décoller la business avant que je parte.

Le matin de mon départ, j'étais excité comme un enfant qui a terminé son année scolaire et qui part en vacances. J'allais retrouver les copains du métier avec qui j'ai toujours eu tant de plaisir : Fernand Gignac, Margot Lefebvre, André Bertrand, Suzanne Lapointe, Michel Louvain et plusieurs autres, accompagnés par le gros Rod Tremblay. Pour moi, ce serait le bonheur parfait pendant un mois. Simone me regarda partir tristement. Ce fut le coup final à notre roman d'amour qui se traînait lamentablement depuis longtemps. Je le sentais, mais je n'y pouvais rien. Il fallait que j'aille vers mon destin. Où ma bohème m'appelle, c'est plus fort que tout ! Aussitôt le travail commencé j'oubliais tout. Je faisais la vie que j'aimais : chanter, voir du monde, signer des autographes.

* * *

Le voyage ne fut pas sans aventures. À Shawinigan, dans l'aréna pleine à craquer, je descendis de scène après mon tour de chant, aveuglé par la sueur qui me brûlait les yeux, lorsque deux hommes me demandèrent de les suivre. Ils me dirent qu'ils étaient de la police et qu'ils avaient un mandat d'amener contre moi. (Qu'est-ce que j'ai fait encore ?) Je leur répondis que j'allais enlever mon linge de scène, tout mouillé de sueur, avant de les suivre. Pour toute réponse, ils me prirent chacun par un bras avec insistance pour m'obliger à les suivre, comme si j'étais un malfaiteur, sous le regard des admirateurs qui attendaient pour avoir des autographes. Malgré tout, j'espérais encore que c'était un gag et qu'il ne serait pas trop long car je le trouvais drôlement platte ! En arrivant au poste de police, je m'aperçus qu'ils étaient très sérieux quand ils me mirent dans une cellule et qu'ils fermèrent la porte à clé ! Je commençais à avoir le feu quelque part ! Je leur demandai la raison de toute cette comédie. Ils m'apprirent que depuis deux ans, je leur devais des billets de stationnement. Même si mon commanditaire était prêt à payer les quarante dollars plus l'amende, je fus obligé d'attendre, avant de pouvoir être libéré, le retour du juge de paix, parti au Cap-de-la-Madeleine faire ses dévotions à la Vierge.

Je n'avais donc pas le choix, je m'assis sur la banquette pour prendre mon mal en patience et j'essayai de réfléchir pour ne pas entendre la gueule d'ivrogne qui, dans la cellule d'à côté, leur criait tous les noms que j'aurais bien voulu leur dire. Tout en me remémorant l'histoire de ces billets à la con, je me rappelais très bien avoir chanté dans un petit «lounge» situé derrière le poste de police de Shawinigan. J'avais eu des problèmes de stationnement parce qu'il n'y avait que des parcomètres de disponibles aux alentours. J'étais allé voir l'officier au poste de police, pour lui offrir de payer, en entier et à l'avance, ma semaine de parcomètres comme je l'avais fait dans d'autres villes. Il fallait en effet que je me lève à huit heures pour y déposer mes sous alors que je me couchais aux petites heures du matin après mes spectacles. En plus, c'était l'hiver et il fallait le faire! L'officier m'avait répondu avec beaucoup d'intelligence et de jugement :

— Mets ton argent dans les parcomètres, ou bedon tu paieras tes tickets.

Je ne lui avais même pas répondu mais je m'étais dit :

— Tu vas t'les fourrer quequ'part tes billets !

Le dimanche, quand mon contrat fut terminé, et comme je savais qu'ils viendraient m'emmerder, je m'étais préparé. J'avais caché ma voiture à la sortie de la ville et je m'étais sauvé par la porte arrière, dans la voiture du patron que la chose amusait bien.

Lorsqu'on vit une vie aussi mouvementée que la mienne, ce sont des petits détails qu'on oublie, mais pas eux.

Il a fallu que j'attende longtemps avant de sortir de ma boîte. Le juge de paix devait être un homme très pieux, car ses prières ont été longues. L'organisation a été choquée par leur façon d'agir ; ce grand déploiement sportif et artistique amenait beaucoup de monde dans les villes où il s'arrêtait car en plus, tout était gratuit pour tout le monde!

Je n'ai pas oublié cette fois-là et pendant des années, j'ai refusé de revenir chanter dans cette ville. Ce n'était pourtant pas à cause du public qui a toujours été très gentil.

Au bout de quelque temps de tournée, je me suis aperçu que même si le tout était un succès et que j'avais beaucoup de plaisir à faire ce travail, ça sentait la merde dans l'organisation. Je commençais à m'inquiéter car depuis le début, je payais mes dépenses et mes poches étaient presque vides. Je n'allais tout de même pas demander à Simone de me prêter de l'argent, surtout après la façon dont on s'était quittés. J'en parlai donc à Fernand Gignac qui me dit que ce n'était pas la peine de demander une avance à l'organisateur car il venait de s'en faire refuser une, sous prétexte que la totalité nous serait payée à la fin de la tournée seulement. Leurs agissements me semblaient bien bizarres car ils avaient récolté, avant le début de la tournée, plusieurs milliers de dollars qui avaient été payés comptant par les commanditaires. Je ne voyais pas pourquoi je serais obligé de manger des beurrées de beurre de peanut à mon âge, quand l'argent dont j'avais besoin m'était dû.

Puisque la méthode élégante ne marche pas, vas-y Paul-Émile, mets tes gants!

Nous étions dans la pénombre d'une petite ruelle menant à l'hôtel. J'avais devant moi le grand patron, J.B. Je lui demandai deux cents dollars. Il me répondit avec beaucoup de calme et d'aisance qu'il ne pouvait pas me les donner.

— J'pense que tu serais mieux de trouver le moyen de m'en donner.

— Mais voyons, Paolo, j'ai l'impression que tu ne me fais pas confiance.

— Non, c'est pas une impression, j'te truste pas ! Pis si tu m'donnes pas l'argent que j'te demande, j'vas aller le chercher dans tes poches ; pis prends-moi au sérieux !

L'air déçu, il me donna mon argent, en me recommandant de ne pas en parler aux autres.

— N'aie pas de craintes, on est juste toi puis moi dans la ruelle.

La fin de la tournée s'est terminée par un gros spectacle à Québec. L'aréna pleine de monde, la scène pleine de chanteurs mais plus d'organisateurs ! Ils s'étaient soudainement volatilisés en emportant tout l'argent des recettes et des commanditaires. Pour nous calmer, on nous a raconté un tas d'histoires, mais à la fin personne n'a été payé. Ça été un des plus beaux scénarios de fraudeur que j'ai jamais vu ! Les mantes de vison des femmes hautaines des organisateurs, les Cadillacs, les maisons impressionnantes dans lesquelles on nous avait reçus, tout était faux et en location. On s'était tous fait baiser, de l'artiste aux musiciens, du cycliste aux techniciens, tout le monde y a passé ! Heureusement qu'il restait la boisson et la bière pour se saouler. C'est tout ce que nous avons eu !

* * *

À mon retour, beaucoup de choses avaient changé. Ma cabane était déserte et ma mère m'a dit que Simone était partie. Je lui demandai où et avec qui.

— Ça, c'est pas à moi de t'le dire, mais t'as pas loin à faire pour le découvrir.

Quand je me suis aperçu que mon frère ne venait plus me voir, j'ai pensé qu'il se passait quelque chose d'anormal, car depuis notre enfance nous avions toujours été près l'un de l'autre. Qu'est-ce qui pouvait bien l'empêcher de venir me dire bonjour ? Je n'ai pas mis grand temps à le savoir. Pendant mon absence, Simone avait dû drôlement s'ennuyer pour arriver à prendre mon neveu, le fils de Fernande et de Claude, comme compagnon de vie ! En faisant ce geste, non seulement elle m'humiliait mais elle éloignait mon frère qui m'évitait pour ne pas avoir à me donner d'explications. Ma solitude n'en devenait que plus grande et de jour en jour, mon cœur s'aigrissait contre tous. Quelques rares amis essayaient bien de m'aider, mais sans succès. Je me renfermais dans mon bateau avec ma déception et ne voulais voir personne, excepté mon ami Ti-Marc Gravel qui travaillait pour le bureau de poste. (Il est maintenant capitaine sur un remorqueur.)

Il venait me chercher pour aller manger chez lui. Il passait quelquefois la nuit à m'écouter jouer de la guitare et à me regarder me saouler, sans dire un mot. Il repartait le matin pour aller à son travail. Il me surveillait parce qu'il s'inquiétait pour moi depuis le soir où, après m'être enragé en pensant à mon frère qui m'avait laissé tomber, j'avais défoncé à coups de poing un carreau de la timonerie de mon bateau. Il avait dû m'emmener à l'hôpital dans sa vieille Volkswagen toute rouillée, pour faire soigner ma main qui saignait abondamment car je m'étais coupé assez profondément avec la vitre du carreau. Le docteur m'avait donné des médicaments que je devais prendre à la condition de n'absorber aucune boisson alcoolique. J'ai donc jeté les pilules à l'eau pour continuer à boire.

Je me foutais de ma blessure. Elle me faisait bien moins souffrir que l'autre, celle qu'on ne voyait pas et pour laquelle il n'y avait aucun remède.

Quand j'étais fatigué d'écouter mon cœur se lamenter, j'allais voir un vieux philosophe, Guy Ashburry, qui vivait seul dans une cabane — pour ne pas dire une mansarde — où il semblait défendu de bouger la poussière et les longs fils d'araignées pendus un peu partout entre les poutres du plafond. Il avait pour compagnons de vie trois gros chats gris. Il était toujours vêtu de vieux haillons, coiffé d'une vieille casquette de marin terre-neuvien toute brisée. Il ne parlait à personne et vivait d'une façon peu commune. Il semblait complètement désintéressé de tout ce qui se passait dans le monde, excepté des bateaux. Il était architecte naval. Je le connaissais depuis vingt ans, alors que j'en étais à mes premiers bateaux et que lui, il n'avait même pas de cabane. Il vivait, hiver comme été, dans sa goélette de la Nouvelle-Écosse qu'il appelait « La Glendora ». Il parlait d'une voix très basse qui ressemblait au passé, un passé que plusieurs auraient voulu connaître mais dont il ne parlait jamais. S'il enlevait sa grosse pipe de sa bouche pour dire quelque chose, je l'écoutais religieusement car c'était difficile de comprendre les paroles philosophiques qu'il laissait couler, dans un mélange d'anglais et de français.

C'est comme ça qu'avec le temps, j'ai su qu'il y avait déjà eu une femme dans sa vie, qu'il venait d'une famille très à l'aise et qu'après avoir navigué sur les grands voiliers, il avait tout laissé tomber, sa famille et la société, pour vivre sa vie comme il le voulait.

Ce jour-là, quand je suis allé le voir avec mon chagrin, il le savait. Comme tous les vieux loups de mer, il voyait les changements du temps et des hommes. Il m'a fait asseoir sur le banc de chêne, près de la fournaise, et il a ouvert un coffre sur lequel il était assis pour en sortir une bouteille de rhum. Bien calmement, sans dire un mot, il a essuyé deux verres avec du papier journal, les a remplis et m'en a tendu un. Quand j'ai porté ce liquide à ma bouche, j'ai eu peine à respirer tellement ça sentait fort l'alcool et la canne à sucre ; ne voulant pas blesser mon hôte, j'ai pris mon courage à deux mains et j'ai avalé d'un trait le contenu de mon verre... Si l'enfer existe, j'en ai eu une bonne idée tellement ça brûlait dans mon estomac. Lui, bien au contraire, semblait déguster sa boisson avec plaisir. Je le regardais sans parler en me disant que c'était peut-être lui qui avait la bonne solution. Mes yeux se sont tournés vers les photos de «pin-up» et de danseuses levant les jambes, qui étaient là, collées au mur jauni, froissées par le temps et l'humidité, comme la peau de ce vieux marin. Soudain, il déposa son verre, enleva la petite cheville de bois sous le brûlot de sa pipe pour en laisser couler le jus, puis la remit dans son trou et me dit, tout en essuyant ses mains sur son pantalon :

— You know, Paul, la femme c'est bon sur les papiers collés au mur ; mais toute la bullshit commence quand tu l'emmènes dans ton lit.

— Peut-être, Guy, mais j'ai besoin d'être aimé pour être heureux.

— Paul, you need to suffer... souffrir pour écrire la chanson.

— Oui, je sais, mais là c'est trop. J'ai même plus envie de chanter.

— Monsieur Paul, in french or in english we say «There's only one way to guérir l'amour, it is avec l'amour.»

— A' peut bien aller chier l'amour ! J'veux plus jamais en entendre parler !

* * *

Après avoir fait le tour de tant d'amours et de déceptions, la crainte s'était installée dans mon cœur et ma peur de souffrir était aussi grande que mon besoin d'être aimé. C'est pourquoi je dis à cette fille qui me regarde avec tant de tendresse en essayant de me consoler :

— Diane, si tu penses qu'un jour tu vas vouloir t'en aller, va-t'en tout de suite, avant que j'aie encore du mal, parce que je ne suis plus capable de souffrir.

DIANE :

> *— J'entends les paroles qu'il me dit mais je ne sens pas la nécessité de répondre car la réponse est au fond de mon cœur. Je le prends dans mes bras comme on prend un enfant qui a du chagrin. Depuis le premier instant que je l'ai vu, j'ai découvert au fond de ses yeux que malgré sa révolte, il est bon. Avec lui, le rêve existe et le monde prend des dimensions différentes de celles auxquelles j'étais habituée. Le confort dans lequel je vivais m'était devenu inconfortable. Avec Paolo, j'ai découvert la simplicité de vivre, j'ai trouvé la maison de poupée de mes rêves de petite fille. Une cabane où le soleil chante même quand il pleut, où les poèmes font des broderies sur les murs et où les colombes et les oiseaux viennent déjeuner à la même table que*

les invités. Avec lui, je me sens bien. Je ne comprends pas que d'autres femmes avant moi aient pu le faire souffrir et l'empêcher de devenir l'artiste qu'il est vraiment. Alors, c'est tant pis pour elles et tant mieux pour moi! Car aussi longtemps que je vivrai, je veux le garder et l'aimer.

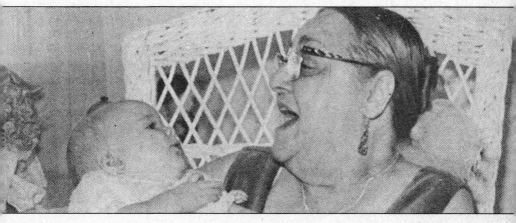

Mémère Lucienne et Vanessa.

Pépère et Vanessa.

Les amants qui ont inspiré ma vie.

La maison du bonheur.

La grande table des fêtes
avec la famille.

Pour recevoir Tino Rossi vive la
mangeaille à mémère.

Pour un mardi gras.

Paolo et son harem; ma fille aînée Johanne, Diane et Ginette la cadette du 1er mariage.

Johanne et Ginette en mannequins, la commentatrice Diane.

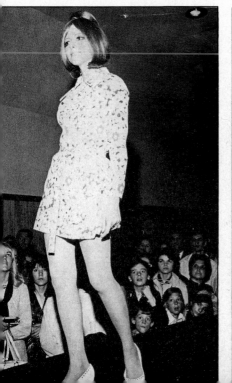

Johanne la rêveuse.

Ginette et son père

Mon fils Mario dans la cabane.

Ginette, la petite fille qui s'est sauvée pour retrouver son père.

La cabane d'un homme solitaire qui n'attend plus rien de l'amour.

Notre première maison sous la neige.

À quoi ça ressemble le bonheur une nuit de Noël.

Papa gâteau Oui.

Un futur capitaine, une maman, un papa.

Dans la douceur d'une maison où le bonheur sent bon.

La Délima June de mes premiers voyages avec Diane.

Notre bateau «le Pêcheur d'Étoiles» avec lequel je partirai un jour vers le soleil.

21

Et tourne la vie...

Dans les jours qui suivirent cette étrange rencontre avec mon passé, je réfléchissais sur ma décision : soit tout laisser tomber et disparaître, ou continuer à travailler et m'adapter à cette nouvelle façon de faire mon métier, c'est-à-dire aller tous les jours au travail, ce à quoi je n'étais plus habitué, car ma liberté me manquait beaucoup. Et ma mère qui était si fière de dire à tout le monde que son fils était une vedette de la télévision, si je la laissais tomber, comme elle serait déçue ! Puis Diane, avec sa douceur et sa compréhension, qui s'appliquait à me faire voir que je devais essayer d'être plus positif. Je devais oublier les révoltes intérieures qui m'empêchaient d'être heureux et m'apercevoir que j'étais entouré de gens qui ne demandaient qu'à m'aimer, à la condition, naturellement, que j'ouvre les yeux pour les regarder autour de moi. Je refusais de la croire ; pourtant, quelques petits incidents lui donnèrent raison.

* * *

Un jour, nous étions en train de dîner tous les deux dans un restaurant. À une table voisine, deux jeunes hommes nous regardaient en riant nerveusement, tout en parlant à voix basse. Au bout d'un moment, j'eus la certitude qu'ils se foutaient de notre gueule. Diane me dit de ne pas m'en occuper, mais je me levai quand même et me dirigeai vers eux. En arrivant à leur table, ils se levèrent tous les deux. Je m'aperçus que malgré leur jeune figure, ils étaient grands et bien bâtis. Mais tant pis, je n'avais aucune intention de rebrousser chemin ; j'avais trop envie de leur demander ce qu'il y avait de si drôle dans ma figure. L'un d'eux me tendit la main en me disant bien poliment :

— Bonjour, M. Noël. Nous sommes des étudiants et depuis que vous êtes entré qu'on se dit : « Lequel des deux va aller lui demander de signer un autographe sur nos cartes de membres de votre "fan club" dont nous faisons partie ».

J'avais l'air d'un véritable imbécile avec mon mauvais caractère, devant ces deux garçons qui n'avaient qu'un seul défaut, admirer un chanteur qui était trop bête pour s'apercevoir qu'on l'aimait.

Une autre fois, en revenant des studios après mon émission de télé, j'étais avec Diane dans ma belle Jaguar décapotable que je venais de faire repeindre tout en blanc. En arrivant à une intersection, après avoir fait mon arrêt, j'entendis et je vis une voiture qui me suivait de trop près toucher mon pare-chocs arrière. J'étais en beau maudit, et je descendis pour aller dire ma façon de penser à cet imbécile qui ne savait pas conduire ! Mais en arrivant à côté de la portière dont la vitre était descendue j'aperçus un homme qui s'excusait de sa maladresse en pleurant presque, pendant que derrière lui, trois enfants tout excités s'étiraient le cou pour me regarder. Je bafouillai, ne sachant quoi dire, lorsque la dame qui était à côté du chauffeur vint vers moi pour m'embrasser et me dire combien ils étaient heureux d'avoir reconnu, dans sa belle voiture d'acteur, leur chanteur préféré. J'étais complètement «dépitonné» devant tant de chaleur et d'admiration alors que moi, pauvre cave que je suis, j'allais les engueuler. En revenant dans la voiture, sans vouloir me narguer, Diane me dit :

— Tu vois, Paolo, comme les gens t'aiment. Tu devrais être fier de toi au lieu de croire que personne ne veut t'aimer.

Ce n'était pas la peine de me le dire, j'avais eu ma leçon.

Pendant ce temps, nous continuions à vivre dans notre petite cabane, en bohèmes, mais de plus en plus amoureux même si tous les matins, je devais me déguiser en chanteur, écouter les conseils de ma mère et partir pour faire mon émission. Diane, elle, faisait de plus en plus de commerciaux et venait même de décrocher un contrat au canal 10 comme hôtesse à l'émission «Gags à gogo» avec Gilles Latulipe, Olivier Guimond, Paul Desmarteaux et Paul Berval. Ceci éliminait de part et d'autre les problèmes d'argent puisque nous vivions le plus simplement du monde.

Diane me parlait de temps en temps d'un bel appartement avec tout le confort moderne, mais je ne voulais pas sortir de mon décor. J'aimais voir de ma fenêtre les saisons passer, regarder les peupliers perdre leurs feuilles à l'automne, voir les joncs du bord de l'eau se coucher sous le poids des premières gelées et des premières neiges, les îles d'en face mettre leur manteau blanc qui contraste avec le bleu acier de l'eau du fleuve changeant de couleur en se refroidissant. Doucement, les fêtes approchaient,

317

entraînant avec elles leur mélancolie. Les grands yeux rieurs de ma princesse devenaient de plus en plus tristes. J'en connaissais la cause, mais je n'arrivais pas à me décider à affronter une autre fois des parents dont je craignais l'hostilité à mon égard. Diane ne me parlait plus de son ennui depuis le jour où elle m'avait demandé d'aller chez sa mère et que je lui avais répondu sur un ton catégorique (si vous avez lu l'histoire de mes amours vous devez comprendre l'agressivité de ma réponse) :

— Pas question ! Y'm'ont déjà fait le coup deux fois. Si tu vas chez ta mère, restes-y. J'connais ça, le gag de la maman pour couvrir l'amant.

* * *

Maintenant, essayez d'imaginer mon arrivée dans une famille comme celle de Diane. J'étais un homme de trente-six ans, marié, séparé et, en plus, père de trois enfants. J'avais kidnappé le bébé de la famille âgé de vingt ans. Diane ayant devant elle une carrière de mannequin international, elle n'avait absolument pas besoin d'un homme pour la faire vivre. Ce qui me faisait le plus peur ce n'était pas tellement sa mère, mais son père. Elle m'avait dit de lui qu'il était un ancien capitaine de l'armée et qu'avec lui, tout devait être à sa place, en temps et lieu. Et qui plus est, il est le petit-fils de Louis-Joseph Bolduc, ancien président du sénat à Ottawa. Quel contraste avec moi dont les antécédents sont bien différents. Tout ce que mon père a de commun avec le sien, c'est qu'ils ont vécu tous les deux aux frais du gouvernement, entourés d'hommes, mais dans des casernes différentes...

* * *

Diane fait tellement son possible pour me rendre la vie belle et agréable qu'un dimanche, je me décide à aller voir ces gens qui, peut-être, allongeront la liste déjà très longue des beaux-parents ayant fait partie des problèmes de ma vie.

Ils demeurent dans un des rares coins de la province que je ne connais pas, l'Île Bizard. Elle porte bien son nom, si je me fie à ce vieux pont que nous traversons. Il a l'air de vouloir s'effondrer à chaque planche qui saute et danse au contact des roues de la voiture. Leur résidence est entourée de magnifiques et gigantesques épinettes bleues et d'autant de grands chênes et de cèdres, sur une pointe de terre qui s'avance dans l'eau et autour de laquelle tournoie le courant très fort à cet endroit de la rivière des Prairies.

Je frappe à la porte de cette grande maison d'inspiration espagnole qui ressemble à celles que l'on voit dans le sud de l'Amérique. La porte s'ouvre et je vois devant moi un homme aux cheveux gris, à l'allure très distinguée. (D'après Diane, il est sensé me ressembler. Moi, je ne trouve pas. Il a les cheveux gris et moi, pas encore.) En guise de bienvenue, il déclare :

— Diane, t'es encore en retard. Ça fait long-temps que la table est prête !

Et Diane de répondre, en faisant le salut militaire :

— Oui, mon commandant ! À vos ordres, mon commandant ! Deux, quatre, deux, quatre !

Et elle se met à rire comme une enfant rit avec son père. Lui, il reste sérieux avec, cependant, un brin de satisfaction dans les yeux. Je me dis que ça commence bien.

— Checke tes claques, mon Noël, pis fais pas de gaffe parce que ça va aller mal.

Diane me présente sa mère, une fort jolie dame toute en toilette avec ses bijoux. (Elle est née Dalbec, fille de l'avocat Hector Dalbec qui toute sa vie a eu assez d'argent de famille pour n'avoir jamais eu besoin d'ouvrir les portes de son bureau.) Elle me scrute d'un œil observateur, comme pour voir en moi et essayer de définir quel énergumène a pris possession de sa fille.

Nous sommes assis, toute la famille, autour de la grande table de chêne de la salle à dîner, au moment où sonnent six heures à la grosse horloge grand-père dans le coin. Devant moi, c'est le grand frère Jean-Louis que je connaissais déjà. Je me demande d'ailleurs s'il vient de la même famille tellement il est différent dans sa simplicité. À ma gauche, Diane se tient à mes côtés pour me protéger. À côté d'elle, au bout de la table, son père coupe la viande et à l'autre bout, sa mère. Je répète dans ma tête les conseils de Diane : «Avec mes parents, ne fais pas ceci, ne dis pas cela. À la table, fais attention à tes manières ; c'est un point sur lequel ils sont très chatouilleux». Je fais tellement attention que je m'étouffe en avalant de travers. Son père me regarde sans rien dire jusqu'au moment où, mon naturel prenant le dessus, je m'allonge le bras devant Diane pour aller chercher le beurrier. Là il me dit :

— Un instant ! Il ne se sauvera pas. On va t'le passer vu que t'as l'air pressé.

J'ai vraiment plus envie de mettre du beurre sur mon pain et j'ai les fesses serrées sur ma chaise, car toute la famille me regarde. (Maudit qu'on est ben quand on mange dans la cuisine à ma mère ! Veux-

320

tu me dire qu'est-ce que je fais dans c'te maison-là à me fabriquer des ulcères d'estomac ?)

Jean-Louis, le grand frère décontracté, voyant mon embarras, me dit :

— Paolo, prends un verre de vin, ça déniaise.

Et je prends entre mes doigts ce joli verre si délicat que je n'osais pas toucher de peur de le briser. Et je bois un bon coup de vin qui me fait du bien.

Le repas tirait à sa fin lorsque, voulant faire mon homme qui avait déjà vu du grand monde (rien que dans les films), je sors deux immenses cigares que j'avais achetés au gros prix, moi qui ne fumais pas. Tout fier de moi, j'en offre un à monsieur Bolduc, pendant que je mets l'autre dans ma gueule. J'allais l'allumer lorsque le capitaine d'armée, sur un ton frôlant le commandement, me dit :

— Ici, y'a un grand salon pour fumer. Tu peux y aller si t'es tellement pressé de faire de la boucane.

Avant de m'étouffer une autre fois, je choisis l'occasion de disparaître de la table pour me réfugier dans ce grand salon au plafond très haut. Comme je suis pris avec mon cigare, pour ne pas avoir l'air d'un imbécile, je le fume. Tout en me contentant de tirer et d'envoyer la fumée épaisse et puante de cet instrument de torture, je regarde automatiquement la grande toile au cadre doré suspendue au-dessus de la cheminée du foyer. Elle représente le portrait peint par un grand maître (Franchères) de l'arrière-grand-père de Diane. Son regard semble vous suivre où que vous alliez dans l'appartement. Je le regarde en faisant des comparaisons avec mon grand-père Therrien que j'aimais tant et dont la photo était dans le salon de la petite maison de faubourg de mes grands-parents. Quelle différence entre ces deux hommes! Quelle autorité dans le regard de celui-ci! Alors que les yeux de mon grand-père étaient toute douceur.

Je suis sorti de mes réflexions par le père de Diane qui me dit, en entrant dans le salon:

— Bon ben là, on fume un cigare, pis on prend un coup!

Il avait complètement changé d'attitude et je le préférais comme il était là, avec son sourire de soldat qui a pris un verre. Ça n'a pas été long pour que je devienne un marin qui en a fait autant, si bien que, quand nos niveaux intellectuels se sont rejoints, je me suis aperçu que nous étions incroyablement différents et pareils. Il est allé se coucher sans dire bonsoir à personne et moi, je me suis endormi aussitôt assis dans la voiture. Heureusement que Diane, en femme responsable, s'est occupée de ramener son marin délinquant à bon port.

Au cours de cette première visite, je n'ai pas eu l'occasion de bien connaître sa mère. C'est peut-être le seul côté qu'elle avait en commun avec ma mère: lorsqu'elle recevait du monde, elle était prise entre son poêle et ses plats.

* * *

Cet hiver-là fut très froid et quand le jour de Noël est arrivé, c'est à peine si on voyait la cabane tellement il y avait de neige. Le réveillon n'en fut que plus beau. Ma mère s'était surpassée et j'étais heureux de retrouver toute la famille et les amis que je ne voyais pas souvent depuis que je travaillais régulièrement. Au moins, j'avais assez d'argent pour faire des cadeaux à tout le monde. Ce qu'on est bien quand on peut donner un peu de bonheur !

Quand les Fêtes furent terminées, ça n'a pas été facile de s'en relever parce qu'en plus de fêter et de faire mon émission de télé tous les jours, j'avais donné beaucoup de mon temps pour des Galas de charité de toutes sortes. On avait eu à peine le temps de prendre notre aplomb que Diane dut partir à Toronto pour y être présentée à toutes les grandes agences de publicité placées sous le parrainage du directeur des commerciaux de CFTM, monsieur Jean-Paul Ladouceur. Il lui avait d'ailleurs fait faire plusieurs séances de photographies montrant les différentes expressions de sa figure et pouvant servir à la publicité ainsi qu'à des commerciaux. Diane hésitait quelque peu, mais je la persuadai que c'était bon pour elle. Je ne voulais pas aller à l'encontre de sa carrière. D'un autre côté, je m'inquiétais, n'ayant pas oublié que j'avais déjà été perdant dans des circonstances semblables. Je la regardai partir, tout enveloppée de lainage, avec le nez tout rougi par le froid et ses yeux trop grands qui pleuraient au vent. Je ne lui ai pas laissé voir mon inquiétude, mais je réalisais que je l'aimais peut-être plus que je ne le croyais. Les départs ont toujours quelque chose de triste, qu'ils soient pour quelque temps ou pour longtemps. Ils emportent toujours un morceau de cœur ou de bonheur. Ce jour-là, quand je suis rentré à la maison après mon émission, j'ai ressenti un grand vide autour de moi et une solitude que j'avais oubliée. Diane avait à tel point embelli ma vie que je commençais déjà à croire que le chagrin n'existait plus. Mon petit lit, qui était devenu le nôtre, avait ce soir-là repris sa froideur et j'essayais de m'endormir pendant que dans ma tête tournaient des images qui me faisaient peur. La vie m'a appris, bien malgré moi, à me méfier de l'étranger que je ne connais pas : cet étranger qui aura peut-être toutes les qualités et les belles manières que je n'ai pas.

« Paolo, fais attention à toi. C'est ta dernière chance ; si tu la manques, c'est fini ! »

Et tout à coup je m'ennuie, j'ai déjà hâte qu'elle revienne. Si je n'avais pas une émission à faire le lendemain, je prendrais l'avion pour aller la rejoindre. « Mon Dieu, faites qu'elle revienne, et j'vous jure que plus jamais je la laisserai repartir loin de moi, loin de mes bras, pour que je puisse entourer et protéger mon dernier bonheur. »

À son retour, j'étais à la gare bien avant l'arrivée du train. Dès qu'elle est apparue, avec sa valise, dans la fumée que font les trains quand le froid est glacial, j'ai couru vers elle pour la prendre dans mes bras. Je la trouvais encore plus belle que jamais. Pendant que je respirais le parfum de ses cheveux, je me suis dit :

— Noël, t'es un maudit chanceux ! Tu l'as pas méritée mais puisque le destin l'a mise sur ton chemin, arrange-toi pour la garder.

J'ai embrassé ses joues froides, douces et bonnes comme une pomme fraîchement cueillie, sous le regard des gens qui attendaient. On était seuls, on n'était que deux amants heureux de se retrouver. Ce soir-là, avant de s'endormir, après s'être aimés — non pas aimer pour aimer, mais aimer avec le cœur, avec l'âme, avec tout ce qu'il y a de beau en nous —, elle m'a regardé et m'a dit :

— Paolo, je crois que je suis enceinte.

— Qu'est-ce qui te fait croire que tu es enceinte ?

— Tout le long du voyage je n'ai pu fumer une cigarette, prendre un verre ou même du café, sans avoir la nausée.

— Tu crois que c'est un symptôme ? C'est peut-être l'énervement ?

— Mais voyons, mon beau Paolo, quand on est femme, on sent ces choses-là. Pas un seul instant après mon départ je ne t'ai senti loin de moi. J'avais la sensation que tu étais partout autour de moi, comme si quelque chose de toi était en moi.

Et elle s'est endormie comme un ange, la tête appuyée sur mon épaule, pendant que je réfléchissais à ce qu'elle venait de me dire. J'aurais voulu qu'elle ait raison, mais pour le moment, j'aurais préféré qu'elle se trompe. Je n'avais jamais voulu avoir d'autres enfants que ceux que j'avais déjà, afin d'éviter des conflits. Il y avait aussi ma carrière qui ne faisait que commencer à vraiment marcher après beaucoup d'années d'efforts.

Au canal 10, on avait déjà congédié des artistes qui avaient été mêlés à de bien petits scandales. Comme, à cette époque, les filles-mères n'étaient pas encore acceptées dans notre société québécoise, ça m'inquiétait. «Diane elle-même, comment pourra-t-elle faire des commerciaux si ce qu'elle m'a dit est vrai ? Je vois très mal un mannequin parader une robe avec un gros ventre. De toute façon, on verra bien quand les tests seront faits. Et je la regarde dormir avec ses cheveux roux qui cachent une partie de son visage en me disant : «Il y a une chose dont je suis sûr : si nous avons fait un enfant, ce sera certainement le plus bel enfant du monde. »

Le lendemain matin, quand nous parlons de cette situation à ma mère, elle s'inquiète pour nous. Elle nous dit :

— Les enfants, parlez-en pas pour le moment, pis méfiez-vous des journalistes.

— Tu sais bien moman, qu'à date je n'ai jamais eu de problèmes avec eux!

— Oui, mais parce que t'avais rien fait aussi. Ça prend rien qu'un zélé qui cherche un scandale pour vous maganner tous les deux. Pis c'est pas tout, t'as-tu pensé à ses parents? Qu'est-ce qui vont dire de ça? Ce monde-là, y'ont des principes pis y'pensent pas comme nous autres!

De plus en plus, l'inquiétude et l'incertitude s'installaient dans mon esprit, jusqu'au jour où arriva cette analyse qui s'avéra positive: Diane attendait bien un bébé.

Un soir, nous étions tous les deux dans notre petite maison et je regardais Diane, assise sur le divan. À côté d'elle, mon gros chien dormait, la tête appuyée sur sa cuisse. Elle ne semblait pas le moins du monde s'inquiéter. J'étais tourmenté par bien des questions et il fallait que nous parlions tous les deux avant qu'il ne soit trop tard.

— Diane, est-ce que t'as bien réfléchi à propos de l'enfant?

— Oui, c'est tout réfléchi. Je veux avoir un petit bébé et je veux l'avoir avec toi. Mais si tu penses que je vais nuire à ta carrière, je vais m'en aller et l'avoir sans toi.

— C'est pas ce que j'ai voulu dire, Diane. J'ai aucune envie de te perdre, mais j'voudrais pas qu'un jour tu me reproches d'avoir brisé ta carrière. Oublie pas qu'un petit bébé, ça grandit, ça va à l'école, pis ça s'en va un jour. C'est des choses que je sais et que toi, tu ne sais pas encore.

— De toute façon, si c'est d'un avortement que tu veux parler, y'en n'est pas question ! Un dans sa vie, c'est assez ! J't'en avais déjà parlé sans t'donner de détails parce que cette humiliation-là, je croyais l'avoir oubliée. Mais en ce moment, j'y pense beaucoup. Tu te rappelles, quand on s'est connus, tu étais malheureux et je l'étais beaucoup moi aussi. Je t'avais parlé de cet homme à qui j'avais donné ma jeunesse et tous mes rêves de jeune fille. Je croyais qu'il m'aimait, mais lorsque je lui ai annoncé que j'étais enceinte de lui, il a complètement changé. Il m'a dit les mots les plus blessants que l'on puisse entendre quand on aime pour la première fois et que l'on croit que son rêve est arrivé. « Je ne peux pas te marier pour la bonne raison que tu n'es pas Juive. D'ailleurs, mes parents n'accepteraient jamais une catholique dans la famille. »

Je me suis mise à pleurer parce que j'étais trop blessée pour répondre et il a enchaîné. « Je vais te payer un avortement mais n'essaie pas de me faire des poursuites car je peux avoir deux ou trois de mes amis qui vont jurer devant le tribunal qu'ils ont couché avec toi, même si c'est faux ! »

Je n'oublierai jamais l'humiliation qu'on m'a faite et j'aimerais mieux mourir plutôt que de recommencer !

En l'écoutant, je me suis senti gêné d'y avoir seulement pensé et je l'ai serrée contre moi en voyant ses beaux yeux se remplir de larmes. Comme je regrettais de l'avoir obligée à me dire ces choses qui l'avaient fait souffrir. À partir de cet instant, devant l'amour et devant tous ceux qui s'aiment, Diane devenait ma femme et je me foutais éperdument de ce que pouvait en penser la société, avec tous ces papiers de merde qui n'arrangent rien à l'amour !

Le lendemain, j'ai acheté une petite bague avec des turquoises montées sur argent et en entrant à la cabane, j'ai dit à Diane, en la lui passant au doigt devant les seuls témoins que nous avions, notre chien et nos deux colombes :

— Diane, acceptez-vous comme compagnon de vie un voyou nommé Paolo ?

— Oui, et pour la vie !

Elle m'a regardé avec ses yeux d'enfant heureuse.

— Tu vois, Paolo, l'autre avant toi avait la richesse ; il roulait en Rolls-Royce mais il ne m'a jamais offert un aussi beau cadeau qui marque l'amour de toi que je porte en moi.

Doucement, nous nous sommes habitués à cette idée d'attendre un enfant et les seules personnes au courant, en dehors de ma famille, étaient mes amis de « Toast et café » avec qui je travaillais tous les jours. Dominique Michel m'a dit :

— Avec la femme que t'as, j'suis pas inquiète, tu vas avoir un maudit beau bébé !

Les semaines passaient pendant que le bébé, sans être trop apparent, avançait. Mais si le costume un peu écourtiché que portait Diane à l'émission « Gags à gogo », commençait à être de plus en plus serré, sa grandeur cachait ce petit détail au public. Mais les résultats de ce contact avec les agences de publicité de Toronto commençaient à se faire sentir. Diane avait plusieurs contrats à remplir pour faire des commerciaux dont la plupart étaient chez « J.P.L. Production » au canal 10. Elle ne voulait pas les refuser car, disait-elle, « c'est de l'argent pour le bébé », et elle s'était bien gardée d'avouer à son protecteur, monsieur Ladouceur, qu'elle était enceinte. Ç'aurait sûrement changé tous les plans concernant sa carrière. Faire des commerciaux n'est pas toujours aussi simple et facile qu'on pourrait le croire quand on en regarde un à la télé, «effoiré» dans son fauteuil. Boire avec goût, et même avec gourmandise, un jus de pruneau pendant que l'annonceur en détaille toutes les qualités, ce n'est pas chose aisée. Quand le geste n'est pas parfait ou que l'annonceur a bafouillé, il faut tout recommencer, ce qui fait qu'à la vingtième reprise, c'est le vingtième verre de jus de pruneau. Quand on y est, on n'a pas le choix ; il faut le boire, ce jus qui commence à vous donner des coliques, tout en ayant l'air de le trouver délicieux. Je me souviens qu'à son retour, ma pauvre Diane faisait la navette entre la cabane et la maison de ma mère ou était la toilette.

* * *

On était toujours en hiver et quel hiver ! On avait de la misère à chauffer notre nid d'amour tellement il faisait froid en cette fin de février. Un matin, Diane dut repartir pour tourner un commercial dans les Laurentides dont le commanditaire était la bière du même nom. Comme je ne pouvais pas l'accompagner à cause de mon travail à la télé, sa mère se fit un plaisir de le faire pour l'observer à son travail. Je n'étais donc pas inquiet.

Le producteur de ce commercial était justement celui qui allait devenir, peu de temps après, le champion du cinéma québécois : Gilles Carle. Diane avait été choisie pour faire ce travail d'après son curriculum vitae, parce qu'elle avait déjà fait du ski. En arrivant, le matin du tournage, dans le haut de la plus grande piste du Mont Tremblant, elle n'était plus sûre d'elle. Gilles Carle lui dit :

— Mettez vos skis et descendez, qu'on fasse un essai.

Elle a regardé en bas de la piste et réalisé qu'elle n'avait pas mis de skis depuis deux ans et qu'en plus, elle avait dans son ventre un petit bébé auquel elle tenait plus qu'à tout le reste. Se retournant vers Gilles Carle, elle déclara :

— Non, j'peux pas !

— Mais comment, vous ne pouvez pas ?

— Parce que j'peux pas !

— Mais mademoiselle, vous avez été engagée par cette agence parce que vous saviez faire du ski.

— Mais là, c'est trop haut pour moi. J'le savais mais là j'le sais plus ! Pis j'veux plus parce que j'ai peur !

Gilles Carle a bien regardé Diane à travers ses lunettes fumées pour en prendre une photo mentale qu'il n'a sûrement jamais oubliée. C'est la seule fois que Didi a travaillé pour lui.

(Monsieur Carle, si vous saviez le bel enfant que vous auriez détruit s'il y avait eu un accident pendant le tournage ! Aujourd'hui, mon fils Constantino a seize ans et mesure six pieds et deux. Il est beau comme cet acteur de cinéma qu'il veut devenir un jour. Prenez en note !)

Ils ont engagé des skieurs professionnels qui firent ce travail sans risques, pendant que Diane fut affectée à un travail moins dangereux, tout en restant le personnage principal du commercial.

Quand tout fut terminé, Diane ramena avec elle sa maman pour lui montrer sa demeure qu'elle n'avait jamais vue. Naturellement, en arrivant à Repentigny, elles sont entrées tout d'abord dans la maison de ma mère qui était, comme à l'habitude, dans sa cuisine. En voyant apparaître une aussi jolie dame, toute bien enveloppée dans son vison, elle s'est écriée, avec sa diplomatie habituelle :

— Ouais ! C'a l'air que tu t'torches pas avec des pelures d'oignon, Mimi !

Pauvre madame Bolduc ! Elle ne savait absolument pas quoi répondre à ce genre de remarques qu'elle n'était pas habituée d'entendre, et se contenta de rire pour ne blesser personne. Ma mère, voyant qu'elle avait du succès, en mit un peu plus :

— Mimi, si tu veux pas poigner des poux, t'es mieux d'enlever ton manteau. Le poêle à bois est allumé, pis y fait chaud ici d'dans. Accroche-lé s'à chaise avec mon beau borg beige comme le tien, pis inquiète-toi pas, y s'en iront pas !

Les deux femmes, aussitôt assises autour de la grande table, malgré leur culture différente, s'entendirent facilement en parlant de leurs enfants. Quand elles eurent fini de boire leur café, Diane invita sa mère à visiter notre véritable chez-nous, car elle semblait persuadée que nous vivions dans la grande maison.

Quand elle mit les pieds dans notre petite cabane, Mimi s'écria :

— Non, non, non ! Ma fille ne vivra jamais dans une pauvreté pareille. Diane, prends tes bagages, j'te ramène à la maison.

— Maman, je m'excuse. Je suis une grande fille, maintenant, et c'est mon droit de choisir la vie qui me rend heureuse. D'ailleurs, j'ai une nouvelle à t'apprendre, j'vais avoir un beau bébé.

Mimi s'est assise sur le divan sans dire un mot, comme si cette nouvelle était trop lourde à porter.

Puis elle se releva pour prendre Diane dans ses bras en lui disant :

— Tu as raison. J'avais oublié que tu n'étais plus une petite fille et que tu avais le droit de choisir ta vie. Mais c'est que, vois-tu, j'avais rêvé beaucoup mieux qu'une cabane pour toi. Si un jour ou l'autre ça n'allait pas, souviens-toi que tu as toujours un papa et une maman qui t'aiment beaucoup et notre maison reste toujours ta maison.

DIANE : *Aujourd'hui, je suis moi aussi une maman et je réalise ce qu'il a fallu d'amour et de compréhension de la part de mes parents pour accepter ma façon de vivre et de penser. À l'époque, il y avait encore tellement de tabous sur l'amour et les principes étaient encore si forts, en ce temps-là qui n'est pourtant pas si loin... Mais la visite de ma mère eut du bon car à ma grande surprise, Paolo décida de louer un petit appartement, juste en face de la maison de Maman Lucienne.*

22

Rendez-vous avec un rêve

Vous allez dire que je suis « fleur bleue » parce que je parle toujours de soleil, de printemps et d'été. C'est vrai, mais heureusement qu'il est arrivé, ce printemps, après le dur hiver que nous avions connu. Avec ce goût de vivre qu'il nous donne, tout semble plus beau. De la fenêtre du petit appartement, situé au troisième étage où nous vivons maintenant, je vois très loin derrière les îles, le brise-glace, travaillant à ouvrir les entrailles du fleuve couvert de glace, pour en libérer son eau. Devant la maison, tout le long des trottoirs, les bancs de neige fondent en larges flaques d'eau dans lesquelles viennent jouer les enfants, au grand désespoir des parents. Je pense à demain, en touchant le ventre de Diane, à mes côtés. Je sens déjà les mouvements de gymnastique de ce petit culturiste qui semble vouloir être en forme pour le jour de la grande sortie.

Malgré moi, quand je suis heureux, je retourne en arrière. Je me revois au temps de la rue Cuvillier, alors que je commençais à être un petit homme et que j'allais sur les quais du port de Montréal pour regarder travailler le brise-glace. C'était le temps de Pâques et ma mère nous avait acheté à tous les deux, mon frère et moi, un habit tout neuf. Nos copains nous regardaient avec envie et nous n'étions pas peu fiers. Je me rappelle, cette année-là, que pour faire mes pâques, j'avais dû aller à «la confesse» et que l'abbé qui m'écoutait raconter mes gros péchés, m'avait dit, la tête appuyée contre le petit carreau et d'une voix presque inaudible, pour que le voisin n'entende pas :

— Pour que je puisse te donner l'absolution, il faut que tu rendes à qui de droit toutes ces choses que tu as mal acquises durant l'année.

— Mon père, vous y pensez pas ? Tout ce que j'ai pris, c'est pour mon bicycle pis j'en ai besoin pour aller travailler !

— Dans ce cas-là, j'peux pas te donner l'absolution et ton âme va être condamnée à l'enfer pour l'éternité.

— Mon père, ça veut dire que j'pourrai plus jamais rentrer dans l'église ?

— C'est bien ça, mon enfant.

— Ouais ! J'veux ben les rapporter mais là, c'est la police qui va me poigner.

— Non. Rapporte-moi toutes ces choses au presbytère. Donne-moi toutes les adresses et j'irai les porter moi-même.

— C'est bien beau tout ça, mais y vont vous demander d'où ça vient ?

— Ne sois pas inquiet. Je suis protégé par le secret de la confession.

— Pis mon absolution, mon père ?

— Seulement après que tu m'auras rapporté tes choses.

Et je pensais en moi-même : « L'abbé, y'est dur à pogner, c't'un wise ! »

J'ai donc échangé ma roue arrière, ma roue avant et les poignées de mon bicycle pour une petite hostie qui redonnait à mon âme le droit au paradis.

Dans ce temps-là, j'avais commencé à rêver d'être un jour un chanteur, et j'avais justement parlé à mes copains d'un songe que j'avais fait, dans lequel j'avais vu Tino Rossi lui-même monter l'escalier qui menait à notre humble logement du 558. Ils se sont mis à rire.

— J'vous l'dit, j'l'ai vu. Y'avait un manteau crème puis y portait un chapeau d'feutre brun foncé.

— Toé, Noël, tu iras pas plus loin que nous autres. Tino Rossi, y'a pas de temps à perdre avec des gars comme nous autres !

— Qu'est-ce que vous en savez, vous autres ? Tino Rossi y'est peut-être un gars ben correct.

Tous ces souvenirs tournent dans ma tête parce que la fête de Pâques approche et que Tino Rossi chante actuellement à Montréal, après plusieurs années d'absence. La dernière fois que je l'ai entrevu, c'était au Théâtre Saint-Denis. Je devais avoir à peu près vingt ans. J'avais commencé à chanter. J'y étais allé avec un photographe et son gérant n'avait pas accepté que nous prenions des photos ensemble. Les années ont passé. Depuis, j'ai fait moi aussi beaucoup de chemin et je me demande s'il ne m'aurait pas vu un de ces matins à la télévision. Mais comme me l'avaient dit mes copains jadis, il a sûrement d'autres choses à faire.

Le samedi de Pâques, le téléphone sonne à l'appartement. C'est ma mère. Je sens à sa voix qu'elle a une bonne nouvelle à m'annoncer.

— Paolo, demain à onze heures, tu vas aller chercher Tino Rossi au Ritz-Carlton.

— Ben voyons, moman! Il ne te connaît même pas!

— Comment, y me connaît pas? J'y ai téléphoné, j'y ait dit que j'étais la mère de Paolo, pis y m'a parlé.

— Ben j'ai mon voyage!

— À part de ça, y te connaît parce qu'y m'a dit qu'il se levait tous les matins pour te regarder chanter à la télé.

— Moman, fais-moi pas des conneries, là. T'es sûre que j'aurai pas l'air d'un imbécile en me présentant au Ritz-Carlton?

— Ben non, mon noir! Y t'attend.

Le lendemain, à onze heures «tapant», je suis dans le lobby du Ritz pour demander au garçon du «desk» de sonner à la suite de monsieur Rossi. Il me répond :

— Ce n'est pas la peine, il est derrière vous. Il vous attend.

Je me retourne pour le voir venir vers moi en souriant. Le plus étrange dans tout ça, c'est qu'il porte un manteau et un chapeau comme dans mon rêve. Il me tend la main et me dit, avec un petit accent corse qu'il n'a pas dans ses films :

— Bonjour, Paolo. Ça va?

Je reste un peu surpris de le voir apparaître si soudainement devant moi et je finis par me décider à lui dire :

338

— Bonjour, monsieur Rossi. Je suis content de vous voir enfin.

En arrivant à la voiture, je lui présente Diane qui nous attendait dans l'auto car nous étions stationnés en double file.

Pendant que nous roulons vers Repentigny, Tino ne parle pas beaucoup. Il regarde partout avec curiosité, tout en chantonnant presque continuellement. Je le regarde de temps en temps du coin de l'œil, en me disant : « comme le destin est bizarre ! » Il a fallu que j'attende presque vingt ans pour que se réalise mon rêve de jeune garçon et que les gars de la rue Cuvillier aient eu tort de ne pas avoir cru en moi.

DIANE :   *Je suis assise derrière ces deux hommes que j'écoute et que j'observe. J'ai remarqué un fait étrange, quand je les ai vus apparaître tous les deux, côte à côte, près de la voiture. Ils ont le même sourire qui fait relever un de leurs sourcils et ils louchent un peu, tous les deux, du même œil. Durant le voyage, ils ne parlent pas beaucoup, mais lorsqu'ils disent quelque chose, trois mots reviennent toujours : femmes, chansons, bateau...*

Plus nous approchons de la maison, plus je m'inquiète ; j'espère que maman ne fera pas de gaffes. Souvent, elle oublie que tous les gens n'ont pas la même culture et dans ses élans de générosité, elle se laisse aller à un naturel qui pourrait donner une mauvaise impression à celui ou celle qui n'y serait pas habitué.

En arrivant à la maison, ma mère nous ouvre la porte. Elle a son sourire des beaux jours et aussitôt que Tino a mis le pied dans la maison, cette flamme que j'avais remarquée dans son regard et qu'elle ne peut pas retenir, fait soudainement explosion. Elle prend Tino Rossi dans ses bras en le serrant très fort pour l'embrasser, pendant que son chapeau, qu'il n'a pas eu le temps d'enlever, vole en l'air.

Je regarde la scène sans bouger, ne sachant que penser. Mais Tino, loin d'être offusqué, semble au contraire amusé de l'accueil de ma mère. Il semble être heureux qu'on l'ait mis automatiquement à l'aise. Dans la cuisine, où nous attendent toute la parenté, quelques amis et quelques journalistes, on rit et on applaudit. La table est bien garnie et ça sent bon le ragoût de pattes de cochon. Tino Rossi est assis au bout de la table autour de laquelle, outre la famille, il y a : monsieur et madame Grimaldi, l'écrivain Phil Laframboise et un photographe, accompagné d'une fille que je ne connaissais pas. (Un an plus tard, je l'ai revue dans le journal «Allô Police». La photo qui la représentait avait été prise ce jour-là. Elle était entre Tino Rossi et moi. Elle venait d'être assassinée.)

Tout le monde est servi et on mange, tout en parlant joyeusement. Tino est obligé d'enlever son veston et nous, de donner un peu de mou à nos ceintures. Nous avons à peine terminé que ma mère, à mon grand désespoir, s'écrie :

— Là, mon beau Tino, tu devrais nous chanter une chanson.

J'voudrais rentrer en dessous de la table. Je pense qu'il doit en avoir assez de chanter quelquefois, surtout après avoir mangé. Mais l'air bien détendu, Tino se lève, détache sa cravate et se met à chanter, tout naturellement. Personne ne bouge et j'écoute cette voix qui a fait faire un détour à ma vie. C'est encore plus doux que les disques que j'écoutais autrefois. Je ne peux presque pas y croire : Tino Rossi, lui-même, chante dans la cuisine de ma mère !

Monsieur Grimaldi a les yeux dans le vague en écoutant cette chanson en dialecte corse qui parle de leur île natale à tous les deux. Quand il s'arrête de chanter, c'est comme si une rose venait d'éclore. Son charme, comme un parfum, se répand tout autour de la table. C'est presque regrettable que l'on se mette à applaudir, ça détruit le charme que la douceur de sa chanson avait créé.

Avant de se rasseoir, Tino se retourne vers moi :

— Paolo, mon fils, à ton tour maintenant de nous pousser la romance.

Je suis pris par surprise mais comme toute la famille insiste, je vais chercher ma guitare et je chante. J'ai la gorge un peu serrée car il est là, devant moi, le vrai ! Il m'écoute, me juge peut-être. Heureusement, ma voix était d'aplomb ce jour-là.

Ce fut une journée mémorable pour nous et pour tous ceux qui étaient là. Avant de partir, Tino a demandé en douce à ma mère (Diane et moi qui étions juste à côté de la porte avons bien entendu) :

— Dites-moi madame, êtes-vous certaine que je ne vous ai jamais rencontrée auparavant, du temps de votre jeunesse ?

— Non, mon Tino !

Et on a vu dans les yeux de ma mère un reflet de regret mêlé de fierté.

— Non, parce que j'aurais ben que trop aimé ça. Quand j'étais jeune, j'étais pas grosse pis j'étais pas laide !

Quand Tino Rossi eut terminé sa tournée au Québec, nous sommes allés le reconduire à la gare. Il prenait le « France » à New York. Avant de monter dans son wagon, il m'a pris dans ses bras et m'a embrassé sur les joues, comme le font les Corses quand ils s'aiment, puis il m'a dit :

— Paolo, si un jour tu as de la misère dans le métier, viens me voir. Je connais beaucoup de monde et je pourrai t'aider.

Et se retournant vers Diane, il a ajouté :

— Ce petit qui s'en vient, si c'est un garçon, je serais heureux qu'il porte mon nom.

— D'accord. Je l'appellerai Tino.

— Non, mon véritable nom est Constantino.

Il a disparu à l'intérieur du wagon et le train a démarré presque immédiatement.

Nous sommes restés songeurs, sur le quai de la gare, pendant que le dernier wagon disparaissait de notre vue. Ça me faisait tout drôle en dedans d'avoir reçu de l'affection de la part d'un homme qui aurait pu être mon père. Il faut dire que c'est le genre de chaleur que je n'ai pas eu souvent dans ma vie. Diane me tenait la main et m'a dit :

— Je t'aime. Tu es si beau quand tu es heureux ! Et rappelle-toi ce que je t'ai déjà dit : il y a beaucoup plus de gens que tu ne le crois qui t'aiment.

* * *

La plus belle preuve d'amour, pour un artiste, elle lui vient de son public, ce public qu'il a dû conquérir à force de travail et de persévérance. L'artiste se doit d'aimer et de respecter son public s'il veut le garder. Ce qu'on est riche quand on se sent aimé par des milliers de gens !

Je suis en train de regarder un journal dans lequel le grand public vote pour élire l'artiste qu'il a préféré durant toute l'année, à la télé. J'y vois tout à coup que je suis en nomination pour un des «méritas» qui doivent être dévoilés au cours du Gala des artistes, le mois suivant.

Toute l'équipe de «Toast et café» est heureuse de cela, mais quelque chose m'agace dans ce concours : c'est de voir mon nom voyager de la première position à la dernière, comme un satellite autour de la terre, si bien que je finis par ne plus m'y intéresser. D'ailleurs, tous les artistes en nomination sont des amis du métier qui ont autant, sinon plus de talent que moi. Je demande à ma mère de ne plus me parler de ce journal qui m'énerve. En plus, Diane et moi avons un petit problème qui nous chicotte.

Comment Didi va-t-elle pouvoir arriver à se présenter au gala des artistes, devant tous ces journalistes, et essayer de cacher sa maternité qui est de plus en plus apparente. Nous nous préparons à faire un deuil de notre présence à ce gala. Je concentre mes efforts sur mon travail à la télévision où je commence à avoir vraiment du plaisir car Dominique Michel a fait découvrir à mon réalisateur que je pouvais non seulement chanter, mais aussi jouer la comédie.

Je m'amuse comme un fou à jouer les clochards, les gangsters, les fermiers et même les tapettes. D'après le courrier que nous recevons, tout ceci amuse les téléspectateurs qui sont nombreux si on se fie aux cotes d'écoute qui augmentent réguliè-rement. En parlant d'augmentation, Robert L'Herbier, le directeur de la programmation si froid avec moi lors de notre première rencontre, avait changé complètement d'attitude à mon égard. Non seulement il ouvrait les portes de son nouveau bureau pour m'annoncer qu'on avait augmenté mon cachet mais en plus, il nous a tous invités à un dîner au Reine Élizabeth. Ce qui prouve que le vieux dicton : « Tout vient à point pour qui sait attendre » est peut-être vrai.

À une bonne surprise s'attache toujours une mauvaise. Un matin, en entrant dans le lobby de CFTM où attendait un public grouillant et joyeux composé en majorité de femmes qui devaient assister à l'émission, j'aperçois un homme aux cheveux gris qui tient un imperméable sous son bras. En m'approchant, je reconnais mon père. Je suis pressé parce qu'on m'attend. Je n'ai surtout pas envie de lui parler, après ce qu'il m'a fait. Il m'arrête au passage. Je me tourne vers lui brusquement.

— Papa, j't'ai dit que j'voulais pus te voir dans ma vie quand on s'est laissés à la cour, la dernière fois ! Tu voulais que je te paye une pension, c'est ce que je fais tous les mois. Alors laisse-moi tranquille, maintenant que t'as eu ce que tu voulais !

— Mon p'tit criss, fais bien attention parce que j'suis ton père !

Il m'attrape le bras et le serre pour m'attirer vers lui. Pendant que toutes les femmes qui attendent ont les yeux rivés sur la scène, je lui dis méchamment :

— Émile, touche-moi pas ! Pis oblige-moi pas à me fâcher. J'm'appelle pas Lucienne, moi. Si tu lâches pas mon bras, ça va aller mal !

Et je disparais dans la salle de maquillage où m'attendait toute l'équipe de « Toast et café ». En entrant, Dominique me demande ce qui ne va pas ce matin, car je suis pâle à force de retenir ma colère. Je leur dis que ce n'est rien. Mais tout au long de l'émission, j'ai de la difficulté à me concentrer parce que je ne peux m'empêcher de penser aux recommandations de ma mère à propos de mon père.

— Fais attention à Émile. C'est un être excessivement rusé et intelligent, mais il s'est toujours servi de ses talents pour faire du mal.

Je n'arrive pas à croire qu'il ne nous laissera pas tranquilles un jour. Pendant un commercial, le régisseur vient me chuchoter à l'oreille d'aller de toute urgence dans le lobby. Je me dépêche de m'y rendre. En arrivant, j'y vois des gens qui ont l'air de s'énerver autour d'une personne écrasée sur un des fauteuils de l'entrée ; c'est mon père qui fait soi-disant une crise cardiaque. Comme je commence à connaître son jeu, je dis au gardien d'appeler immédiatement la police pour qu'ils viennent s'en occuper. Le cœur d'Émile semble reprendre son aplomb instantanément et son langage de désolation d'il y a un instant se change en un vocabulaire de colère.

— Mon p'tit tabarnac, t'es supposé d'avoir des bons bras, ben viens m'essayer. Tu vas voir que t'as du chemin à faire avant de me planter !

S'il voulait m'abaisser, il peut être heureux car c'est chose faite. Je suis profondément humilié devant tous ces gens qui regardent sans trop comprendre ce qui se passe. Je suis retourné rapidement à mon travail mais ce matin-là, je n'ai pas pu chanter car tous les nerfs de mon corps tremblaient d'une colère contenue. J'aurais voulu frapper dans le décor et tout briser pour faire sortir le dégoût que j'avais à l'intérieur.

L'émission terminée, mes copains m'ont demandé ce qui s'était passé. Je leur ai raconté sans trop en avoir envie l'histoire d'Émile et lorsque j'ai eu fini, Jarraud m'a dit, l'air navré :

— Paolo, j'vais t'avouer quelque chose. C'est moi, à mon grand regret, qui me suis occupé de trouver un avocat à ton père, il y a quelques années, pour que tu lui payes une pension. Il était venu me voir, au moment où j'étais animateur de nuit à CJMS. Il m'avait raconté en pleurant à chaudes larmes qu'il t'avait élevé de peine et de misère, qu'il t'avait même acheté ta première guitare et qu'aujourd'hui, alors qu'il était seul et sans le sou, tu ne lui donnais même pas de quoi manger.

— Pis toi, Frenchy, un gars intelligent comme toi, tu t'es fait avoir ?

— Comment voulais-tu que je ne le croie pas ? Il m'a même montré ton baptistaire et une photo de toi quand tu étais petit.

— Tu peux dire que t'en as fait une belle, là !

— Oui, après je l'ai connu un peu mieux et j'ai réalisé mon erreur, mais c'était trop tard.

Pélo, le réalisateur, a donné la consigne au gardien de ne plus le laisser entrer dans l'édifice. Ça ne l'a pas empêché de m'attendre à l'extérieur pour me lancer son venin devant tout le monde.

— Regardez-le l'osti, c'est mon gars pis y'a même pas l'cœur de faire vivre son père.

En arrivant à l'appartement, je raconte ce qui vient de se passer à Diane. J'en suis encore tout bouleversé, mais je recommande à Didi de ne pas en parler à la famille, car je sais d'avance ce qu'ils vont dire :

« C'était à toi de pas y parler quand moman te disait de pas le faire ! »

23

Quelqu'un là-haut me protège

Pendant ce temps, le Gala des artistes approche à grands pas et je suis toujours en nomination. La direction de CFTM tient à ce que je sois présent. Diane se casse la tête pour trouver une solution à son problème de grossesse. Pour nous calmer et nous détendre tous les deux, Rod Tremblay et Jean Morin se sont offerts en riant pour escorter Diane et ainsi la camoufler aux regards indiscrets des journalistes. Mais elle risque de passer inaperçue, entre ces deux petits hommes de six pieds deux à six pieds quatre, pesant quelque trois cents livres chacun. La pauvre Didi n'a pas le choix. Elle a commencé à courir les grands magasins, mais sans succès. Il est trop tard pour recourir aux services de couturiers parce qu'ils sont trop occupés à travailler à la confection des costumes des autres artistes.

Un soir, Diane se décide. Puisqu'elle a déjà suivi des cours de mode, elle prend une feuille et dessine elle-même sa robe! Il suffit de quelques verges de shantung de soie turquoise drapées à la romaine, dont les plis souples dissimulent bien discrètement les rondeurs d'un petit bébé qui, sans le savoir, ira à son premier Gala des artistes.

Le grand soir arrive. Une foule de gens, massés devant l'entrée du Théâtre Saint-Denis, attendent pour voir arriver leurs artistes préférés. Au moment où je descends de voiture, je me sens dans mes petits souliers. Je prends le bras de Diane devant tous ces gens qui scrutent les moindres détails et le plus petit changement de notre personnalité. Je suis vite soulagé quand tout ce beau monde se met à nous applaudir. D'abord dans la rue puis après, au moment où nous entrons dans la salle. Mon siège est au bout de la rangée, à côté de celui de Diane. Juste à côté d'elle sont installés Frenchy Jarraud et son épouse, Michèle. Derrière nous, bougeant nerveusement les genoux, le dangereux réalisateur Jean Péloquin et sa femme. Les lumières s'éteignent, la scène s'allume et c'est parti !

Des noms passent et des trophées se donnent, au milieu des applaudissements. Je suis si heureux que j'ai les mains mouillées comme si je les avais mises dans l'eau. Diane me tient le bras très fort. Elle sait ce qui se passe en moi.

On commence à énumérer les artistes en nomination pour les «méritas» décernés à l'artiste dont la popularité a le plus monté durant l'année. Mon cœur bat si fort que ses coups résonnent comme des battements de tambour au niveau de mes oreilles. Je me demande pourquoi je m'en fais tant ; je sais très bien que c'est pour rien, je n'ai jamais rien gagné. Même pas le petit lapin en chocolat que les religieuses faisaient tirer aux enfants, dans le temps de Pâques. Tout à coup j'entends :

— Paolo Noël !

Je suis si convaincu de ne pas avoir gagné que je ne bouge pas. C'est Pélo, derrière moi, qui me prend par les épaules, me lève, me retourne vers lui puis m'embrasse en criant sa joie comme le ferait un Indien sur le sentier de la guerre.

Je suis tout étourdi et je pars en courant vers la scène. J'entends des applaudissements mais je ne vois presque rien, aveuglé que je suis par les flashes des photographes. Je reprends conscience au moment où on me remet mon trophée. Je ne peux dire que : « Merci ! », tellement je suis ému et que j'ai la gorge serrée. Je redescends dans la salle mais cette fois, je vois les gens debout pour m'applaudir. J'ai les larmes au bord du cœur mais j'avale ma salive pour ne pas pleurer et avoir encore l'air d'un grand cave. Quand je suis de retour près de Diane, je la vois me regarder avec ses yeux tout barbouillés par le rimmel et les larmes. C'est trop, je ne suis plus capable de me retenir... Je la prends dans mes bras et j'éclate. C'est merveilleux de pleurer de joie et de montrer à tous ces gens qui nous regardent que derrière chaque homme qui a réussi quelque chose, il y a une femme.

Pendant tout ce temps, pas un seul instant les applaudissements ne se sont arrêtés et je suis obligé de me relever pour saluer le public qui me témoigne son affection. (Les applaudissements ont duré si longtemps que le réalisateur du gala en a fait un enregistrement qu'il m'a ensuite donné.)

* * *

Ma mère, qui avait vu le dénouement de cet événement à la télé avec toute la famille, était folle de joie. L'occasion était trop belle pour elle. Il a fallu qu'elle organise une petite fête à la maison pour celui qui jadis allait fêter ses victoires dans les rues du quartier avec ses copains, en mangeant son gâteau au chocolat.

Une fois le gala terminé, avec toutes les photos qu'on avait prises de nous deux, tout le monde était au courant de ma liaison avec Diane. Quelques journalistes essayaient bien de savoir ce qui se passait dans notre intimité mais on ne disait rien. Diane se privait de sortir pour ne pas se faire prendre avec son secret, mais je ne pouvais pas refuser continuellement de donner des entrevues, car la bonne publicité est importante dans le métier. Alors, je m'arrangeais pour rencontrer les journalistes dans des restaurants ou dans des endroits en dehors de ma demeure. Ça ne m'était pas facile de continuer à cacher mon bonheur en parlant le moins possible de cette fille qui en était responsable. Elle ne disait rien et ne faisait rien qui aurait pu nuire à ma carrière. Un jour, elle est même allée chez ma mère pendant que je recevais mes enfants à l'appartement pour qu'ils ne s'aperçoivent pas que nous attendions un enfant. J'aurais eu des difficultés à les revoir si la chose avait été sue par mon ancienne belle-famille. Cette situation commençait à me fatiguer vraiment. Le seul endroit où nous étions bien, c'était sur notre bateau. Toutes les fins de semaine, j'allais y travailler. Il fallait que je le repeigne pour qu'il soit prêt à prendre le large le plus vite possible.

Un dimanche, j'étais en train de repeindre le dessous de la coque et, fidèle à mes habitudes, j'avais de la peinture partout, lorsqu'on vint me dire de téléphoner immédiatement à CFTM. Je me demandais bien ce qu'ils me voulaient car j'y étais à la semaine longue. Au téléphone, c'est Claude

Taillefer, réalisateur de l'émission «Les Talents Catelli».

— Paolo, j'ai eu de la misère à te trouver! Là, y faut que tu me dépannes. Joël Denis s'est pas rendu pour faire l'émission et j'ai pensé que tu pourrais me faire une bonne job.

— Mon pauvre Claude, j'voudrais bien t'aider mais si tu me voyais actuellement, tu ne me demanderais pas d'aller me présenter devant les caméras!

— Pourquoi?

— Je suis beurré de peinture de la tête aux pieds!

— Débarbouille-toi, pis vient-t'en, on v'a t'arranger ça.

— O.K., Claude, j'vais y aller mais c'est bien pour te dépanner parce qu'aujourd'hui, il fait beau pis j'ai beaucoup d'ouvrage à faire sur mon bateau.

J'arrivai en vitesse au studio où toute une équipe attendait pour filmer l'émission qui passait le soir même. Le maquilleur, Clarence, dut se servir de tout son talent pour arriver à me rendre présentable car j'avais dans les cheveux, sur le visage et sur les mains des taches de peinture que je n'avais pas pu enlever et qu'il fallait camoufler. Je mis mon tuxedo «stand-by» et c'est parti!

Au début de l'émission, j'étais bien inquiet. C'était une nouvelle façon pour moi de faire mon métier d'animateur. Dès que je fus en contact avec les enfants, ç'a marché tout seul. Comme me faisait remarquer Diane:

— Enfin, tu es avec des gens de ton âge! Tu as l'air très à l'aise.

L'émission terminée, le commanditaire me dit avant de partir:

— Vous êtes l'homme qu'il nous faut à l'automne.

Je lui ai répondu que je n'étais pas tellement intéressé à prendre les jobs de mes chums et qu'en plus, comme je travaillais cinq jours par semaine, j'aimerais garder les deux jours qui me restent pour prendre le temps de vivre.

— Nous en reparlerons à l'automne, Paolo. Pour ce qui est de Joël, il va falloir le remplacer d'une façon ou d'une autre. Il a du talent, mais il manque de ponctualité.

* * *

Quand les vacances d'été arrivèrent, je fus heureux de partir avec Diane sur notre bateau. Il était grand temps que je prenne un peu de repos en retrouvant ma vie de bohème car j'étais fatigué. Ça nous faisait du bien de nous retrouver tous les deux seuls, d'avoir le loisir de nous regarder, de nous parler et aussi de prendre le temps de nous aimer. Mais il nous a fallu, pour garder le peu d'intimité qu'il nous restait, éviter les marinas et les endroits où il y avait trop de monde. Malgré tout, à chaque quai, à chaque écluse où nous étions obligés d'arrêter, c'était automatiquement une séance d'autographes qui commençait. Habituellement, je me prête avec plaisir à ces « à-côtés » du métier ; mais comme Didi était obligée de disparaître dans la cabine pour cacher ce ventre que je trouvais moi, bien beau, mais dont elle ne voulait pas dévoiler le secret, je trouvais la chose beaucoup moins plaisante. Alors nous dormions à l'ancre, devant des îles ou dans de petites baies, le long du fleuve ou du Richelieu. Dans la tranquillité de notre cabine, nous arrivions à être heureux. J'aurais voulu que ce temps merveilleux ne finisse jamais. La maternité embellit toujours une femme et Diane était plus belle de jour en jour. Quand il a fallu revenir, le retour à la réalité fut cruel. Un «subpoena» m'enjoignant de me présenter en cour m'attendait. C'était encore une fois mon père qui demandait une augmentation de la pension alimentaire que j'étais obligé de lui verser depuis quelques années. Maman était en maudit. Elle me dit :

— Tu vois, mon noir, Émile y pense que t'es millionnaire parce que t'as un trophée. Des fois, j'ai envie d'aller l'étouffer pour qu'y te laisse tranquille. J'pense qu'il vivra jamais assez vieux pour changer. Ton grand-père Noël m'a déjà dit : «Dans la peau mourra le crapaud». Y'avait raison mais j'trouve qu'il meurt pas assez vite !

Puis elle me parlait de ce grand-père que je n'avais pas beaucoup connu. Le seul souvenir de lui qui est resté dans ma mémoire remonte au temps de mon enfance, alors que nous vivions encore dans la cabane. Je devais avoir à peu près cinq ans. Mon grand-père Noël nous avait gardés pendant quelque temps, pour des raisons que j'ignore. Ce dont je me rappelle avec précision, c'est que mon père, à son retour, s'était disputé avec grand-père et l'avait mis à la porte en lui lançant son linge par la tête. J'avais eu beaucoup de peine en voyant mon grand-père pleurer. Je le revois, avec ses beaux cheveux blancs et sa moustache blanche toute mouillée par les larmes. Malgré mon jeune âge, j'étais vraiment insulté d'avoir vu mon père lever la main sur son père et je lui avais crié :

— T'es pas fin papa, pis un jour quand j'vas être grand, j'vas t'mettre dehors moi aussi.

Naturellement, l'homme à claques m'en a donné une, à moi aussi. Je m'étais sauvé en courant pour aller rejoindre mon grand-père qui s'en allait à travers champs avec son bagage. Il m'a pris contre lui pour pouvoir me consoler. C'est probablement la dernière fois que je l'ai vu.

* * *

Mon père était un homme rusé et les coups qu'il montait étaient toujours bien préparés. C'est pourquoi cette fois, je n'avais aucune envie d'arriver devant lui et son avocat avec un défenseur aussi moche que celui que j'avais eu la dernière fois.

J'appelle donc mon ami Frenchy Jarraud pour lui demander conseil. Il me dit d'aller voir un vieil avocat juif, un spécialiste de ce genre de cause. Je me présente donc à son bureau, sur la rue Craig. À peine ai-je fini de lui raconter mon histoire qu'il me dit que ma cause est perdue d'avance et qu'il n'a pas envie de perdre son temps à la défendre. Je commence à être découragé et je lui dis :

— Mais il me faut un avocat !

Nous sortons alors de son bureau et il me présente un jeune homme qui attendait debout dans l'entrée. Il me dit en le désignant :

— Voici votre avocat, Reevin Pearl.

Personnellement, je le trouve très jeune, mais comme je n'ai pas le choix, je me dis «tant pis, j'vais l'essayer !» J'étais son premier client et lui mon premier avocat. Il me prouvera son talent tout le long du procès en tendant des pièges dans lesquels mon père tombait à pieds joints. Il lui fit dire, malgré l'habileté de son avocat, tout ce qu'un juge a besoin de savoir pour rendre son verdict : qu'il vivait en concubinage, qu'il passait son temps dans les tavernes et combien de verres il arrivait à boire dans une journée. Si bien que mon père n'a pu obtenir de la cour qu'une augmentation minime de sa pension et la promesse, sous serment, qu'il ne viendrait plus jamais m'importuner dans mon travail, sinon il perdrait tout.

Aujourd'hui, seize ans plus tard, Reevin est devenu un grand avocat international mais je suis toujours son ami et son client. Avec moi, il a eu une variété de poursuites à défendre, allant de l'accident d'automobile au divorce, du coup de poing sur la gueule aux contraventions, en passant par la télévision d'État et pour finir, par une poursuite pour dommages causés à mon bateau.

* * *

Un jour, il s'est surpassé en affrontant à lui tout seul six ou sept avocats dans une poursuite consécutive à un spectaculaire accident d'automobile. Un samedi que j'étais en train de sabler mon bateau, je m'aperçois qu'il me manque du matériel pour finir mon ouvrage. Je prends donc la voiture qu'un garage m'avait prêtée pendant qu'on réparait la mienne. Je pars vers Dorval pour aller chercher ce dont j'ai besoin en compagnie de Daniel, le fils de ma sœur Lucille, alors âgé de sept ans. Sur le chemin du retour, nous embarquons sur le Métropolitain ensoleillé qui sent bon la pollution quand on est en décapotable lorsque soudain, au moment où je m'engage sur la voie la plus à gauche, un camion-remorque dont le chauffeur ne semble pas me voir, se tasse sur moi, m'obligeant à me serrer contre le mur de béton. J'ai beau klaxonner pour attirer son attention, rien à faire ! Ne pouvant le dépasser, j'essaie de ralentir mais il est déjà trop tard. Les grosses roues de la remorque ont commencé à faire voler en l'air les tôles de la voiture. Je prends mon neveu, qui est du côté dangereux, pour le tirer et le tenir serré contre moi avec mon bras droit, pendant que j'essaie de contrôler la voiture pour éviter de passer sous la remorque qui maintenant m'écrase contre le mur de béton. Le petit a peur car ça fait un bruit d'enfer, pendant que de mon côté, les étincelles causées par l'acier frottant sur le ciment volent partout ; de l'autre, les gros pneus chauffés par le frottement contre la voiture jettent une fumée bleue qui pue le caoutchouc brûlé. Je n'ai aucune envie de mourir, surtout avec mon neveu ; ma sœur serait capable de venir m'engueuler, même après ma mort.

Je me demande quand tout ça va finir. (Ce sont des choses qui se font vite mais qui paraissent très longues au moment où on les vit.) Le camion finit par me dépasser en démolissant le côté de la voiture jusqu'en avant et il continue son chemin comme si rien ne s'était passé. Je suis assez heureux de sortir de la voiture en sautant par-dessus les portières complètement bloquées quand une voiture de police arrive. Un des policiers me demande mes papiers. Je les lui tends sans arrière-pensée. Il y jette un coup d'œil puis me regarde d'un air interrogateur en me disant :

— Suivez-moi dans la voiture !

Me voilà assis sur la banquette arrière quand celui qui m'a parlé me dit sur le ton bien particulier que prennent les policiers quand ils sont sûrs d'avoir attrapé un coupable :

— Comme ça, c'est tes papiers ? Tu conduisais une Mustang convertible pis t'as les papiers d'un «hard top», pis tu vas me faire accroire que tu t'appelles Paolo Noël?

— Ben oui, c'est moi.

— C'est ça, si toi tu t'appelles Paolo Noël, moi je suis Napoléon 1er. On va t'emmener au poste pis on va t'faire chanter une belle petite chanson. Pis tu vas avoir le temps d'en chanter ben d'autres parce que tu vas passer la fin de semaine en dedans.

— Ben voyons, j'vous dis que je suis Paolo Noël! J'dois savoir qui j'suis! Demandez à mon p'tit neveu comment je m'appelle?

— Y doit être aussi menteur que toi. Pour le moment, tu serais peut-être mieux de te fermer la gueule.

Je me demande quelle erreur j'ai pu commettre pour me faire traiter comme un bandit. En arrivant au poste, l'officier qui s'adresse à moi est très différent du jeune à qui j'ai eu affaire dans la voiture. Après quelques explications, il m'emmène dans la chambre de bain pour que je me lave la figure afin de pouvoir vraiment m'identifier. En me regardant dans la glace, je comprends un peu ce qui est arrivé. J'ai le visage blanchi par la poussière du sablage et ça fait comme un masque qui recouvre complètement les traits de mon visage. En plus, j'ai sur la tête une petite tuque de marin qui me donne vraiment une allure de clown; si j'ajoute à ça ma chemise et mon pantalon déchirés et tachés de peinture, le tableau est complet.

L'officier derrière moi me dit pendant que nous sommes seuls:

— T'es chevalier de Colomb, toi?

— Oui, de Sainte-Marie.

— Bon, j'vas essayer de t'arranger ça parce que l'autre y voudrait bien te garder en dedans toute la fin de semaine.

— Qu'est-ce que j'ai fait de pas correct à part de pas être mort écrasé par un truck ?

— T'as des licences factices sur le char que t'avais, pis tes enregistrements correspondent avec rien de tout ça !

— Ben ça, c'est le gars du garage qui me l'a donné comme ça !

— Mais c'est toi qui t'es fait poigner avec ça, pis y va falloir que tu prouves tout ça !

J'ai été libéré grâce à l'influence de l'officier, à la condition expresse de me présenter au poste le lundi suivant.

Ce qui fait que je me suis retrouvé avec une poursuite en dommages de la part du garage, du propriétaire de la voiture et de la chaîne de magasins d'alimentation à qui appartenait le camion-remorque. J'avais de plus enfreint la loi en ayant conduit une voiture qui n'était pas à moi avec des licences factices ! Encore heureux que mon neveu et moi nous nous en soyons sortis vivants, sinon ç'aurait été le gâteau !

En arrivant à la cour avec Reevin, lors du procès, il y avait tellement d'avocats contre nous qu'on aurait vraiment dit un party de finissants à l'université, le bouffon de l'assemblée étant le pauvre imbécile que vous connaissez. Tout ça parce que j'ignorais quelques petits points précis de loi qui avaient pris des dimensions énormes à cause de l'accident. Avant que chacun ait donné sa version des faits, ce fut long, très long même. Tout le monde se jetait sur moi et Reevin arrivait toujours à renvoyer la balle dans le camp de nos nombreux adversaires. À un moment donné, le juge, qui semblait fatigué de les entendre discuter, déclara :

— Silence ! Arrêtez tout ! Monsieur Noël, voulez-vous on va changer l'atmosphère ici dedans, venez dans la boîte aux témoins pis chantez-moi donc la belle petite chanson que vous avez faite dimanche, avec les enfants.

Je n'avais pas d'autre choix que d'aller dans la boîte et de chanter «Le petit voilier» devant tous ces avocats et leurs clients. J'avais auparavant chanté dans des hôpitaux, des prisons, des églises, mais jamais dans une cour devant un juge.

Quand il a rendu son verdict, quelques semaines plus tard, c'était gagné ! Cependant, je n'avais pas eu ce verdict pour une chanson ; c'était surtout grâce à l'habileté de Reevin, mon jeune avocat.

En tant qu'ami et conseiller, il m'a dit :

— À l'avenir Paolo, sois plus prudent. Tu n'es plus un jeune voyou, tu as un nom respecté mais il suffirait d'une maladresse ou d'un accident comme celui-ci pour que tu perdes tout ce que tu as durement gagné, puis que tu te retrouves dans la rue.

24

Constantino,
l'enfant de mon amour

Le gag de la rue, je ne le connaissais que trop et je n'avais aucune envie d'y retourner. C'est pourquoi, en plus de mettre en pratique les conseils de Reevin, je travaillais de plus en plus afin d'accumuler des sous, pendant que la chance était de mon côté. J'étais toujours de l'émission « Toast et café » cinq jours par semaine et le dimanche, j'animais l'émission des enfants « Les jeunes talents Catelli ». Ça ne me laissait que très peu de temps pour faire autre chose. Quand j'étais à la maison, je restais des heures à étudier des nouvelles chansons pendant que Diane, la silencieuse, préparait doucement la venue du bébé qui approchait de jour en jour. Ma vie se passait entre les studios et l'appartement. Nous ne sortions presque jamais, pour ne pas attirer l'attention sur nous. La nourriture des restaurants et des hôtels ne me manquait pas. Diane passait ses journées à lire des livres de recettes et à cuisiner. De tout maigre que j'étais lorsqu'elle m'avait connu, je commençais à avoir l'air d'un homme qui mange bien, régulièrement, convenablement et qui a aussi appris à se coucher tôt pour se lever tôt, ce qui éliminait automatiquement le couraillage et les beuveries.

Une nuit, vers quatre heures du matin, alors que je dormais profondément, je sens une main douce me caresser le visage pendant que dans mon demi-sommeil, j'entends une voix me dire très calmement :

— Mon beau Paolo, je pense qu'il va falloir y aller.

Comme je n'étais pas encore bien réveillé, je réponds :

— Aller où ?

— Eh bien ! À l'hôpital, parce que le bébé est proche.

— Quoi le bébé !

Et je saute en bas du lit tout énervé. C'est la course aux chaussettes et au pantalon que je ne trouve pas. Diane, toujours calme, trouve tout ce qu'il me faut pour m'habiller.

— Il va falloir téléphoner à ma sœur Lucille pour qu'elle vienne avec nous. J'ai pas envie de t'laisser toute seule dans ces maudits hôpitaux-là. J'ai pas envie qu'y te magannent si j'suis obligé de partir. Lucille est pas gênée elle, a les laissera pas faire !

Tout le long du parcours, je conduis avec prudence, même si je suis nerveux. S'il fallait qu'un accident arrive, ce serait épouvantable. Pendant que Diane et Lucille discutent entre femmes, je recule par la mémoire loin dans ma vie. Malgré moi, je pense à la naissance de Johanne, le premier enfant de mon premier mariage, alors que la pauvre Thérèse avait dû attendre debout dans le passage, avec les contractions qui la faisaient souffrir, pendant que la religieuse me réclamait un acompte sur l'accouchement avant de faire quoi que ce soit. Je me promets bien de ne pas me laisser avoir cette fois-ci. J'ai de quoi payer, crier, et leur casser la gueule s'il le faut ! Diane a dû sérieusement souffrir d'être obligée de se cacher de la plus belle chose que la nature ait faite, pour ne pas nuire à ma carrière. Je ne laisserai personne lui faire du mal.

Presque décidé à assommer tout le monde, nous entrons dans cet hôpital juif que Didi avait choisi pour accoucher, afin de déjouer les espions que les journalistes ont en permanence dans les hôpitaux où les Canadiens français vont habituellement.

À peine y avons-nous mis les pieds qu'un infirmier tout souriant s'amène avec une chaise roulante et s'adresse à Diane avec des mots de tendresse que je n'avais jamais entendus auparavant dans nos hôpitaux soi-disant chrétiens, où la charité et l'amour doivent prédominer. Il l'y assoit avec beaucoup de délicatesse et s'en va la reconduire à sa chambre, sans me poser de questions sur ma religion, ma position ou mon compte en banque. La future maman d'abord et les formalités après, et ce n'est pas parce que je suis un artiste de la télévision puisque lorsqu'on me demande mon nom et que je le donne, ils ne savent même pas que je suis chanteur. Ils ne me posent qu'une question sur mon union avec Diane :

— Êtes-vous le père ?

— Oui.

— Alors montez à l'étage de la maternité, elle vous attend.

Une seule chose comptait pour moi, la femme que j'aimais et ce bébé qui allait venir. Nous l'avions imaginé, dessiné je ne sais combien de fois. Il sera le bienvenu dans notre vie.

En arrivant dans la salle d'attente où Lucille était déjà rendue, je lui demande où est Diane. Elle me répond :

— Elle est dans la chambre de travail. Pour y aller, y va falloir que tu mettes un couvre-tout comme celui qui est accroché sur la patère.

Je prends donc le premier qui est sur le dessus, et je l'enfile pour aller rejoindre Diane. Une infirmière m'arrête au passage pour me dire quelque chose dans un anglais dont je n'arrive à comprendre que quelques mots, « docteur et bébé ». Croyant qu'elle veut me reconduire près de Diane, je la suis; mais en entrant dans la chambre, je m'aperçois vite qu'elle s'est trompée de femme et aussi de docteur, car j'ai sur le dos la blouse d'un médecin dont le nom est bien brodé sur la poitrine. Nous nous excusons mutuellement et j'arrive à lui expliquer que je cherche ma femme, une rougette assez grande. Quand je retrouve Diane, elle est là, endurant en silence ses contractions. Elle respire profondément sans se plaindre. Si elle parle, pendant les accalmies, de ce petit qui cherche à sortir, c'est pour me dire :

— Je t'aime Paolo. J'suis sûre que ça va être le plus beau bébé de la terre.

J'essayais de la faire rire en lui disant des conneries comme :

— C'est sûrement un p'tit gars. C'est pour ça que ça prend tant de temps. Il a la kékette prise dans le cordon.

Mais les heures passent et repassent sans résultat, si bien qu'au matin, Diane, toujours aussi raisonnable malgré les circonstances, me dit :

— Paolo, va faire ton émission pour ne pas attirer l'attention, pis sois pas inquiet. Si le bébé arrive pendant ce temps-là, dis-toi bien que je suis en sécurité et entre bonnes mains.

J'ai eu beau faire le clown pour cacher mon inquiétude tout le long de l'émission, j'avais le cœur gros. Seuls mes copains de travail étaient au courant de ce qui se passait. Pendant que je chantais, des images épouvantables embrouillaient mon esprit. Je me voyais revenant à l'hôpital et Diane n'y était plus. C'était con de penser à ça, mais c'est des choses qui sont déjà arrivées. Comme depuis quelque temps tout allait trop bien, ça m'inquiétait. Pessimiste comme je l'étais, le bonheur me faisait encore très peur. Ça n'a pas traîné, une fois l'émission terminée. J'étais de retour à l'hôpital où la belle-mère venait d'arriver. Comme elle voulait venir avec moi voir sa fille, une infirmière lui fit savoir assez sèchement que personne d'autre que le père n'était admis à assister la future mère pendant les contractions.

Déçue et insultée, elle est retournée dans la salle d'attente. Quand je suis allé la rejoindre, pendant l'accouchement, nous ne nous parlions pas beaucoup. Elle n'avait pas de questions à me poser. À son regard, je comprenais très bien que j'étais toujours un homme déjà marié qui avait fait un enfant à son bébé. Elle se demandait sûrement ce que me réservaient mes lendemains, le succès ou la défaite, dans l'incertitude dont est fait le métier d'artiste. Qu'arriverait-il à sa fille chérie si, pour une raison ou pour une autre, je disparaissais de sa vie ? Que ferait-elle en tant que mannequin, avec un enfant sur les bras ? S'il m'avait fallu répondre à ces questions, je n'aurais pas su trouver les mots appropriés.

Vers cinq heures de l'après-midi, le docteur est arrivé et m'a dit que j'étais le papa d'un beau garçon. J'ai tout oublié pour ne penser qu'à vivre la joie que je ressentais. J'ai pris le médecin dans mes bras pour l'embrasser en pleurant de joie. Même s'il restait figé sur place, il a bien fallu qu'il subisse l'enthousiaste baiser d'un papa heureux. Ensuite, ce fut au tour de Mimi, la belle-mère, de subir mes assauts de joie.

Après avoir vu mon bébé et embrassé Diane, je suis reparti vers l'appartement où enfin j'ai pu dormir sans pilule. J'avais bu presque un vingt-six onces de cognac pour me calmer en attendant le bébé. Et dire qu'on nous appelle le sexe fort ! Quelle blague !

Le lendemain matin, pendant que se déroulait l'émission, j'aurais voulu dire à tous ces gens qui m'écoutaient combien j'étais heureux. Mais je ne le faisais pas, de peur d'une réaction négative de la part du public et aussi de la direction de CFTM. Je me suis contenté de dire, avant de chanter.

— Ce matin, je dédie ma chanson à une personne, actuellement hospitalisée, que j'aime profondément.

«Aimer comme je t'aime
Ça devait m'arriver
C'est dans tous les poèmes
Sur les arbres gravés. »

Pendant que sortaient par ma voix ces mots d'amour pour la femme que j'aimais et qui m'avait fait redécouvrir le bonheur et la joie de vivre ; de son côté, elle me regardait sur son petit écran de télé, couchée dans son petit lit avec notre bébé dans les bras. Tout en m'écoutant, sa mère lui parlait en essayant de lui expliquer que le fait d'avoir eu un enfant ne l'obligeait pas à vivre sa vie avec moi. Elle pouvait toujours revenir à la maison sans avoir à s'inquiéter du lendemain. L'enfant qui venait de naître ne changeait en rien l'amour que son père et sa mère avaient pour elle. Elle resterait toujours leur petite fille quoi qu'il arrive.

Diane toujours calme, lui répondit :

— Maman, j'aime Paolo et Paolo m'aime et nous sommes heureux ensemble. Je te remercie de ton attention et de ton amour, mais ce bébé, nous l'attendions tous les deux. Je suis certaine qu'il ne manquera jamais d'amour, que je sois mariée ou non. Cet enfant est à nous et j'entends bien le garder.

Quand je suis arrivé à la chambre, des roses à la main, j'ai trouvé une Diane épanouie de beauté par la maternité et un bébé aussi beau que nous l'avions rêvé, dévorant son biberon avec une gourmandise de vivre qu'il n'a jamais perdue depuis.

Quelques mois après la naissance du petit, Diane et moi voulions qu'il soit baptisé. Nous aurions sûrement pu tout simplement aller à la petite église de Repentigny ; cependant, chaque dimanche après-midi, en allant enregistrer l'émission des enfants, je rencontrais dans la salle de maquillage un curé qui faisait son émission de télé et avec qui je bavardais de temps en temps. Je me suis donc hasardé à lui demander s'il ne baptiserait pas mon fils.

J'étais assis sur la chaise de maquillage au moment où je lui parlais. Heureusement, car c'est sûrement ce qui m'a empêché de tomber par terre en entendant sa réponse. De tout souple et amical qu'il était en me parlant il y a un instant, il changea complètement de ton pour me dire, après qu'il m'eût demandé si j'étais marié :

— Je n'ai pas la vocation pour baptiser des petits bâtards.

En entendant ces mots, j'ai figé sur ma chaise et je me suis posé la question: « Vais-je me lever et lui casser la gueule pour tout perdre ou me taire encore une fois et me dire que je n'ai rien entendu ? »

Je fermai les yeux pour ne plus voir sa figure dans le miroir qui me faisait face. Je serrais de toute la force de mes mains les appuie-bras de la chaise de maquillage pour y faire passer la rage qui traversait mon corps comme un courant électrique.

Claudette, la petite maquilleuse, qui me connaissait bien et qui avait deviné ce qui se passait en moi me dit pour me calmer :

— Laisse tomber Paolo, il en vaut pas la peine. Y'a des pas bons partout, même dans les curés.

À force de me retenir, je pleurais de rage pendant qu'elle continuait à essayer de me maquiller. Je n'arrive pas à croire qu'un curé qui parle de l'amour de Dieu ait pu me donner une telle réponse !

Cet après-midi-là, pendant qu'on enregistrait l'émission, je regardais tous ces enfants assis dans les estrades en me demandant combien d'entre eux étaient condamnés à porter ce nom affreux qu'on venait de donner à mon fils ? Pourquoi mettre sur le dos des enfants l'incompréhension de ceux qui se croient assez grands pour dicter à la conscience des autres ?

« En fait, monsieur le curé, Joseph n'était-il pas le père nourricier de votre grand patron, Jésus ? Et peut-être que votre grosse tête n'a pas compris l'exemple d'amour qu'il vous a donné. Monsieur l'Abbé D., je sais que depuis, vous avez laissé tomber la prêtrise, ce qui prouve que vous étiez un faux. Si jamais vous me rencontrez, ne m'adressez pas la parole ; cette fois je n'aurai pas CFTM et tout le reste pour m'empêcher, et avec un plaisir extrême, de vous casser la gueule. D'ailleurs, l'enfant que vous avez insulté est assez grand et assez fort maintenant pour le faire lui-même.»

Malheureusement, après l'émission, j'aurais bien voulu m'en aller à la maison pour retrouver ceux que j'aimais et les serrer sur mon cœur car j'en avais besoin. Mais j'avais promis à Marcel Leblanc de RCA, la compagnie pour laquelle j'enregistrais, que j'irais à la foire du disque signer des autographes. Je ne pouvais pas manquer à ma parole, car j'ai toujours eu comme devise que si on ne respecte pas sa parole, on ne mérite pas d'être respecté par les autres.

* * *

Le cœur un peu chaviré, je pénètre dans l'immense salle entourée de kiosques de l'aréna Maurice-Richard. Les compagnies de disques présentent au grand public ses artistes préférés où les fans, toujours affamés d'autographes et de photos, pourront se satisfaire.

Quand j'arrive au stand de ma compagnie, il n'y a qu'un représentant de RCA qui attend, seul derrière le comptoir. Puisqu'on est à l'heure des drinks et du souper, la plupart des artistes sont dans le grand salon où la compagnie recevait ses invités. Comme j'étais venu pour signer des autographes, c'est tout ce que j'avais envie de faire. Dès qu'on annonce mon arrivée, je n'ai pas le temps de flâner et c'est l'assaut des mamans avec leurs enfants. Je signe des autographes, j'embrasse des enfants, des mamans et ça me fait du bien d'avoir un contact avec le public qui me regarde et m'écoute dans cette petite boîte froide qu'on appelle la télévision. Je réalise à quel point un artiste est chanceux de créer du bonheur avec aussi peu qu'un sourire et une signature qui ne vaut pas souvent grand-chose à la banque. Je suis heureux de rendre heureux. À travers tout ce petit monde entassé et séparé de moi par un minuscule comptoir, j'aperçois un petit bonhomme qui cherche sans succès à s'approcher de moi. Je passe sous le comptoir pour aller le chercher et le mettre debout devant moi. Il en train de me piquer une de ces jasettes! Ce p'tit bout-de-chou d'à peu près trois ans et demi a beaucoup de choses à me dire. Je l'écoute attentivement pour savoir quoi lui répondre, lorsque je suis dérangé par des mots que je n'aime pas entendre, surtout devant des enfants. Je me retourne pour apercevoir, derrière les gens qui m'entourent, trois têtes de voyous faisant leur numéro de con pour attirer l'attention. Je leur dis d'aller jouer ailleurs.

L'un deux, le plus gros naturellement, me répond :

— Penses-tu que t'es capable de nous faire bouger d'icitte si on n'a pas envie de bouger ?

J'essaie de leur faire comprendre que ce n'est ni l'endroit ni le moment de commencer quelque chose, puisque nous sommes entourés d'enfants. Tout en parlant, je regarde plus loin si je ne trouverais pas un policier ou un garde de sécurité qui, normalement, devrait être là pour faire respecter l'ordre. Je ne vois rien d'autre que des femmes et des enfants qui commencent à paniquer devant le ton agressif de ces trois voyous habillés de vestes de cuir, style motard.

Je commence vraiment à être écœuré! D'abord le curé qui vient de me faire chier, puis ces bétails à cheveux longs qui m'insultent en me traitant de tapette. Ils ont des paroles dégueulasses concernant les enfants. Je ne sais pas si je vais être capable, mais je sais que j'ai assez de bon cœur pour essayer de nettoyer la place de ces rapaces. Je traverse parmi les gens et me dirige vers le plus gros qui me regarde avec sa grosse face de cochon pleine de boutons en me défiant de son regard sadique. J'ai même un peu peur en l'approchant, mais il est trop tard pour reculer. J'essaie encore de leur expliquer qu'ils devraient aller faire les comiques ailleurs. Rien à faire, il se fout encore plus de moi en riant, en me demandant un petit bec et en faisant des gestes efféminés. Pour tromper son attention, je joue à celui qui laisse tomber en s'en allant; dès que je lui tourne le dos et qu'il est bien détendu, je prends mon élan et, me retournant rapidement, je lui descends une droite qui lui écrase le nez et la gueule en faisant jaillir le sang. Il ne bronche pas, pendant que le sang commence à couler sur son gilet. Je me demande si c'est moi qui suis faible ou lui qui est fort. Ce dont je suis sûr, c'est qu'il va falloir que je me grouille le cul si je ne veux pas me faire démolir. Je suis toujours seul et ils sont trois. Si les deux autres sont aussi solides que celui-là, je ne suis pas sorti du bois!

Des réflexions comme celles-ci sont plus longues à écrire sur du papier qu'à penser. Dans ce genre de bagarres, tout se fait très vite. Je reçois un coup de poing sur la mâchoire qui me fait lever les pieds de terre et me fait tomber sur le dos, à travers les gens qui regardent la scène. C'est humiliant, mais il me fallait un coup comme ça pour me faire oublier que je suis «le chanteur Paolo Noël» et me faire redevenir très vite «Paul-Émile, le batailleur de la rue Cuvillier», qui sait se défendre avec ses poings, ses pieds et sa tête s'il le faut. Aussitôt relevé, je fonce comme un enragé en frappant sans arrêt tout ce qui est à ma portée et qui ressemble à du cuir noir.

Je donne des coups et j'en reçois de partout, jusqu'au moment où je me retrouve seul avec le gros. Les deux autres ont disparu. Pendant un court instant, je m'arrête pour reprendre mon souffle et bien regarder sa face de porc qui me redonne de l'énergie. Tout à coup, je me sens pris par des bras qui me retiennent par derrière. Le salaud en face de moi en profite pour me donner un coup de poing dans l'œil. Je suis en «tabarnac» et l'adrénaline me donne la force de me dégager des bras de celui qui me retient. Je me retourne rapidement et lui administre un superbe crochet de droite qui l'envoie au plancher.

En voyant rouler par terre une casquette de policier, je réalise trop tard mon erreur. Mais je suis si enragé, sentant mon œil se fermer de plus en plus, que je pars en courant à travers la foule pour essayer de rattraper mon gros lâche. Il en a profité pour se sauver. Je ne suis cependant pas tout seul à faire la course : quatre gros policiers en santé arrivent à nous séparer et nous ramènent vers un poste de police, à l'intérieur de l'aréna.

Les enfants m'applaudissent comme un héros, au moment où nous traversons la foule de spectateurs de ce combat de boxe. Mon adversaire, lui, n'arrive pas à se cacher derrière les policiers qui n'ont pas vraiment l'air de vouloir le protéger des coups de bourses et des insultes que des femmes lui lancent au passage.

Le tout se règle à l'amiable devant l'officier qui écoute les deux versions. Même si j'ai frappé sans le savoir le policier qui essayait de me retenir, ma parole a plus de poids que celle du voyou. Je le regarde essuyer le sang qui coule sur sa figure et je n'ai aucun regret.

Si, pour une raison ou pour une autre, on m'avait arrêté, je pense que j'aurais fini de l'assommer devant le policier. Toute cette histoire se termina pour le mieux quand Marcel Leblanc, le directeur artistique de RCA, vint me chercher et paya les pots cassés.

* * *

La semaine suivante, j'eus droit à toutes les premières pages des journaux. Mon œil au beurre noir changeait de gauche à droite selon le côté où on avait placé la photo à l'imprimerie. J'en fus quitte pour un quinze jours de télévision avec un «œil de pirate» sur l'œil gauche et un petit déjeuner-causerie avec Diane qui désapprouva ma conduite, jusqu'au moment où je lui expliquai ce qui s'était passé avec le curé, au tout début de cette histoire. Je l'ai vue rougir en disant :

— T'as bien fait, mais t'aurais dû commencer d'abord par le curé ! J'veux bien sacrifier beaucoup de choses à ta carrière, mais pas ma fierté ni mon honneur !

25

Caché derrière la caméra

Le père de Diane, monsieur Bolduc, a toujours marché la tête haute comme un officier d'armée retraité qu'il était. Il a été profondément insulté de l'affront qu'on avait fait à sa fille et à son petit-fils — qu'il appelait affectueusement «l'ouragan» —. Il organisa un joli baptême, dans la belle vieille église de l'Île Bizard, avec un bon vieux curé de campagne plus évolué que certains autres de la grande ville. Il n'eut pas peur de se salir les mains en baptisant mon fils, sous l'œil attendri de sa marraine, ma sœur Lucille et de son parrain, mon beau-frère Pierre Dumond, le boxeur de ma jeunesse. On le baptisa Paolo, Constantino Noël. La fête se termina à la résidence de mes beaux-parents, dans le champagne, une boisson pour laquelle je n'avais pas beaucoup d'affection. Mon beau-père me répétait:

— Paolo, il faut que tu apprennes à avoir de la classe. Oublie ta bière. Ici, on boit du champagne! Ça ne rend pas plus intelligent, mais c'est meilleur!

Mon beau-père avait raison. Il fallait que je m'applique à essayer d'avoir un peu plus de classe; mais ce n'est pas toujours aussi facile qu'on le croit!

J'admire les gens qui prennent l'insulte avec distinction et arrivent à répondre avec de la classe. Ce n'est pas mon cas: quand on m'insulte ou qu'on me blesse, je ne sais que dire. Je me défends comme je peux et l'énergie remplace le vocabulaire. Ce n'est pas très élégant, mais on est comme on est!

Heureusement, avec le temps et avec l'âge, ce sont des choses que je n'ai presque plus besoin de faire. En général, tout le monde me respecte. Ça me rappelle ce que Tino Rossi me disait, un jour que nous parlions du métier, de la popularité et de ses inconvénients.

— Laisse aller! Laisse parler! Tu vois, moi, quand j'étais jeune chanteur, on m'a insulté, on a dit que j'étais pédéraste, que j'avais une jambe de bois et un œil de verre, enfin tout ce qui n'est pas beau. Eh bien ces mêmes gens, aujourd'hui, je les rencontre et ils sont les premiers à faire des courbettes en me disant : «Bonjour, monsieur Rossi, vous allez bien?» Pendant ce temps-là, je ris dans ma barbe.

Mais je vais donner la preuve que quelquefois, sans vouloir avoir l'air d'un héros, cette énergie m'a rendu service, à moi et aux autres.

La petite maquilleuse du canal 10, dont il fut question avec le curé, était ma voisine à Repentigny. Bien avant sa naissance, j'avais connu sa mère alors qu'elle la portait. Je devais avoir une vingtaine d'années quand j'ai échangé mon voilier contre celui de son père. Je l'avais tellement emmerdé qu'il a fini par accepter pour se débarrasser de moi. Claudette est née à cette époque. Les années ont passé et je suis devenu un artiste assez connu pour me payer un voilier plus grand.

Lors d'un voyage avec mon «Madona», je fus obligé de m'arrêter à Sorel pour soigner une mauvaise grippe qui me donnait beaucoup de fièvre. Mon bateau était attaché à un gros quai de ciment à côté du yacht de monsieur Beaudoin, le père de Claudette. Il était en vacances avec sa famille. J'étais seul à l'intérieur de ma cabine. Je m'étais frotté la poitrine avec du «Vick's» et j'avais enfilé un gilet de laine afin que la sueur fasse sortir de mon corps ce vilain virus qui nuisait à mon plaisir de naviguer. Tout en dégouttant comme une champelure mal fermée, je lisais l'autobiographie de Bing Crosby. Je me rappelle même les mots que je lisais, à propos de la longue durée de son succès. Bing Crosby disait : «C'est que je chante tout simplement, comme tous les hommes le font en prenant leur douche. » Je m'étais arrêté de lire pour réfléchir sur ces paroles, lorsqu'il me sembla entendre des cris de détresse venant de l'extérieur. Je me précipitai hors de la cabine pour apercevoir, en haut du quai, des pêcheurs avec leur canne à la main qui s'énervaient en criant qu'une petite fille était tombée à l'eau. Je regardai sans beaucoup de succès dans cette eau presque noire, à la brunante. Je scrutais avec attention tout autour de mon bateau, pour essayer de trouver un indice de l'endroit où elle était tombée, lorsque je vois apparaître, entre deux eaux, une petite tête effleurant à peine la surface de l'eau pour redescendre aussitôt.

Je sautai tout habillé dans l'eau qui me sembla glacée au contact de mon corps qui avait accumulé beaucoup de chaleur. J'oubliai vite mon frisson en pénétrant dans cette noirceur. Je distinguai une forme blanche à quelques pieds de moi. Je la rattrapai vite et l'agrippai au bout de mon bras pour la remonter à la surface. J'arrivai à rejoindre l'échelle qui menait sur le quai. Avec mon bras droit, je tenais la petite serrée contre moi pendant que j'essayai de grimper dans l'échelle d'une seule main, en sautant d'un barreau à l'autre.

Pendant ce temps, la petite avait vomi son souper et toute l'eau avalée. En arrivant sur le quai, elle avait presque repris connaissance. Elle s'est alors mise à pleurer pendant que je la portais dans mes bras pour la ramener à son père qui venait juste d'apprendre que sa fille avait failli se noyer.

C'est drôle comme les gens ont des réactions bizarres dans ces moments de panique. Au lieu de me remercier d'avoir sauvé sa fille, le père de Claudette se mit à m'engueuler parce que j'avais déchiré sa robe en l'attrapant au fond de l'eau. Je ne lui ai pas répondu parce que je comprenais son énervement. Néanmoins, si je n'avais pas eu l'énergie pour réagir rapidement aux cris des pêcheurs qui paniquaient mais ne faisaient rien, après la troisième remontée, Claudette se serait noyée. Elle ne serait jamais devenue mon amie et ne m'aurait jamais maquillé. D'ailleurs, elle me l'a répété plusieurs fois :

— Toi, y faut que j'te fasse beau parce que tu m'as sauvé la vie.

* * *

J'étais, avec plusieurs autres chanteurs, invité à participer à un grand spectacle au parc Belmont. On faisait sa chanson à succès chacun son tour devant le public qui remplissait les estrades et le spectacle marchait bien. À un certain moment, Michel Louvain vint me dire qu'une bande de voyous voulaient s'en prendre à lui et à Jen Roger après le spectacle. Je lui répondis :

— Michel, viens avec moi, pis montre-moi-les !

Louvain était un peu inquiet parce qu'il y en avait plusieurs. Je le rassurai.

— Louvain, regarde ben ce que j'vas faire. Quand tu seras mal pris, tu feras la même chose.

En arrivant dans le bas de l'estrade, je m'avançai vers eux et leur criai :

— Aye, les pourris ! Qui c'est qui est le meilleur de votre gang ?

Un gros se lève en disant :

— C'est moé ! Pis ?

— Si t'es un homme, descends icitte, à portée de mon bras, pis j'vas te remonter en haut sans que t'ailles besoin de toucher aux marches, mon gros osti ! Fie-toi pas à ma voix parce que tu vas avoir des surprises !

Il m'a regardé un instant et s'est rassis sans rien dire. Louvain et moi sommes repartis en riant vers la loge des artistes.

* * *

Tu vois que le beau métier d'artiste, tout beau, tout rose, ne l'est pas toujours. C'est pourquoi je suis heureux d'être ce que je suis.

Celle-là, c'est moi qui l'ai dite : « Un ancien voyou peut toujours finir par acquérir de la classe, mais celui qui en a toujours eu ne peut pas s'improviser voyou lorsque c'est nécessaire. »

Les livres, c'est une chose ; la rue, c'en est une autre. C'est une bonne mais dure école. Tu apprends vite qu'il faut en sortir. Ça te demande un brin d'intelligence mais surtout du cœur.

En parlant de cœur, après la venue de Constantino dans notre vie, nous nous sommes demandé si toute cette comédie de cache-cache était vraiment nécessaire et valable pour ma carrière. Ma mère m'avait souvent répété que la venue d'une femme dans la vie d'un chanteur pouvait nuire et même occasionner un échec, et j'avais fini par y croire. Maintenant, je vis tous les jours avec le public et j'ai appris à le connaître. Je me demande si elle avait raison ; car le public qui nous admire peut nous juger, mais celui qui nous aime ne nous juge pas. Il nous donnera son affection tant et aussi longtemps que l'artiste lui prouvera que lui aussi, il l'aime.

Naturellement, si j'étais homosexuel, toutes ces explications seraient inutiles ; le compagnon de ma vie passerait inaperçu à travers mes amis. Étant donné que je suis un homme, un vrai, comment voulez-vous que je passe ma vie sans être aimé par une femme? C'est un besoin naturel pour moi et je ne vais pas passer ma vie à me cacher comme un malfaiteur pour sauver ma carrière, comme si c'était un tort de nous aimer, Diane et moi. Mon histoire date «d'avant-hier». Pourtant, les filles-mères sont encore très mal vues dans la société québécoise. Je cours le risque de susciter de bien mauvaises réactions en ouvrant la carte de ma vie devant tout le monde, mais il faut bien que quelqu'un commence à dire la vérité, surtout quand elle est jolie. On verra bien la suite.

*   *   *

Je parle à mon réalisateur des «Talents Catelli», Claude Taillefer, d'une idée que j'avais derrière la tête. En tant que papa lui-même, il est bien d'accord. On sait tous les deux que la majorité des téléspectateurs de l'émission sont des papas, des mamans et leurs enfants. Du vrai monde quoi! Des gens qui vivent les mêmes problèmes que nous, mais de façon différente. Je suis certain que si je leur dis la vérité, ils comprendront. Un beau dimanche, à la fin de l'émission, tous les enfants ont les yeux rivés sur moi pendant que je fais ma chanson — en tenant dans mes bras un petit bonhomme qu'ils ne connaissent pas —. Les mots, qui m'arrachent le cœur à chaque syllabe, s'adressent à lui:

«Petit bohomme, au bout de ton enfance
Petit bonhomme, il faudra se quitter.
Tu partiras comme on part en vacances
Sur le chemin de la liberté.
Petit bonhomme, au jour du grand passage

Je viendrai seul car tu n'y seras pas
Mais je dirai : mon fils est en voyage
Il est allé beaucoup plus loin que moi. »

J'avale ma salive pour ne pas pleurer. Quand je dis aux enfants : « Voici mon fils, Constantino Noël », ils se mettent à applaudir et à crier « Bravo ». Je ne peux plus me retenir. Les larmes de joie sont si douces à l'âme, alors pourquoi ne pas me laisser aller à ce bonheur que les enfants me procurent. À la fin de l'émission, ils se précipitent tous vers moi pour dire bonjour à un enfant de plus, un enfant heureux de découvrir enfin un monde à sa mesure. Il gigote, il veut toucher les cheveux de chaque petit enfant, tout en continuant de téter sa suce avec énergie. Diane m'attend dans les coulisses et pleure en silence elle aussi. Ça n'est pas gênant parce que tous les amis de l'équipe technique ont eux aussi une petite larme dans le coin de l'œil. Croyez-le ou non, je pleure encore en écrivant ces souvenirs dont les vibrations me reviennent par le bout du crayon à mine avec lequel j'écris ce livre.

* * *

Cette présentation de mon fils à la télévision a eu, à coup sûr, des effets rapides sur le public qui n'était pas tellement au courant de ma vie amoureuse. Naturellement, les journalistes essayèrent, chacun de leur côté, d'être le premier à photographier notre bébé. Nous étions fiers de pouvoir enfin montrer à tout le monde le dénouement de notre roman d'amour caché. Les pages des journaux artistiques furent pleines de notre histoire. Un changement apparent de ma personnalité avait chatouillé la curiosité de quelques vieux routiers de la presse. Ils me croyaient devenu petit-bourgeois parce qu'au lieu de porter mes pantalons de corduroy et mes vieux gilets délavés, je m'habillais avec des complets à la mode. Je n'avais pas le choix ; il fallait que je fasse honneur à mon métier tous les jours en respectant le public qui me regardait. Mais dès que j'avais la chance de retrouver un peu ma vie de bohème, je m'empressais de redevenir celui que j'étais au fond et que je suis encore : un marin qui rêve éternellement de partir.

Nous dévoilions aux journaux tous nos secrets. Pour le public qui nous aimait, c'était la preuve que tout en étant des artistes, nous restions des êtres normaux qui travaillaient, aimaient, souffraient et essayaient d'être heureux, malgré toutes les contraintes de la vie. Des contraintes, tout le monde en a. Il faut savoir les affronter même si quelquefois, elles arrivent presque à vous détruire ; comme cette lettre qu'une dame nous a écrite après avoir vu une photo de notre bébé, nu dans les bras de sa mère. Elle nous traitait de vicieux et d'exhibitionnistes, pour avoir ainsi exposé notre enfant dans les journaux. Elle est allée jusqu'à nous dire que ce n'était pas tel ou tel chanteur (pour ne pas les nommer) qui aurait osé faire un pareil scandale. Si vous vous reconnaissez madame, sachez que sans que ça me dérange, les deux chanteurs que vous m'avez mentionnés n'ont pas de grandes chances de faire des enfants ; en tout cas, ce serait la première fois que deux hommes y arriveraient en ayant des relations sexuelles ensemble. Cette lettre était perdue à travers tant de lettres gentilles et affectueuses, qu'il aurait mieux valu que Diane ne la lise pas ; car après l'accouchement, une femme devient hypersensible. Ça lui a fait du mal de lire ces propos venimeux, un mal bien inutile d'ailleurs.

Dominique Michel avait trouvé cette lettre dégueulasse et avait dit à Diane de ne pas s'en faire. Elle s'était empressée de montrer, au cours de l'émission, un gros plan de la reproduction d'une toile montrant un petit bébé nu en train de téter le sein de sa mère. Lui, il s'appelait Jésus et elle, Marie; et elle a dit : « Pourquoi pas Constantino et Didi ? » Existe-t-il en ce monde une forme d'amour plus belle et plus grande que celui de l'enfant et de sa maman ?

La réaction que je craignais le plus était celle des enfants de mon premier mariage. Mes craintes furent rapidement justifiées : plus d'appels téléphoniques, plus de visites, aucune nouvelle. Leur froideur à mon égard se faisait sentir — les enfants sont si influençables et mon avocat du diable, la grand-mère Fredda, y était sûrement pour quelque chose — et j'en avais beaucoup de chagrin.

Depuis douze ans que je vivais séparé d'eux, j'avais toujours fait attention de n'avoir pas d'autres enfants, justement pour ne pas leur faire de peine. Comment leur expliquer qu'il était temps pour moi de me refaire une vie ? Cela ne m'empêchait pas de les aimer.

Ma mère me disait à ce sujet :

— Fais-toi-z-en pas, mon noir ! Les enfants, ça grandit pis ça réfléchit plus qu'on pense. Un jour ça décide eux autres mêmes qui y doivent aimer ou pas aimer. Regarde-toé, Paolo, avec Émile. On avait beau te dire qu'y'était comme ci pis comme ça, ça t'a pas empêché de t'sauver par la ruelle pour aller le voir en cachette. Pour le moment, tu devrais t'occuper de travailler fort parce que dans pas grand temps, le monde entier va venir à Montréal pour voir l'Expo 67; tu sais jamais qui va t'regarder chanter à la télé. J'aimerais ça qu'un jour, quelqu'un te fasse faire un film.

— Moman, pousse pas quand même ! Je me trouve bien chanceux d'être rendu où je suis. De toute façon, je me demande souvent si c'est ça être heureux. C'est à peine si j'ai le temps de vivre et de respirer. Tout ce que je fais, c'est travailler, répéter pis travailler !

— Ben mon beau noir, on a été mis sur la terre pour ça !

— Ouais, c'est ça qu'on a appris en catéchèse ; mais moi, j'suis pas tout à fait d'accord, parce quand tu crèves, ils te mettent dans une belle boîte de bois pis y se battent pour se séparer l'argent que t'as laissé.

— Parle pas comme ça ! J'ai peur que le bon Dieu te punisse. J'ai trop prié pour que tu réussisses, pour que tu lâches, aujourd'hui que t'es devenu une vedette.

Ma mère était tellement fière de ma réussite que c'était presque la sienne.

Les deux émissions auxquelles je travaillais avaient de plus en plus de popularité et les cotes d'écoute augmentaient de mois en mois. L'une d'elles, «Toast et café», était devenue le rendez-vous préféré de toutes les personnalités internationales, qu'elles soient politiques ou artistiques. On les recevait en entrevue à l'émission. La venue prochaine de l'Expo 67 y était pour quelque chose.

J'ai eu la chance d'animer la discussion avec de grands artistes que jamais je n'aurais cru rencontrer un jour. J'ai eu aussi l'occasion d'observer leur comportement et leur façon d'être, quelquefois très spéciale. Je ne parle pas en tant que critique, mais plutôt en admirateur. Je leur concède le droit d'être ce qu'ils étaient pour la plupart : des monstres sacrés. J'ai remarqué que les hommes de cette catégorie sont beaucoup moins « flyés » que les femmes : Gilbert Bécaud, Charles Aznavour, Enrico Macias et Claude François, pour n'en nommer que quelques-uns, étaient tous très simples et charmants à interviewer. Ils avaient tous un brin de gentillesse bien spéciale pour Dodo qui, chaque fois, recevait un bouquet de roses accompagné de compliments pour la remercier.

Avec les femmes, c'était autre chose. Habituellement, elles étaient assises entre Dodo et moi. Leurs regards avaient alors tendance à se porter sur moi, et ça Pélo, le réalisateur, le savait. Il l'exploitait au maximum et me disait :

— Je te dis, Paolo, que lorsque tu regardes une femme, ça paraît que t'es pas une tapette. Tu viens les yeux croches.

Il faut se rappeler que l'émission était en direct et qu'il fallait être à la salle de maquillage à sept heures et demie pour rencontrer les invités et bavarder avec eux, histoire de faire connaissance avant d'arriver devant les caméras. J'étais souvent obligé de m'improviser commissionnaire pour satisfaire les petits désirs des vedettes. Je me rappelle qu'un matin, Juliette Gréco, existentialiste convaincue — une vogue qu'elle avait plus ou moins lancée et qui a été aussi populaire que les hippies et les punks d'aujourd'hui — avait refusé la tasse de café qu'on lui offrait.

— Non ! Il est infect votre café. Je prendrais plutôt une bière.

Une bière, à sept heures du matin, quand tout est fermé, c'est pas facile à trouver. (Le merveilleux petit dépanneur du coin n'existait pas encore.) Je demande à Pélo, très occupé à préparer son émission, où je pourrais trouver une bière pour madame Gréco. Il me dit :

— Moi, j'en ai pas, pis le canal 10 c'est pas un bar. Trouves-en pis t'amèneras la facture !

Il fallait donc que je me débrouille. J'allai réveiller le propriétaire d'une petite épicerie licenciée en frappant à grands coups de poing dans sa porte. Il s'amena en robe de chambre, les cheveux ébouriffés et l'air un peu choqué. Il me demanda ce que je voulais. Je lui répondis, un peu gêné :

— J'voudrais avoir deux bières, s'il vous plaît.

— Criss, ça presse à matin. As-tu pris un coup hier au soir, Paolo ?

— Non, c'est pas pour moi mais pour Juliette Gréco.

— J'la connais pas mais 'a'prend un coup de bonne heure !

Quand j'arrivai avec mes deux bières, elle fut enchantée. Elle but à même la bouteille avec beaucoup de classe et nous fit un compliment :

— Votre bière est délicieuse mais votre café est affreux.

Durant toute l'entrevue, elle a complètement tourné le dos à Frenchy et à Dodo pour ne parler qu'avec moi, en me regardant dans les yeux. J'en étais presque gêné car j'étais encore un bien mauvais interviewer. Heureusement, je me suis rappelé les conseils de Pélo pour faire fonctionner une entrevue. Les questions vont toujours de cette façon : où, quand, comment, pourquoi. Je dois dire que je m'en suis sorti de justesse. Madame Gréco n'avait pas la jasette facile.

TOAST *et* CAFÉ 10

Frenchy, Dominique, Moi, Rod.

Dominique l'espiègle

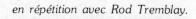

en répétition avec Rod Tremblay.

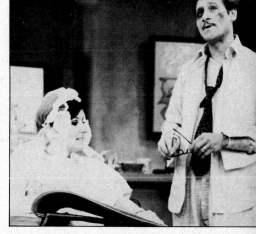

Des rôles que j'aimais jouer avec ma camarade Dominique.

Quelques-uns de mes personnages préférés.

La présentation de mon fils Constantino à la télé.

Quelques années plus tard à la même émission avec Constantino.

Le Musical des Jeunes Talents Catelli.

En répétition avec mon petit frère
Claude «Hulk».

Ma Jag X.K.E.

Diane et moi à notre arrivée au
trophée méritas, avec la robe
dissimulant la venue d'un bébé.

Comment cette photo a-t-elle pu
choquer quelqu'un qui a un cœur!

Ma dernière beauté Jaguar X.K. 140.

Mon "black eye" et vive les caresses.

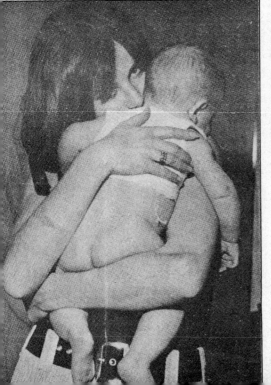

*Arrivée. Gala des artistes
'68 dans un film en noir et blanc.*

L'anxiété.

Est-ce bien moi?

*Frenchy sa femme, et le réalisateur Pélo avec son
épouse me démontrant leur joie.*

*Cours Paolo pour qu'on
ne te le vole pas ton
trophée!*

Je lui dois plus que des caresses.

Avec mon ami Olivier Guimond, un de mes plus beaux souvenirs.

Des larmes de joie.

Avec les 2 femmes qui ont fait ma réussite.

M. et Miss télévision 1968.

Deux enfants du faubourg qui ont atteint un sommet.

*Si j'ai aimé avant toi c'était pour mieux
t'aimer le jour où tu viendrais dans ma vie.*

Une autre personnalité du cinéma et de la chanson française qui m'a paru des plus étranges est la fille aux yeux couleur des Caraïbes : Marie Laforêt. Je me demande encore sur quelle planète elle était pendant l'entrevue. Quand on lui parlait cinéma, elle répondait des choses à propos de son parfum. Quand on lui parlait de chansons, elle parlait d'autre chose. Si bien qu'à la fin, ni l'auditeur ni l'animateur n'avaient compris quoi que ce soit. Seule son étrange beauté avait un peu d'allure.

Il y eut aussi Petula Clark, une femme fidèle à son image de petite Anglaise gentille et simple qui répondait aux questions en souriant.

J'ai connu aussi Nana Mouskouri, timide et réservée mais pas décevante du tout. Elle était obligée de se cacher avant l'émission pour se mettre à l'abri de la colonie grecque de Montréal qui essayait de régler, par elle, les problèmes politiques de leur pays, en ce temps-là.

Il y a eu, bien sûr, des Québécois dont l'originalité n'est pas passée inaperçue. Le champion, ç'a été Robert Charlebois, à l'époque de « l'ostie d'show ». Il était arrivé à l'émission après avoir passé une nuit blanche alors que son spectacle marchait très fort, ce qui l'obligeait à travailler plus que d'habitude. Peut-être aussi que pour retrouver un certain équilibre, une évasion nécessaire à sa créativité, il était obligé de flyer très haut, d'où on risque une « criss de chute » en redescendant... Il était tombé endormi en plein milieu de l'entrevue pendant que sa partenaire Louise Forestier, était pliée en deux, à force de rire de voir son camarade complètement « fade out », la tête appuyée sur la table. Les téléspectateurs ont cru à une blague, mais il était vraiment gelé comme une balle. Heureusement, Pélo a eu la rapidité d'esprit de passer quelques commerciaux pendant qu'on essayait de le réveiller.

C'est un des petits inconvénients des émissions diffusées en direct. Si on «s'enfarge», si on se trompe, c'est trop tard. Il faut continuer. Pas question de recommencer comme c'est le cas aujourd'hui. Imaginez la tension nerveuse mêlée au trac pour arriver à des performances valables. Dans ce temps-là, une émission d'une heure durait une heure. Les patrons ont dû faire de l'argent avec nous autres. Quand je pense qu'aujourd'hui, les émissions prennent deux et trois fois leur temps d'antenne pour être enregistrées.

26

Les oiseaux perdus
reviennent toujours

Je ne vais pas énumérer tous les personnages qui sont passés à l'émission, ce serait trop long. Il y a quand même quelques petites anecdotes amusantes, concernant des hommes importants, que je voudrais rapporter ici. Voici celle de monsieur Heineken ; vous connaissez cette bière qui coûte un peu plus cher que les autres mais qu'on peut trouver partout dans le monde et qui vient de la Hollande. Eh bien, ce pauvre multimillionnaire était tombé amoureux de Dodo ! Il ne voulait rien savoir et désirait tout lui donner. Elle a préféré rester ce qu'elle était, l'éternelle petite espiègle qui fait rire les Québécois et les autres, et ne pas devenir une petite boulette hollandaise gâtée par les millions de la bière Heineken... Tant mieux pour nous !

Tout ce qu'il me reste de ce souvenir, c'est un magnifique bock à bière en porcelaine hollandaise portant le nom de chacun des membres de l'équipe : Dodo, Rod, Paolo et Frenchy.

* * *

Depuis quelques années que je rêvais d'écrire, je m'étais toujours promis de faire connaître les côtés cachés d'un personnage pour qui, de prime abord, j'avais des restrictions, jusqu'au jour où j'ai travaillé avec lui, tous les jours pendant presque cinq ans : Frenchy Jarraud. Sa franchise n'a jamais beaucoup plu à ceux qui se cachent derrière le masque de la fausse pureté ou de l'hypocrisie diplomatique. On a tout fait pour le faire taire et se débarrasser de lui ! Heureusement qu'il avait des couilles, sinon il ne s'en serait pas sorti ! Je sais sur lui des choses qu'il n'a jamais dites et dont j'ai été témoin. Je ne sais combien de fois je l'ai vu se débrouiller pour trouver de la nourriture à des gens dans la misère. Je l'ai même vu sortir de l'argent de ses poches pour le donner à quelqu'un qui en avait un besoin urgent. Plusieurs fois, il m'a demandé d'aller voir des femmes et des enfants sur le point de mourir dont le rêve était de me rencontrer et de m'entendre chanter avant de partir. Tout ça, il le faisait sans publicité aucune. Simplement, il donnait du bonheur pour donner du bonheur.

Aussi ai-je été insulté lorsqu'à la moindre petite erreur, qui dans le fond n'était même pas la sienne, on le blâma publiquement. Je pense, en écrivant ces mots, à une certaine grande association de Montréal qui l'a laissé tomber... Et puis merde! La mémoire, c'est quoi?

Pendant des années, il s'est dévoué pour vos orphelins. (Je l'ai vu de mes propres yeux courir d'un côté et de l'autre pour arriver à faire de votre fête de Noël un succès.) C'est triste, quand j'y pense. Pourtant, je le jure : Frenchy ne sait rien de mes pensées et de ce que j'écris, puisque la vie et les obligations du métier nous ont éloignés. Je n'ai pas oublié cet homme que certains appelaient «la grande gueule». Ils ne savaient sûrement pas qu'en Frenchy, il y avait autant de cœur que de gueule.

Derrière tous ces caractères qui formaient une des équipes les plus variées, il y avait un réalisateur : Pélo. Quelquefois arrogant et autoritaire, choquant même, il démontrait souvent une grande tendresse mêlée à un émerveillement presque enfantin devant les prouesses que nous arrivions à faire avec les possibilités de la télévision presque artisanale de ce temps-là. Ce n'était pas difficile de détecter son état d'esprit, avec l'expression que la force de sa personnalité dégageait sur toute l'équipe technique. Avec lui, pas de milieu. C'était tout ou rien!

À travers toutes les occupations de mon métier et les autres qu'entraînait cette année surchargée de l'Expo 67, il m'arrivait souvent de penser à mes enfants, dont j'étais toujours sans nouvelles. J'y pensais surtout le dimanche, alors que je passais une partie de la journée avec des enfants qui venaient pratiquer leur numéro et leur chanson pour l'émission du soir. Je ne pouvais m'empêcher de trouver la vie contrariante, malgré mon succès. Je m'occupais des enfants des autres et je ne voyais même pas les miens! J'embrassais des enfants dont je ne connaissais même pas le nom, alors que les miens, à force de ne pas me voir, allaient peut-être finir par m'oublier! J'y pensais chaque fois que je voyais les estrades pleines de ces joyeux petits visages.

Un dimanche, pendant que je présentais un de ces jeunes talents, il me sembla reconnaître, perdue dans l'auditoire, une petite fille qui ressemblait étrangement à Ginette, mon bébé qui avait grandi. Je me dis: «Paolo, t'es en train de capoter». D'ailleurs, depuis quelque temps, je me sentais fatigué et nerveux. J'essayai d'oublier cette petite tête blonde mais j'avais des difficultés à y arriver. Tout le long de l'émission, je bafouillais et j'arrivais même à me tromper pendant les présentations. Diane, qui m'accompagnait tous les dimanches avec Constantino, vint me voir pendant la pause commerciale pour me demander ce qui n'allait pas. Comme j'avais peur d'avoir l'air ridicule si je lui disais ce qui se passait en moi, je prétextai la fatigue et lui répondis de ne pas s'en faire puisque l'émission tirait à sa fin. Quand tout fut terminé et que les enfants descendirent tous ensemble des estrades pour me donner l'assaut final des becs et des signatures, j'arrivai à bien la voir, cette petite fille qui était restée seule assise dans l'estrade vide. C'était bien elle! Ginette, mon bébé, qui attendait toute seule! J'avais de la difficulté à traverser la foule des enfants pour me rendre jusqu'à elle qui avait commencé à enjamber les bancs pour venir vers moi. Les enfants m'entouraient toujours, se demandant qui était cette petite fille mal attriquée, affublée d'une mauvaise coupe de cheveux à la garçonne. Elle me sauta dans les bras en pleurant.

— Mon beau papa, comme je me suis ennuyée de toi!

J'avais le cœur tout chaviré en la serrant contre moi. Heureusement que Diane est arrivée avec Constantino dans les bras, sinon j'éclatais. Ce n'est que rendus dans la salle de maquillage, lorsque nous avons été seuls, que j'ai pu lui parler. Elle nous avoua qu'elle s'était sauvée de la maison parce qu'elle s'ennuyait. On lui avait défendu de venir me voir et même de me regarder à la télévision. Cet aveu ne me surprit pas mais je m'inquiétais pour son retour chez elle. Je décidai de téléphoner à Thérèse, quitte à inventer un mensonge pour que la petite n'ait pas à subir les conséquences de son geste. De toute façon, je savais ce que la famille de Thérèse pensait de moi.

J'étais dans la boîte téléphonique, dans le hall d'entrée de CFTM, quand j'arrivai à la rejoindre. Je n'eus pas le temps de dire grand-chose. Elle me répondit froidement:

— Tu l'as, ta fille? Bien garde-la! Moi, j'peux pas en venir à bout. Elle est en train de me rendre folle avec son maudit caractère de cochon comme le tien!

— Bon, t'es sûre de ta décision, Thérèse?

— Oui, j'veux plus en entendre parler!

408

Je raccrochai et je téléphonai immédiatement à Reevin Pearl, mon avocat, pour lui demander conseil et ne pas me mettre les pieds dans les plats comme d'habitude.

Étant donné notre situation sociale, à Diane et à moi, la petite devait demeurer chez sa tante ou chez sa grand-mère, en attendant que la cour m'accorde légalement le droit de la garder. Je n'oublierai jamais les paroles de Georges Tremblay, le chef d'orchestre de l'émission. Il m'a dit, les yeux dans l'eau, en voyant la petite, l'air abattu par tous ces événements qui avaient provoqué sa désertion :

— Écoute Paolo. Si t'as des problèmes pour y trouver un chez-eux, en attendant que tout soit réglé, j'vais l'emmener chez nous. Elle va être bien avec mes deux filles. Pis inquiète-toi pas, on va en prendre soin de ta chouette !

Merci, Georges. Tu vois, je n'ai pas oublié !

Heureusement, avec Reevin, tout fut réglé rapidement. J'étais heureux d'avoir un de mes enfants avec moi. Enfin, j'allais pouvoir me venger du passé qui m'a trop longtemps refusé le plaisir de donner de l'affection à mes enfants.

DIANE : *Et moi, j'étais heureuse d'avoir une fille à moi, avec qui je pourrais parler, que je pourrais m'amuser à habiller, à coiffer, à catiner quoi ! Et Tino aurait une grande sœur à lui. Paolo m'avait avoué qu'il se sentait un peu avancé en âge pour avoir d'autres enfants. Enfin, c'est ce qu'il me disait, lui qui, aujourd'hui, a l'air de ne plus vouloir vieillir.*

Seul un petit problème se posait à notre vie en commun : l'appartement où nous demeurions était trop petit. Il fallait donc trouver une maison où nous pourrions vivre heureux tous ensemble. Pour rencontrer nos goûts, il fallait qu'elle soit romantique, vieille et belle. Mais où la trouver ?

Nous cherchions sans succès, lorsque par un bel après-midi d'automne, en nous promenant sur le chemin des Patriotes qui longe le Richelieu, j'aperçus, à la limite de St-Hilaire et de St-Charles, une belle vieille maison de bois peinte en blanc. Elle semblait délaissée à travers le foin et les mauvaises herbes qui avaient poussé depuis trop longtemps. Je stoppai au milieu du chemin et je dis à Diane :

— C'est celle-là que je veux !

— Paolo, c'est même pas marqué qu'elle est à vendre.

— C'est pas nécessaire. Il va falloir qu'elle le soit. Elle est trop belle pour être abandonnée.

En regardant bien par les fenêtres, on s'est vite aperçu qu'elle n'était pas abandonnée mais peut-être un peu oubliée. Par le fermier d'en face, j'ai su le nom du propriétaire et croyez-moi, je l'ai trouvé ! Je ne connais pas plus emmerdeur que moi lorsque j'ai décidé d'avoir quelque chose.

DIANE :   *Mon Dieu, y'a fallu qu'il écrive un livre pour l'avouer... et emmerdeur, c'est peu dire !*

Fait étrange, le propriétaire de cette maison était le fils de mon premier patron lorsque j'avais quatorze ans et que je travaillais dans une fabrique de chaussures. Je me souviens très bien de monsieur Corbeil arrivant dans sa grosse limousine, me donnant des commissions à faire au milieu de l'après-midi en me disant :

— Quand tu auras fini, va-t'en chez toi, ta carte sera poinçonnée jusqu'à six heures !

La vie tourne bizarrement. Le petit garçon qui gagnait dix sous de l'heure vient d'acheter la maison du fils — collectionneur d'art — de son premier patron !

Cette année-là, pour la première fois de ma vie, c'est moi — celui qui avait passé son existence à trimbaler ses valises — qui recevais toute la famille pour le réveillon de Noël. Diane avait travaillé très fort pour que tout soit à la hauteur. Parmi les invités, il y avait ma mère, qui avait passé sa vie à recevoir des gens et à mijoter des plats. Nous n'attendions que son verdict sur le ragoût de pattes de cochon pour être complètement satisfaits. Et avec Lucienne, une seule porte de sortie : la vérité toute « crutte ».

Diane a donc demandé à ma mère de goûter le ragoût avant qu'on ne le serve. Elle s'est écriée :

— Ah ben, y'est bon en maudit ! C'est ben la première fois que mon gars s'est poigné une femme qui fait à manger comme du monde !

DIANE :   *Enfin, ma belle-mère était fière de me montrer ses secrets culinaires. C'était pas compliqué ; en tout cas, c'est ce qu'elle croyait.*

— Tu mets un petit peu de ça pis une cuillère de ça.

— Une cuillerée à soupe ou à thé ?

Ce genre de question l'embêtait et elle continuait.

— Ben j'sais pas ! Une cuillère, bon ! Pis après un petit peu de ça, pis tu

411

goûtes pis tu vas voir si c'est correct.
Sinon, tu rajoutes ce qui manque.

Et ma belle-mère était heureuse de
savoir que si un jour elle devait partir,
son fils pourrait continuer à manger la
nourriture qui en avait fait un homme en
santé.

Ce fut pour nous un Noël merveilleux, dans cette belle vieille maison qui sentait bon le bonheur mêlé à l'odeur du bois qui brûlait dans la cheminée. Et nous écoutions ma mère chanter une de ses vieilles chansons d'amour :

« Quand il vous regarde avec ses yeux noirs
C'est du feu qui dans le cœur vous pénètre
Désormais, c'est lui seul votre maître
C'est encore un bonheur infini de souffrir
[pour lui ».

J'écoutais sa voix que je n'entendrai plus jamais, en me disant combien j'étais chanceux d'avoir rencontré une femme comme Diane. Elle était arrivée, comme une fée, à mettre du pastel sur la grisaille qui enveloppait mon cœur depuis trop longtemps, à poser des dentelles aux fenêtres de ma vie et à me rendre assez heureux pour que je n'aie plus envie de mourir. C'est si bon, le bonheur, quand on sait ce qu'il vaut et qu'on a assez souffert pour en connaître toute la grandeur.

Quand la famille se réunissait, c'était un joyeux groupe de fêtards qui aimaient rire, chanter et s'amuser.

Souvent au cours du réveillon, ma mère, assise au bout de la table, me répéta que son rêve était que je sois un jour nommé Monsieur Télévision. J'avais beau lui expliquer que je ne faisais pas mon métier pour avoir des honneurs mais plutôt parce que j'étais heureux de le faire, elle insistait. Il le fallait à tout prix.

— J'vas faire des neuvaines, j'vas faire brûler des lampions. Il faut que ce soit toi, le prochain Monsieur Télévision.

— Pauvre moman, va! Tu t'donnes bien de la misère. J'me trouve très heureux d'être ce que je suis maintenant. Mon trophée, c'est le public. J'en ai pas besoin d'autres.

Les Fêtes terminées, j'ai repris mon travail à plein, ce qui m'empêchait d'être plus souvent à la maison pour aider Diane. Elle était une toute nouvelle maman aux prises avec des problèmes qui exigeaient une mère avec beaucoup d'expérience ; il lui fallait arriver à comprendre les idées révolutionnaires d'une jeune adolescente quelque peu révoltée.

C'est peut-être à partir de ce jour seulement que j'ai compris tout le mérite de Paul Vadeboncœur. Il avait élevé le petit garçon têtu et amoureusement possessif de sa mère que j'étais. C'est ce qui nous a empêchés de bien nous entendre pendant des années. Entre Diane et Ginette, c'était le même problème. Ma fille aurait voulu m'avoir à elle toute seule pour remplir le vide que ma séparation d'avec sa mère avait creusé dans sa vie. Mais Diane était comme Paul, du genre patient. Elle essayait de trouver un point d'entente entre elles mais ce n'était pas toujours facile.

Malheureusement, pour ne pas me déranger dans la concentration que me demandait mon travail, elle me cachait toutes ces choses qui lui creusaient doucement des rides, malgré son jeune âge. Étourdi par tout ce qui se passait autour de moi avec cette histoire de Monsieur Télévision 68, je ne voyais rien ni ne devinais rien.

Tous les jours ou presque, des journalistes et des photographes m'attendaient à la sortie des studios pour des entrevues. Sans être vraiment intéressé à leur concours, je me sentais obligé de me prêter à leur jeu car aucun d'eux n'avait été méchant avec moi dans le passé. Aujourd'hui, ils ont besoin de moi pour vendre des journaux ; hier, c'était moi qui avais eu besoin d'eux pour me faire connaître. Et ça, il ne faut pas l'oublier ! (Certains artistes, aujourd'hui négligés du public, auraient dû penser à être un peu plus conciliants avec les journalistes, quand ils étaient en haut.)

Un midi, justement, je sortis du studio pour aller à la rencontre d'un journaliste qui m'attendait à la réception. En arrivant près du desk, la réception-niste me donne un message m'enjoignant de télé-phoner de toute urgence à l'hôpital de St-Hyacinthe. Je sautai dans la boîte du téléphone et je signalai pour demander à parler à madame Diane Noël. On me dit d'attendre un instant. J'étais inquiet car je pensais au pire. « Criss que leurs instants sont longs ! Qu'est-ce qu'ils ont à me laisser attendre comme ça, comme un maudit cave ! » Dans ma tête, c'était épouvantable ce que mon cinéma pouvait inventer comme tragédie. Quand j'entendis la voix de Diane, je sus qu'elle avait pleuré.

— Tino s'est empoisonné avec du « varsol » !

— Comment, avec du « varsol » ! Où est-ce qu'il est, Tino ? Y va-tu mourir ?

Diane ne répondit pas mais je l'entendais pleurer. Elle finit par me dire en sanglotant :

— Je n'sais pas, mais c'est grave. Y'est sous la tente à oxygène. Ils lui ont fait un lavement d'estomac.

— Mais qui c'est qui a laissé traîner du «varsol» à la maison, avec un petit enfant qui fouille partout?

— C'est Ginette. Elle a laissé tremper ses pinceaux rouges dans un verre, sur son bureau.

— Ça fait cent fois que j'y dis de pas laisser traîner ses maudits pinceaux!

Et plus je parlais plus je m'enrageais à la pensée que j'allais perdre mon enfant pour une pareille connerie, si bien qu'au lieu de raccrocher, j'arrachai le récepteur et le lançai sur le terrazzo du hall d'entrée en criant à celui qui m'attendait:

— Votre câlisse de trophée, fourrez-vous-le dans l'cul. Chu' en train de perdre le trophée de ma vie. J'haïs tout le monde, câlisse!

Tout le monde me regardait croyant que j'étais subitement devenu fou. Je n'ai pas besoin de vous dire que personne n'aurait pu m'arrêter sur mon chemin pendant que je me rendais à l'hôpital. Ma Jaguar XKE marquait au speedomètre 160 milles à l'heure et c'est à peu près ce qu'elle a fait!

En arrivant à l'hôpital, j'ai pris Diane dans mes bras. Elle avait les yeux enflés à force de pleurer. J'ai demandé à voir mon fils, ce qu'on m'a refusé. Diane est devenue blanche de colère comme je ne l'avais encore jamais vue. Elle a dit textuellement à la garde qui voulait nous empêcher d'aller voir notre fils, pendant que nous l'entendions nous appeler en pleurant:

— *Tu m'empêcheras pas, ma maudite,*
de prendre mon bébé dans mes bras,
dans le temps qu'il a le plus besoin de sa

mère! Pis j'te souhaite, ma maudite
salope, de jamais avoir d'enfants ou si
t'en as, qui t'arrive ce qui nous arrive
pour que tu souffres toi aussi, si toutefois
t'as du cœur!...

Ma douleur obscurcissait mon esprit.
Cette personne ne savait pas à quel
point j'avais un besoin immense, incon-
trôlable, de prendre mon bébé sur mon
cœur. J'avais tellement eu peur dans le
taxi. Quand je l'ai vu sans connaissance
dans mes bras, les yeux à l'envers et
qu'il courait après sa respiration, j'ai
demandé désespérément au chauffeur
d'aller plus vite... mais ça n'est jamais
assez vite quand c'est une question de
vie ou de mort.

De notre maison à l'hôpital, c'était un
trajet normal de vingt minutes et je
voyais mon bébé qui s'en allait sans que
je puisse rien faire. J'allais perdre mon
beau bébé que j'aimais tant! C'était trop
injuste alors qu'on commençait à être
heureux! Je ne l'acceptais pas! Je ne le
voulais pas! Il fallait que nous arrivions à
temps!

Ce que j'écris, je ne l'ai jamais oublié.
C'est une image qui est gravée sur mon
cœur de maman pour le reste de ma vie.

Quand nous avons vu notre petit, couché sous
cette tente humide pour qu'il puisse respirer, ce que
nous avons souffert tous les deux devant notre
impuissance à pouvoir le sauver! Notre seule
consolation fut de lui toucher la main. Nous sommes
revenus tous les deux, sans dire un mot, cela aurait

été inutile. Il n'y avait pas de mots capables d'exprimer le mal qui nous accablait. Rendus à la maison, j'ai passé la nuit dans mon fauteuil à me bercer et à réfléchir pendant que Diane essayait de se reposer, couchée sur le divan, en me tenant la main. Ginette s'était réfugiée dans sa chambre pour ne pas avoir à nous affronter. Heureusement, Constantino s'en est sorti au bout de quinze jours de bons soins. Il faut dire que c'était un petit costaud super-énergique.

À son retour de l'hôpital, je passais des nuits à le bercer s'il pleurait. La peur de le perdre m'avait fait réaliser que bien souvent, je manquais des occasions de l'embrasser et de le tenir sur mon cœur.

Une nuit, je lui écrivis ce poème :

Toi, l'enfant de l'amour
Que je tiens sur mon cœur
J'écoute la douceur de ton respir
Et je voudrais te cacher dans mon dedans
Je sais qu'un jour tu t'en iras
En emportant un morceau de mon cœur
Un morceau de ma vie
Parce que bien au-dessus du jugement des hommes
Tu es mon fils et je t'aime
Toi, l'enfant de mon amour.

Dédié à mon fils Constantino (Tino), le 9 mars 1968.

27

Qui, monsieur? Moi!

La vie a quelquefois de ces façons bien cruelles de vous ouvrir les yeux sur des valeurs que vous aviez négligées et ça, souvent sans vous en rendre compte. L'accident de mon fils m'avait fait réaliser que j'étais en train de devenir un automate, une machine à consommation faisant vivre un tas de gens qui profitaient de mon incompétence en affaires pour me vendre ou me faire acheter des choses dont je n'avais pas besoin pour être heureux.

Pendant ce temps, je dépensais de l'argent durement gagné en oubliant ma propre vie et ma santé, qui me donnait de plus en plus des signes d'avertissement. Je m'arrangeai donc pour avoir quinze jours de vacances et nous sommes partis toute la famille pour la Floride. À trente-huit ans, je n'avais pas encore découvert ce pays parce que je m'étais toujours dit que je n'irais voir le soleil qu'avec mon bateau.

Les années passaient et mon bateau était toujours dans la glace, l'hiver durant. Même si je n'aimais pas les avions, j'y montai avec toute ma famille pour aller dans la maison que ma belle-mère possède là-bas. Ce fut merveilleux de voir le soleil de si près, de regarder les grands palmiers que je n'avais vus qu'au cinéma et sur les images. Quelle douceur de passer des heures à regarder la mer tiède et bleue, alors que je la connaissais beaucoup plus foncée et plus froide du côté de la Gaspésie. Pour moi qui ne jure que par les bateaux, j'en ai vu comme jamais je n'en avais vu !

J'étais quelquefois émerveillé comme un enfant qui fait un beau rêve. Tino a repris complètement ses forces grâce à l'air salin et au soleil. Ginette a échangé son teint d'orpheline contre un beau « tan » faisant ressortir ses cheveux blonds qui, en allongeant, lui donnaient une allure de petite Cendrillon.

Quand nous sommes revenus de vacances, Diane et moi étions pleins d'énergie et d'imagination : les prouesses amoureuses ne nous avaient pas été possibles durant notre séjour chez belle-maman, car elle avait toujours quelque chose à nous faire visiter l'après-midi et quelque chose à nous raconter le soir. Dans la petite chambre qu'elle nous avait préparée, pas question de faire des petits bruits et des craquements insolites la nuit. Les deux enfants étaient couchés dans les lits voisins, sans parler des coups de soleil qui n'incitent pas aux caresses...

Tout le monde était heureux de revenir à la maison car c'était le printemps, ce printemps qui donne des picotements et nous fait apprécier la quiétude de notre petite chambre, nichée sous le toit en pignon de notre vieille maison.

Nos retrouvailles d'amants amoureux furent de courte durée. On parlait à pleines pages, dans tous les journaux artistiques, de la course au titre de Monsieur Télévision 68. Si j'étais dans les premières places, c'était bien malgré moi. Je n'avais rien fait pour y arriver, à part mon travail de «désennuyeur public» à la télé.

J'avais gardé «mauvaise bouche» de ce concours, à cause de l'année précédente où la compétition s'était passée entre Jen Roger et moi. On nous avait trimbalés tous les deux d'un reportage à l'autre, d'une histoire à l'autre et d'une place à l'autre, jusqu'à la dernière minute. Je me suis vraiment senti comme un objet qu'on fait miroiter devant les yeux du client.

Le commanditaire de l'émission pour enfants m'avait acheté un cadeau que je devais recevoir au cours de l'émission, le lendemain du couronnement. Comme je n'avais pas eu le trophée qu'ils espéraient, ils ont retourné le cadeau. Ce qui m'a blessé le plus, ce n'est pas le cadeau, je n'en avais pas besoin; c'est plutôt la façon d'être de ces personnes. Étais-je moins bon animateur parce que je n'avais pas une statue dans les mains?

Alors cette année, si on voulait me le donner, je le prendrais; mais je ne ferais pas de détours pour y arriver. Dans tout ça, c'est la générosité et l'affection du public qui comptaient pour moi. Tout le reste m'était égal.

Ce n'est pas avec des petits bonshommes de métal blanc chromé qu'on fait une carrière, c'est avec un public et c'est lui qui décide des valeurs commerciales de votre talent. Vous aurez beau chanter comme un «Caruso», si le public ne vous aime pas, c'est foutu. Pas un patron ne risquera sa peau et ses sous pour vous entendre chanter.

Le soir du gala, quand nous sommes descendus de notre belle Jaguar blanche, j'ai tendu la main à Diane qui s'était faite plus belle que jamais. J'avais gardé mon vieux tuxedo avec lequel j'avais fait le tour de toutes les boîtes de nuit. J'avais peur qu'en le changeant, ça me porte malchance. (Tous les marins sont superstitieux !) Paul et ma mère avaient été invités et nous attendaient à l'entrée ; ça me faisait plaisir ! Le plus beau souvenir que je garde de ce gala, c'est le monde, le vrai monde, celui qui nous attendait debout à l'entrée du théâtre, qui nous touchait au passage comme si nous étions des gens vénérables, ou encore qui nous disait :

— Bravo, Diane ! Bonne chance, Paolo !

Ça c'est un vrai trophée ! Il a un cœur et une âme, le public. S'il vous aime, c'est qu'il vous aime en tant qu'artiste et peut-être même en tant qu'être humain, car il a le choix. Les étalages sont pleins d'artistes qu'on essaie de leur vendre.

Ce soir-là malgré tout, j'étais excessivement nerveux. Je tenais la main froide de Diane qui était sûrement nerveuse elle aussi car elle savait comme moi, combien ma mère serait heureuse de voir son fils arriver en haut de cette grande côte que depuis tant d'années elle m'aidait à gravir. Elle avait été si longtemps la seule à croire en moi. Quelquefois, j'arrivais moi-même, après toutes ces déceptions, à ne plus croire en mon étoile.

On a commencé à donner des méritas. Je regrettais presque de ne pas m'être grouillé plus le derrière pour l'avoir, ce trophée, ne serait-ce que pour en faire chier quelques-uns, en commençant par toi, le policier du coup de couteau qui m'avait traité de pourriture ! Puis tous les patrons de cabaret qui m'avaient mis à la porte sans me payer parce que je ne chantais pas en anglais. Puis vous autres, les impresarios qui me laissiez attendre des heures dans le passage avec le ventre vide et qui finissiez par me dire :

— Sorry, pas de job ! T'as pas de style !

Et toi, Fredda ! Même si tu ne me regardes pas, j'aimerais ça que demain, quelqu'un vienne te dire que celui qui avait épousé ta fille n'était pas un raté.

J'avais presque envie de prier pour gagner mais j'étais sûr que c'était trop tard. Les jeux étaient déjà faits, mais maudit que j'aurais aimé ça, devant tout le monde dans la salle et les autres qui regardaient à la télévision, me faire appeler Monsieur avec un grand M ! Moi, l'ancien ti-cul de la rue Cuvillier.

*   *   *

Ça y est. On vient de nommer Ginette Reno « Miss Télévision ». Je pense qu'elle doit être contente, elle aussi. On a l'impression que les applaudissements vont faire tomber le plafond du théâtre. Elle doit être heureuse car elle l'a vraiment mérité.

On commence à nommer les candidats au titre de Monsieur Télévision. Voyons ! Veux-tu me dire ce que j'ai à m'énerver comme ça ? Le cœur me bat assez fort que j'ai l'impression que je vais faire une crise cardiaque ! Pour me calmer, je me retourne pour regarder ma mère, assise pas loin derrière, à côté de Paul. Je la vois inquiète et je sais qu'elle a son chapelet enroulé autour de la main, car je suis pour elle la réussite que la vie lui a refusée... Et j'entends : « Paolo Noël, Monsieur Télévision 68. »

Diane me répète :
— Paolo, c'est toi.
— C'est moi ?

Et c'est certainement moi car j'entends les cris de joie de toute l'équipe de « Toast et café » derrière moi, le tout couvert par la voix de Pélo lançant son cri de guerre habituel afin de bien faire entendre à tout le monde son approbation.

— Vas-y Paolo ! C't'à toi, prends-le ! Youpiii !

Je me lève et me mets à marcher comme un automate. Tout à coup, comme s'il ne m'était pas permis de prendre trop de temps et de place dans cette soirée, je me mets à courir en suivant la cadence des applaudissements et je me rends jusqu'à la scène où m'attend mon bon vieil ami, Olivier Guimond. J'ai l'impression que tout se passe au ralenti. Je le vois, avec mon trophée dans les mains, me tendant les bras. Il s'était déjà presque disputé avec monsieur Grimaldi pour qu'il me garde au théâtre, au tout début de ma carrière.

Il m'attend avec son beau sourire de clown sympathique qui a rendu tant de gens heureux. Ce soir, devant toute cette foule, c'est pour moi qu'il sourit. Il sait beaucoup de choses et j'ai le cœur au bord des larmes quand il me prend dans ses bras, en me serrant très fort, et me dit à l'oreille des mots que je n'avais jamais dévoilés à personne d'autre qu'à Diane et à ma mère avant aujourd'hui.

— Hein ti-gars ! T'as gagné ! Chu content pis chu fier de toi !

Je ne vois plus personne. Je suis dans un autre monde, dans une autre dimension que je ne connaissais pas. Je suis fou de bonheur de me voir à côté de Ginette Reno, devant cette foule debout qui applaudit deux enfants du faubourg qui ont atteint un sommet.

J'avais enfin tenu la promesse faite un jour à ma mère, dans le taxi qui nous ramenait du centre de police.

— Maman, j'te demande pardon. À partir d'aujourd'hui, plus jamais tu n'auras à avoir honte de moi parce que je t'aime et que je t'aime plus que tout au monde.

Je termine ici mon livre. Diane et moi n'en pouvons plus, même si en ce moment, notre vie ne fait que commencer. Aujourd'hui, nous sommes à l'automne 1982. Ça fait déjà dix-sept ans que nous nous battons côte à côte. Il y a douze ans que nous sommes mariés et depuis, une petite fille nommée Vanessa est née de notre amour.

En écrivant ces lignes, mot à mot, moi avec mon petit crayon à mine, Diane transcrivant avec sa plume, nous avons revécu avec intensité des moments heureux et malheureux.

Pour que tu comprennes tout ce qu'on a voulu te dire, peut-être un jour nous retrouverons-nous. Je n'ai pas fini d'avoir des aventures. Il me reste un rêve à réaliser, celui qui m'obsède depuis mon enfance : partir sur mon bateau vers ces îles au soleil, entourées d'eau pastel où je trouverai peut-être enfin ce que j'ai cherché toute ma vie.

Salut !

DIANE et PAOLO

PAOLO NOËL
veut devenir
ECRIVAIN!

Par Pierre BRODEUR

C'EST au Café des Artistes que nous attendions Paolo Noël, celui-là même qui, par son travail constant et un talent naturel, a gagné un vaste public au cours des dernières années. Même si certaines vedettes aiment bien se faire attendre, Paolo Noël n'est pas de ceux-là. A l'heure fixée, il était au rendez-vous. Son entrée fut remarquée de tous . . . avec sa casquette de marin on l'aurait reconnu à deux cents pas.

Cet en-tête d'un journal qui date de l'année 1966 est la réponse à une question qui m'a été souvent posée:

"Depuis quand aviez-vous décidé d'écrire un livre sur votre vie?"

Paolo

429

COMPOSÉ AUX ATELIERS
GRAPHITI BARBEAU, TREMBLAY INC.
À SAINT-GEORGES-DE-BEAUCE

IMPRIMERIE
L'ÉCLAIREUR
BEAUCEVILLE

7444